어휘력 자신감

초등 국어

6 단계

★ 초등 국어 어휘력 자신감은 이런 교재예요!

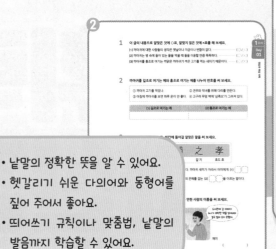

2 다양한 문제 유형

- 낱말의 정확한 뜻을 알 수 있어요.
- 헷갈리기 쉬운 다의어와 동형어를 짚어 주어서 좋아요.
- 띄어쓰기 규칙이나 맞춤법, 낱말의 발음까지 학습할 수 있어요.

1 쉽고 재미있는 지문

- 글 내용이 쉽고 재미있어요.
- 주제가 다양해서 지루하지 않아요.
- 글이 길지 않아 부담스럽지 않아요.
- 글을 읽으면서 속담과 관용어는 물론, 한자 성어와 교과 어휘까지 익힐 수 있어서 좋아요.

독해력을 키우는 즐거운 공부 습관!

3 교과서 배경 지식

- 교과서에 나오는 개념어를 쉽고 깊이 있게 익힐 수 있어요.
- 글을 통해 배경 지식을 알 수 있어서 교과서 내용이 머리에 쏙쏙 들어와요.

어휘력 UP!

하루 15분 ♥
어휘력 자신감!

한자로 공부하면
어려울 것 같았는데
그렇지 않았어요!

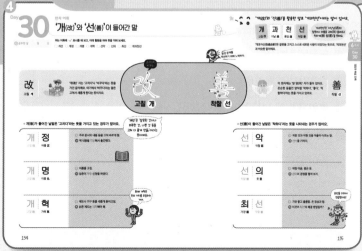

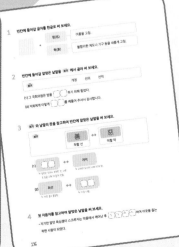

✦ 이 책의 차례 ✦

| 주차 | Day | | 쪽수 | 교과 연계 |

1주차

Day 01 속담 까마귀 고기를 먹었나 ——————————— 8쪽

Day 02 관용어 입을 다물다 마당을 나온 암탉 12쪽 국어

Day 03 한자성어 좌우명(座右銘) ——————————— 16쪽

Day 04 교과어휘 민주주의를 지켜 낸 4.19 혁명 주권 20쪽 사회

Day 05 한자어휘 '종(種)'과 '류(類)'가 들어간 말 ——————————— 24쪽

그림으로 익히는 어휘 걸음걸이의 종류 ——————————— 28쪽

2주차

Day 06 속담 개천에서 용 난다 ——————————— 30쪽

Day 07 관용어 획을 긋다 ——————————— 34쪽

Day 08 한자성어 망망대해(茫茫大海) 사막을 같이 가는 벗 38쪽

Day 09 교과어휘 우주의 중심이 지구에서 태양으로 지구의 공전 42쪽 과학

Day 10 한자어휘 '광(廣)'과 '고(告)'가 들어간 말 ——————————— 46쪽

그림으로 익히는 어휘 달의 이름 ——————————— 50쪽

3주차

Day 11 속담 발 없는 말이 천 리 간다 ——————————— 52쪽

Day 12 관용어 눈이 동그래지다 고무신 56쪽 국어

Day 13 한자성어 각양각색(各樣各色) ——————————— 60쪽

Day 14 교과어휘 정의의 수호자 '해태' 국가 기관 64쪽 사회

Day 15 한자어휘 '성(性)'과 '격(格)'이 들어간 말 ——————————— 68쪽

그림으로 익히는 어휘 사랑과 관련된 낱말 ——————————— 72쪽

4주차

Day 16 속담 하늘은 스스로 돕는 자를 돕는다 봄바람 74쪽 국어

Day 17 관용어 무릎을 치다 ——————————— 78쪽

Day 18 한자성어 함흥차사(咸興差使) ——————————— 82쪽

Day 19 교과어휘 추워지면 왜 나뭇잎이 떨어질까요 식물의 구조 86쪽 과학

Day 20 한자어휘 '전(傳)'과 '설(說)'이 들어간 말 ——————————— 90쪽

그림으로 익히는 어휘 돈이 들어가는 낱말 ——————————— 94쪽

주차	Day			쪽수	교과연계

5주차

	Day 21	속담	우물을 파도 한 우물을 파라	96쪽	
	Day 22	관용어	시치미를 떼다 빨간 머리 앤	100쪽	국어
	Day 23	한자성어	퇴고(推敲)	104쪽	
	Day 24	교과어휘	남북이 하나 되는 날 남북통일	108쪽	사회
	Day 25	한자어휘	'상(商)'과 '품(品)'이 들어간 말	112쪽	
	그림으로 익히는 어휘		신체 부위 이름	116쪽	

6주차

	Day 26	속담	감나무 밑에 누워서 홍시 떨어지기를 기다린다	118쪽	
	Day 27	관용어	하늘을 찌르다 홍길동전	122쪽	국어
	Day 28	한자성어	각주구검(刻舟求劍)	126쪽	
	Day 29	교과어휘	전기의 시대를 연 발명가 에디슨 전기의 이용	130쪽	과학
	Day 30	한자어휘	'개(改)'와 '선(善)'이 들어간 말	134쪽	
	그림으로 익히는 어휘		눈의 종류	138쪽	

7주차

	Day 31	속담	모난 돌이 정 맞는다	140쪽	
	Day 32	관용어	침이 마르다 동백꽃	144쪽	국어
	Day 33	한자성어	지록위마(指鹿爲馬)	148쪽	
	Day 34	교과어휘	다양한 문화를 존중해요 지구촌 문화	152쪽	사회
	Day 35	한자어휘	'필(必)'과 '요(要)'가 들어간 말	156쪽	
	그림으로 익히는 어휘		하루 시간을 나타내는 낱말	160쪽	

8주차

	Day 36	속담	콩 심은 데 콩 나고 팥 심은 데 팥 난다	162쪽	
	Day 37	관용어	고개를 돌리다 탈무드	166쪽	
	Day 38	한자성어	순망치한(脣亡齒寒)	170쪽	
	Day 39	교과어휘	대나무를 먹는 대왕판다 소화 기관	174쪽	과학
	Day 40	한자어휘	'약(約)'과 '속(束)'이 들어간 말	178쪽	
	그림으로 익히는 어휘		맛을 나타내는 낱말	182쪽	

독해력을 키우는
즐거운 공부 습관

하루 15분

- 어휘력을 위한 하루 15분 즐거운 공부 습관!
- 어휘력 자신감과 함께 시작하세요.

어휘력 자신감　1단계 | 2단계 | 3단계 | 4단계 | 5단계 | 6단계

1주 어휘 미리보기

뜻을 알고 있는 낱말에 V표 해 보세요.
알고 있는 낱말은 글에서 어떻게 쓰였는지 확인하고,
모르는 낱말은 글을 읽으며 재미있게 익혀 보아요.

	배울 내용	배울 낱말		공부한 날
Day 01	속담 까마귀 고기를 먹었나	☐ 나무라다 ☐ 길하다 ☐ 효성 ☐ 지능	☐ 위협하다 ☐ 후손 ☐ 습성 ☐ 편견	월 / 일
Day 02	관용어 입을 다물다	☐ 걸리다 ☐ 드물다 ☐ 고백하다 ☐ 덤불	☐ 야생 ☐ 멎다 ☐ 허투루 ☐ 물끄러미	월 / 일
Day 03	한자 성어 좌우명(座右銘)	☐ 사당 ☐ 경계하다 ☐ 겸손하다 ☐ 새기다	☐ 개의하다 ☐ 이치 ☐ 명심하다 ☐ 문구	월 / 일
Day 04	교과 어휘 – 사회 민주주의를 지켜 낸 4.19 혁명	☐ 불의 ☐ 혁명 ☐ 독재 정치 ☐ 무효	☐ 이념 ☐ 저항하다 ☐ 조작하다 ☐ 동원하다	월 / 일
Day 05	한자 어휘 '종(種)'과 '류(類)'가 들어간 말	☐ 종류 ☐ 어종 ☐ 조류 ☐ 유례	☐ 종자 ☐ 멸종 ☐ 유사 ☐ 유유상종	월 / 일

속담

까마귀 고기를 먹었나

아는 어휘에 ✔ 표시를 해 보고, 어휘의 뜻을 생각하며 글을 읽어 보세요.

☐ 나무라다 ☐ 위협하다 ☐ 길하다 ☐ 후손 ☐ 효성 ☐ 습성 ☐ 지능 ☐ 편견

⏰ 공부한 날

월   일

우리는 잊어버리기를 잘하는 사람을 놀리거나 ❶나무랄 때 흔히 "❷까마귀 고기를 먹었나."라는 속담을 사용합니다. '까마귀'라는 말과 '까먹다'라는 말의 발음이 비슷하고, 까마귀의 깃털 색깔이 까매서 어떤 사실을 까맣게 잘 잊어버리는 사람을 까마귀에 빗댄 표현이 생겼다고 합니다. 이외에도 '아침에 까마귀 울음소리를 듣거나 까마귀가 날아가는 모습을 보면 하루 운이 좋지 않다.'라는 말도 있습니다. 사람들이 까마귀를 흉조로 여기게 된 것은 까마귀가 썩은 고기를 먹는 새라는 점과 '가오가오' 하는 까마귀 울음소리가 인간을 ❸위협하는 것처럼 들렸기 때문입니다.

▲ 까마귀

하지만 옛날에는 까마귀를 ❹길한 새로 여겼습니다. 견우와 직녀 이야기에서는 까마귀와 까치가 하늘로 올라가 머리를 맞대어 '오작교'라는 다리를 만듭니다. 음력 7월 7일, 견우와 직녀는 이 다리를 건너 일 년에 한 번 만날 수 있었습니다.

고구려 고분(옛날에 만들어진 무덤) 벽화에는 태양 속에 살고 발이 세 개인 까마귀 '삼족오'가 자주 등장합니다. '삼족오'는 태양신을 뜻하는데, 고구려 사람들은 자신들이 태양신의 ❺후손이라고 생각해서 무덤의 중심에 삼족오를 자주 그렸습니다.

까마귀에 대한 긍정적인 생각이 담긴 한자 성어도 있습니다. '반포지효(反哺之孝)'는 까마귀 새끼가 자라서 늙은 어미에게 먹이를 물어다 주는 효라는 뜻으로, 자식이 자란 후에 어버이의 은혜를 갚는 ❻효성을 이르는 말입니다. 옛날 사람들은 어미 새를 돌보는 까마귀의 ❼습성을 보고 까마귀가 효심이 깊은 새라고 생각했습니다.

까마귀는 실제로 매우 영리한 새입니다. 다른 새들에 비해 ❽지능이 높은 까마귀는 호두처럼 딱딱한 먹이를 먹을 때도 사물을 이용합니다. 까마귀는 횡단보도에 호두를 떨어뜨려 자동차가 밟고 지나가기를 기다렸다가 신호등이 초록불로 바뀌면 횡단보도에서 깨진 호두 알맹이를 주워 먹습니다. 어느 실험에서는 까마귀가 물이 반 정도 차 있는 물병에 든 먹이를 꺼내기 위해 주변에 있는 조약돌을 병 속에 넣었다고 합니다.

이처럼 까마귀는 옛날부터 우리 조상들의 사랑을 받아 온 똑똑한 새였습니다. 까마귀에 대해 ❾편견을 가지고 있었다면 지금부터 바꿔 보는 것은 어떨까요?

❶ **나무랄**: 상대방의 잘못이나 부족한 점을 꼬집어 말할.

❷ **까마귀 고기를 먹었나**: 잊어버리기를 잘하는 사람을 놀리거나 나무라는 말.

❸ **위협하는**: 힘으로 으르고 협박하는.

❹ **길한**: 운이 좋거나 좋은 일이 일어날 것 같은.

❺ **후손**: 자신의 세대에서 여러 세대가 지난 뒤의 자녀를 통틀어 이르는 말.

❻ **효성**: 마음을 다하여 부모를 섬기는 정성.

❼ **습성**: 같은 종류의 동물에서 공통되는 생활 방식이나 행동 양식.

❽ **지능**: 사물이나 상황을 이해하고 대처하는 지적인 적응 능력.

❾ **편견**: 공정하지 못하고 한쪽으로 치우친 생각.

1 이 글의 내용으로 알맞은 것에 ○표, 알맞지 않은 것에 ×표를 해 보세요.

(1) 까마귀에 대한 사람들의 생각은 옛날이나 지금이나 변함이 없다. ──────── (○ / ×)

(2) 까마귀는 병 속에 들어 있는 물을 먹을 때 돌을 이용할 만큼 똑똑하다. ──────── (○ / ×)

(3) 까마귀를 흉조로 여기는 까닭은 까마귀가 썩은 고기를 먹는 새이기 때문이다. ──────── (○ / ×)

2 까마귀를 길조로 여기는 예와 흉조로 여기는 예를 나누어 번호를 써 보세요.

> ① 까마귀 고기를 먹었나.   ② 견우와 직녀를 위해 다리를 만든다.
>
> ③ 아침에 까마귀를 보면 하루 운이 안 좋다.   ④ 고구려 무덤 벽에 '삼족오'가 그려져 있다.

(1) 길조로 여기는 예	(2) 흉조로 여기는 예

3 한자의 뜻과 소리를 보고, 빈칸에 들어갈 알맞은 말을 써 보세요.

反	哺	之	孝
돌이킬 반	먹일 포	갈 지	효도 효

→ 그대로 읽으면 '돌이켜 먹이는 효'라는 뜻이다. 까마귀 새끼가 자라서 어미에게 (1) ☐☐

를 물어다 주는 것처럼 자식이 자라 어버이의 은혜를 갚는 (2) ☐☐을 이르는 말이다.

4 "까마귀 고기를 먹었나."라는 표현을 들을 만한 사람의 이름을 써 보세요.

밖에서 게임하느라 집에 늦게 온 것을 들킬까 봐 걱정했어.

도서관에 갈 때마다 누나가 부탁한 책을 잊어버려 결국 빌려 오지 못했어.

수현   재이

(   )

5 다음 낱말과 뜻이 알맞도록 선으로 이어 보세요.

(1) 습성 •

(2) 편견 •

(3) 후손 •

• ① 공정하지 못하고 한쪽으로 치우친 생각.

• ② 같은 종류의 동물에서 공통되는 생활 방식이나 행동 양식.

• ③ 자신의 세대에서 여러 세대가 지난 뒤의 자녀를 통틀어 이르는 말.

6 빈칸에 들어갈 알맞은 낱말을 보기 에서 찾아 써 보세요.

> **보기** 위협   고분   효성

(1) 그녀는 [ ][ ]이 지극한 아들을 두어 행복했다.

(2) 지하철 공사장에서 나는 소음이 주민들의 생활을 [ ][ ]하고 있다.

(3) 얼마 전 발견된 삼국 시대의 [ ][ ] 벽화는 많은 사람의 관심을 끌었다.

7 낱말의 관계를 살펴보고 빈칸에 알맞은 낱말을 써 보세요.

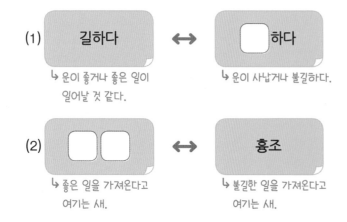

(1) 길하다 ↔ [ ]하다

↳ 운이 좋거나 좋은 일이 일어날 것 같다.

↳ 운이 사납거나 불길하다.

(2) [ ][ ] ↔ 흉조

↳ 좋은 일을 가져온다고 여기는 새.

↳ 불길한 일을 가져온다고 여기는 새.

8 다음 문장에 알맞은 낱말에 ○표를 해 보세요.

(1) 껍질을 버리고 { 알맹이 / 알멩이 } 만 홀랑 먹었다.

(2) 어머니는 아이의 잘못을 호되게 { 나무랐다 / 나무랬다 }.

(3) 가을이 되자, 기러기가 남쪽으로 { 날라가는 / 날아가는 } 모습이 보였다.

틀리기 쉬워요!

9 밑줄 친 낱말의 뜻으로 알맞은 것에 ○표를 해 보세요.

(1) 견우와 직녀는 오작교라는 다리에서 만났다.

　① 사람이나 동물의 몸통 아래 붙어 있는 신체의 부분. ──────── (　　)
　② 물을 건너거나 또는 한편의 높은 곳에서 다른 편의 높은 곳으로 건너다닐 수 있도록 만든 시설물. ──────── (　　)

(2) 미나는 방 안에 가득 찬 풍선을 보고 깜짝 놀랐다.

　① 몸에 닿은 물체나 대기의 온도가 낮다. ──────── (　　)
　② 일정한 공간에 사람, 사물, 냄새 등이 더 들어갈 수 없이 가득하게 되다. ──────── (　　)

10 밑줄 친 낱말의 발음으로 알맞은 것을 골라 번호를 써 보세요.

(1) 폭삭 늙다. ──────── (　　)
　　① [늑따]　　② [늘따]

(2) 사람은 늙거나 병들면 죽는다. ──────── (　　)
　　① [늑꺼나]　　② [늘꺼나]

(3) 오랜만에 만난 친구는 하나도 늙지 않았다. ──────── (　　)
　　① [늑찌]　　② [늘찌]

스스로
붙임딱지

관용어

입을 다물다

아는 어휘에 ✔ 표시를 해 보고, 어휘의 뜻을 생각하며 글을 읽어 보세요.

☐ 야생 ☐ 드물다 ☐ 멎다 ☐ 고백하다 ☐ 허투루 ☐ 덤불 ☐ 물끄러미

잎싹은 모든 것을 털어놓기로 했다. 처음부터 지금까지 돌봐 준 친구를 속이는 것이 마음에 ❶걸렸다.

"나에겐 소망이 하나 있었어. 알을 품어서 병아리의 탄생을 보는 거야. 닭장에서는 도저히 불가능한 일이었지. 그래서 더는 알을 낳고 싶지 않았는데……. 나는 영원히 그럴 수 없을 줄 알았는데……."

"잎싹아, 너는 훌륭한 어미 닭이야." / "아냐, 그런 말을 듣자는 게 아니야."

"그래도 말하고 싶어. 나는 날지 못하게 된 ❷야생 오리고, 너는 보기 ❸드문 암탉이야."

"그래, 그렇다고 해도……."

"그러면 된 거야. 우리는 다르게 생겨서 서로를 속속들이 이해할 수 없지만, 사랑할 수는 있어. 나는 너를 존경해."

잎싹은 갑자기 숨이 ❹멎는 것 같았다. 가끔 청둥오리는 정말이지 알 수가 없는 친구였다.

"이해하지 못해도? 어떻게 그럴 수가 있어?"

"넌 잎사귀처럼 훌륭한 어미 닭이라는 걸 내가 아니까."

잎싹은 ❺입을 다물었다. 왠지 이제는 알에 대해서 ❻고백한다는 게 그다지 중요한 일 같지 않았다.

"나는 족제비란 놈을 잘 알아. 타고난 사냥꾼이라 우리는 녀석을 당해 낼 수 없어. 녀석은 내가 본 어떤 족제비보다 크고 강하단 말이야. 지금은 괜찮다고 해도 나중에는 결국 족제비가 우리를 사냥할 거야. 그러기 전에 우리는 우리 일을 끝내야만 해."

청둥오리의 말은 엉뚱했지만, ❼허투루 들리지 않았다. 가슴이 두근거리기 시작했다. 두려움을 잊고 지냈던 많은 날이 생각나서 소름이 오싹 돋았다. 그토록 편안하게 지냈다는 게 신기하기만 했다.

"내일은 알이 깼으면 좋겠어. 더 늦기 전에. 나도 이제 지쳤거든. 녀석도 더이상은 참지 못할 거야." / "……."

잎싹은 찔레 ❽덤불에서 멀어지며 중얼거리는 청둥오리를 ❾물끄러미 바라보았다. 청둥오리와 족제비 사이에는 잎싹이 모르는 어떤 일이 있는 게 틀림없었다. 잎싹은 더욱 불안했다.

– 황선미, 『마당을 나온 암탉』 중에서

❶ **걸렸다:** 눈이나 마음 등에 만족스럽지 않고 언짢았다.

❷ **야생:** 산이나 들에서 저절로 나서 자람. 또는 그런 동물이나 식물.

❸ **드문:** 흔하지 않은.

❹ **멎는:** 사물의 움직임이나 동작이 그치는.

❺ **입을 다물었다:** 말을 하지 않거나 하던 말을 그쳤다.

❻ **고백한다는:** 마음속에 생각하고 있는 것이나 감추어 둔 것을 숨김없이 말한다는.

❼ **허투루:** 아무렇게나 되는대로.

❽ **덤불:** 어수선하게 엉클어진 수풀.

❾ **물끄러미:** 가만히 한 자리에서 한곳만 바라보는 모양.

1 이 글의 내용과 일치하지 <u>않는</u> 것의 기호를 써 보세요.

> ㉠ '잎사귀'는 청둥오리와 잎싹이 모두 알고 있는 인물이다.
>
> ㉡ 잎싹은 결국 청둥오리에게 알에 대한 비밀을 고백하였다.
>
> ㉢ 청둥오리와 잎싹은 알이 깨어나기를 기다리고 있는 상황이다.
>
> ㉣ 잎싹이 가지고 있던 소망은 알을 품어서 병아리의 탄생을 보는 것이었다.

(   )

2 빈칸에 알맞은 낱말을 넣어 줄거리를 완성해 보세요.

> 잎싹은 자신을 돌봐 준 친구인 청둥오리에게 모든 사실을 털어놓기로 했다.

↓

> 청둥오리는 잎싹의 말을 다 듣기도 전에, 잎싹이 훌륭한 어미 닭이며 잎싹을 (1) ☐ ☐ 한다고 말했다.

↓

> 청둥오리의 말에 잎싹은 알에 대해 (2) ☐ ☐ 하는 것이 이제는 중요하지 않다고 생각했다.

↓

> 청둥오리는 족제비가 잎싹과 자신을 (3) ☐ ☐ 하기 전에 알이 깼으면 좋겠다고 말했다.

3 다음 상황에 알맞은 잎싹의 마음을 선으로 이어 보세요.

(1) 잎싹은 처음부터 지금까지 돌봐 준 친구를 속이는 것이 마음에 걸렸다. •

      • ① 미안한 마음

(2) 잎싹은 찔레 덤불에서 멀어지며 중얼거리는 청둥오리를 물끄러미 바라보았다. •

      • ② 불안한 마음

13

4 다음 낱말과 뜻이 알맞도록 선으로 이어 보세요.

(1) 돋다 •

• ① 사물의 움직임이나 동작이 그치다.

(2) 멎다 •

• ② 살갗에 어떤 것이 우툴두툴하게 내밀다.

(3) 고백하다 •

• ③ 마음속에 생각하고 있는 것이나 감추어 둔 것을 숨김없이 말하다.

5 첫 자음자를 참고해 빈칸에 들어갈 낱말을 써 보세요.

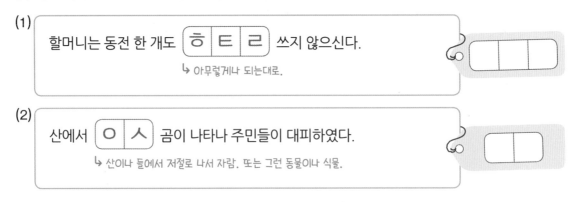

(1) 할머니는 동전 한 개도 ㅎ ㅌ ㄹ 쓰지 않으신다.
↳ 아무렇게나 되는대로.

(2) 산에서 ㅇ ㅅ 곰이 나타나 주민들이 대피하였다.
↳ 산이나 들에서 저절로 나서 자람. 또는 그런 동물이나 식물.

6 관용어 '입을 다물다'의 뜻으로 알맞은 것에 ○표를 해 보세요.

(1) 말을 하지 않거나 하던 말을 그치다. ⋯⋯⋯⋯⋯⋯⋯⋯⋯⋯⋯⋯⋯⋯⋯ (　　　)
(2) 이익 등을 혼자 차지하거나 가로채고서는 시치미를 떼다. ⋯⋯⋯⋯⋯⋯ (　　　)
(3) 시끄러운 소리나 자기에게 불리한 말을 하지 못하게 하다. ⋯⋯⋯⋯⋯ (　　　)

7 밑줄 친 낱말의 뜻으로 알맞은 것에 ○표를 해 보세요.

크리스마스는 예수님의 탄생을 기념하고 축하하는 날이다.

(1) 사람이 태어남. ⋯⋯⋯⋯⋯⋯⋯⋯⋯⋯⋯⋯⋯⋯⋯⋯⋯⋯⋯⋯⋯⋯⋯⋯⋯⋯ (　　　)
(2) 조직, 제도, 사업체 등이 새로 생김. ⋯⋯⋯⋯⋯⋯⋯⋯⋯⋯⋯⋯⋯⋯⋯⋯ (　　　)

8  를 참고하여 밑줄 친 부분을 알맞게 바꾸어 써 보세요.

> **보기** 잎싹은 더 이상 알을 <u>낳고 싶지 않았다</u>.
> ➡ 안 낳고 싶었다

(1) 미나는 오늘 학교에 <u>가지 않았다</u>.

➡ ☐ ☐ ☐

(2) 나는 자전거를 타다가 넘어졌지만 <u>다치지 않았다</u>.

➡ ☐ ☐ ☐ ☐

(3) 수영이는 어젯밤 공부한 내용이 하나도 <u>떠오르지 않았다</u>.

➡ ☐ ☐ ☐ ☐ ☐

틀리기 쉬워요!

9 다음 문장에서 밑줄 친 부분을 고쳐 써 보세요.

(1) 화가 나서 <u>도저이</u> 못 참겠다. ➡ ( )

(2) 영웅의 이름은 후세에 <u>영원이</u> 남는다. ➡ ( )

(3) 나는 민주에 대해서라면 <u>속속들히</u> 잘 알고 있다. ➡ ( )

10 띄어쓰기가 알맞은 것에 ○표를 해 보세요.

(1) 나는 춤을 { 출줄 / 출 줄 } 모른다.

(2) 내일은 날씨가 좋을 { 것같아 / 것 같아 }.

(3) 나도 이번에는 절대 { 그럴 수 / 그럴수 } 없다고 말했다.

😊 맞은 개수 _____ /10개

한자 성어

좌우명(座 자리 좌 右 오른쪽 우 銘 새길 명)

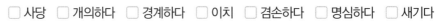

아는 어휘에 ✔ 표시를 해 보고, 어휘의 뜻을 생각하며 글을 읽어 보세요.

☐ 사당　☐ 개의하다　☐ 경계하다　☐ 이치　☐ 겸손하다　☐ 명심하다　☐ 새기다

공부한 날

월　　일

프랑스의 황제였던 나폴레옹 1세는 '내 사전에 불가능이란 없다.'라는 ❶좌우명으로 우리에게 유명한 인물이에요. 조선 시대의 유학자였던 율곡 이이도 '먼저 뜻을 크게 세워야 한다.'라는 좌우명을 남겼어요. 이처럼 동서양의 위인들은 자신의 삶에서 좌우명을 만들고 그것을 실천하며 살려고 노력했어요. 이 '좌우명'이라는 말은 어떻게 생겨났을까요? '좌우명'이라는 말에는 공자와 관련된 이야기가 전해져요.

어느 날, 공자는 제자들을 불러 모아 제나라 왕이었던 환공의 ❷사당에 찾아갔어요. 공자는 환공이 썼던 여러 물건 중에서 술독을 발견하고는 보물을 찾은 듯이 기뻐했지요. 제자들은 낡은 술독을 보며 기뻐하는 스승을 이해할 수 없었어요. 게다가 그 술독은 한쪽으로 비스듬히 기울어져 있어 물건을 담기 어려웠지요.

공자는 한 제자에게 물을 길어 와서 술독에 채우도록 했어요. 제자가 술독에 물을 반쯤 채우자 신기하게도 기울어졌던 술독이 똑바로 섰어요. 공자는 놀라는 제자들을 ❸개의치 않고 물을 더 채우라고 했어요. 술독

에 물이 가득 차자 똑바로 서 있던 술독이 서서히 움직이면서 한쪽으로 기울어졌어요.

제자들이 이 술독을 신기해하자 공자가 입을 열었어요.

"환공은 이 술독을 항상 의자 오른쪽에 두고 술독이 가득 차는 것을 ❹경계했다고 한다. 그래서 이 술독을 '좌우명'이라고 부르지. 학문을 닦는 것도 바로 이 술독의 ❺이치와 같은 법이다. 공부를 다 했다고 ❻겸손함을 잊고 잘난 체하고 뽐낸다면 이렇게 넘어질 수 있으니 꼭 ❼명심하여라."

공자는 집에 돌아와서 환공의 술독과 똑같은 술독을 만들어 두고 늘 스스로 경계하며 학문에 힘썼다고 해요. 공자가 위대한 학자로 이름을 날릴 수 있었던 것도 공자의 이런 태도 때문이었겠지요.

이후 사람들은 자리 오른쪽에 두고 마음에 ❽새기던 술독, 즉 '좌우명'을 늘 자리 옆에 갖추어 두고 가르침으로 삼는 말이나 ❾문구를 의미하는 말로 쓰게 되었어요.

❶ **좌우명**: 늘 자리 옆에 갖추어 두고 가르침으로 삼는 말이나 문구.

❷ **사당**: 옛 위인에 대한 제사를 지내거나 조상의 이름을 적은 나무패를 모셔 두는 집.

❸ **개의치**: 어떤 일 등을 마음에 두고 생각하거나 신경을 쓰지.

❹ **경계했다고**: 옳지 않은 일이나 잘못된 일들을 하지 않도록 타일러서 주의하게 했다고.

❺ **이치**: 정당하고 도리에 맞는 원리. 또는 근본이 되는 목적이나 중요한 뜻.

❻ **겸손함**: 남을 존중하고 자기를 내세우지 않음.

❼ **명심하여라**: 잊지 않도록 마음에 깊이 새겨 두어라.

❽ **새기던**: 잊지 않도록 마음속에 깊이 기억하던.

❾ **문구**: 특정한 뜻을 나타내는, 몇 낱말로 된 말.

1 이 글에서 알 수 <u>없는</u> 내용을 골라 보세요. —————————— (   )

① '좌우명'의 뜻   ② '좌우명'의 유래

③ 공자의 제자 수   ④ 나폴레옹의 좌우명

2 이 글에 대한 설명으로 알맞은 것의 기호를 써 보세요.

> ㉠ 공자는 좌우명을 곁에 두고 스스로를 경계했다.
>
> ㉡ 자신의 삶에서 좌우명을 만들고 실천한 위인은 거의 없다.
>
> ㉢ 공자는 제자들을 부자로 만들어 주려고 환공의 사당에 찾아갔다.
>
> ㉣ 제자들은 공자가 술독을 보여 주는 까닭을 처음부터 알고 있었다.

(   )

3 공자가 제자들에게 하고 싶었던 말에 ○표를 해 보세요.

▲ 공자

(1) 학문이 넓고 깊을수록 잘난 체하지 말고 학문에 힘써야 한다.

                                                         (   )

(2) 학문의 길에서 성공하기 위해서는 꼭 '좌우명'을 만들어야 한다.

                                                         (   )

(3) 학문을 열심히 닦아 제나라의 환공처럼 위대한 왕이 되어야 한다.

                                                         (   )

4 빈칸에 들어갈 '명(銘)'의 뜻을 골라 ○표를 해 보세요.

座 右 銘

자리 좌   오른쪽 우   [   ]명

(새기다 / 경계하다)

5 다음 낱말과 뜻이 알맞도록 선으로 이어 보세요.

(1) 사당 •

(2) 이치 •

(3) 좌우명 •

• ① 늘 자리 옆에 갖추어 두고 가르침으로 삼는 말이나 문구.

• ② 정당하고 도리에 맞는 원리. 또는 근본이 되는 목적이나 중요한 뜻.

• ③ 옛 위인에 대한 제사를 지내거나 조상의 이름을 적어 놓은 나무패를 모셔 두는 집.

6 빈칸에 들어갈 낱말을 보기 에서 골라 써 보세요.

> **보기**　　　　개의　　　명심　　　경계　　　겸손

(1) 잘못된 정보는 큰 피해를 낳으므로 가짜 뉴스를 [　　　　　] 해야 한다.

(2) 앞으로 이 점을 단단히 [　　　　　] 해서 다시는 실수하지 않을 것이다.

(3) 직원들은 늘 [　　　　　] 하게 행동하고 성실하게 일하는 사장을 진심으로 존경했다.

7 보기 의 밑줄 친 낱말과 같은 뜻으로 쓰인 것에 ○표를 해 보세요.

> **보기** 그녀는 돌아가신 아버지의 유언을 마음에 새기고, 열심히 살기로 다짐했다.

(1) 그는 능숙한 솜씨로 나무에 조각을 새겼다. ⋯⋯⋯⋯⋯⋯⋯⋯⋯⋯⋯⋯⋯⋯⋯ (　　)

(2) 아빠, 제 모자에 제 이름을 새겨 넣어 주세요. ⋯⋯⋯⋯⋯⋯⋯⋯⋯⋯⋯⋯⋯ (　　)

(3) 할아버지는 새로 태어난 손자의 이름을 족보에 새겼다. ⋯⋯⋯⋯⋯⋯⋯⋯⋯ (　　)

(4) 나는 선생님께 들은 조언을 가슴에 새겨 긴 방황을 극복했다. ⋯⋯⋯⋯⋯ (　　)

8 띄어쓰기가 알맞은 것에 ○표를 해 보세요.

(1) 지수는 언제나 { 잘난체 / 잘난 체 }를 했다.

(2) 그림책을 { 한쪽 / 한 쪽 }으로 치워 놓았다.

(3) 여기에 있는 { 책중에서 / 책 중에서 } 한 권만 골라 봐.

문장에서 각 낱말은 띄어 써야 해요.

9 낱말의 뜻을 살펴보고, 알맞은 낱말에 ○표를 해 보세요.

> • **가르치다**: 지식이나 기능, 이치 등을 깨닫게 하거나 익히게 하다.
> • **가리키다**: 손가락 등으로 어떤 방향이나 대상을 집어서 보이거나 말하거나 알리다.

(1) 나는 언니에게 수영을 (가리켜 / 가르쳐) 달라고 했다.

(2) 시곗바늘이 이미 오후 네 시를 (가리키고 / 가르치고) 있었다.

(3) 우리 삼촌은 지금 초등학교에서 학생들을 (가리키고 / 가르치고) 있다.

10 다음 문장에서 소리 나는 대로 쓴 글자를 맞춤법에 맞게 써 보세요.

(1) 밖에 비가 오는데 집에 어떠케 가지?

→ ☐☐☐

(2) 공장의 기계들이 너무 날근 것 같습니다.

→ ☐☐

(3) 이 나무는 해가 떠오르는 동편으로 기우러져 있다.

→ ☐☐☐☐

Day 04

민주주의를 지켜 낸 4.19 혁명

아는 어휘에 ✔ 표시를 해 보고, 어휘의 뜻을 생각하며 글을 읽어 보세요.

☐ 불의 ☐ 이념 ☐ 주권 ☐ 저항하다 ☐ 독재 정치 ☐ 조작하다 ☐ 무효 ☐ 시위

공부한 날

월 일

우리나라 헌법에는 '대한민국의 국민이 ❶불의에 맞서 싸운 4.19 민주 ❷이념을 이어 나가고 있다.'라는 내용이 쓰여 있어요. 4.19 민주 이념이란, 4.19 ❸혁명으로 지켜 낸 민주주의 원칙을 말해요. 대한민국은 민주주의 국가이며 대한민국의 ❹주권은 국민에게 있고, 모든 권력은 국민으로부터 나온다는 것이지요. 이 원칙이 위협받을 때마다 우리 국민들은 온 힘을 다해 ❺저항했어요.

우리 국민이 민주주의를 지켜 낸 사건, 4.19 혁명의 시작은 우리나라 첫 번째 대통령과 관련이 있어요. 이승만은 1948년에 취임한 우리나라 첫 번째 대통령이에요. 당시 우리나라는 한 사람이 대통령을 한 번만 할 수 있도록 정해져 있었어요. 오랫동안 대통령을 하고 싶었던 이승만은 헌법까지 바꿔 가며 세 차례나 대통령이 되었어요. 국민들은 계속된 이승만 정부의 ❻독재 정치에 크게 실망하고 있었어요.

그런데 1960년 3월 15일, 대한민국의 네 번째 대통령과 부통령을 뽑는 선거에서 이승만이 선거를 ❼조작하는 일이 일어났어요. 자신과 같은 당 사람이 부통령에 뽑히기를 원한 이승만은 다양한 방법으로 선거를 방해했어요. 돈으로 표를 사서 자신의 당을 뽑게 하고, 3명과 9명씩 조를 짜서 다른 당을 찍지 못하도록 감시하며 투표하게 했어요. 미리 투표용지에 도장을 찍어 투표함에 넣은 다음, 개표장에 있는 투표함과 바꿔치기하는 일도 벌어졌지요.

4월 19일, 이에 분노한 학생과 시민들은 거리로 나서서 '선거 ❽무효'를 외치며 ❾시위를 벌였어요. 깜짝 놀란 이승만 정부는 경찰을 ❿동원해 학생과 시민들을 힘으로 진압했어요. 이 과정에서 많은 사람이 희생되었지만, 시위는 오히려 전국적으로 퍼져 나갔어요. 결국 이승만은 더 이상 버티지 못하고 대통령직에서 물러났어요.

▲ 4.19 혁명에 참여한 시위대

당시 우리 국민들은 민주주의를 위협한 세력에 맞서 '대한민국의 주인은 국민'이라는 주권을 지켜 냈어요. 그래서 4.19 혁명의 정신은 우리나라의 민주주의를 지켜 내고 발전시키는 밑거름이 되었지요. 지금 우리가 당연하게 누리는 자유와 권리도 민주주의를 지키기 위해 희생하고 애쓴 분들 덕분이라는 점을 잊지 마세요.

❶ **불의**: 의리, 도의, 정의 등에 어긋남.

❷ **이념**: 이상적인 것으로 여겨지는 생각이나 의견.

❸ **혁명**: 국가나 사회의 제도와 조직 등을 새롭게 고치는 일.

❹ **주권**: 국가의 의사를 최종적으로 결정하는 권력.

❺ **저항했어요**: 어떤 힘이나 조건에 굽히지 아니하고 거역하거나 버텼어요.

❻ **독재 정치**: 한 나라의 권력을 한 사람이 모두 차지하고 자기 마음대로 하는 정치.

❼ **조작하는**: 어떤 일을 사실인 듯이 꾸며 만드는.

❽ **무효**: 보람이나 효과가 없음.

❾ **시위**: 많은 사람이 요구 조건을 내걸고 집회나 행진을 하며 의사를 표시하는 행동.

❿ **동원해**: 어떤 목적을 달성하고자 사람을 모으거나 물건, 수단, 방법 등을 집중하여.

1 이 글의 내용으로 알맞은 것에 ○표, 알맞지 않은 것에 ×표를 해 보세요.

(1) 우리나라 헌법은 4.19 민주 이념을 이어 나가고 있다. ················· (○ / ×)

(2) 4.19 혁명은 우리나라 국민들이 외국 세력을 몰아내려고 벌인 시위였다. ········· (○ / ×)

(3) 이승만 대통령은 우리나라의 첫 번째 대통령으로, 대통령을 세 번이나 했다. ········· (○ / ×)

2 4.19 혁명이 일어난 과정에 맞게 빈칸에 알맞은 낱말을 써 보세요.

세 차례나 대통령이 된 이승만의 (1) ☐☐ 정치에 국민들은 크게 실망했다.

↓

이승만은 자신과 같은 당 사람을 부통령에 당선시키려고 선거를 (2) ☐☐ 했다.

↓

1960년 4월 19일, 학생과 시민들이 '선거 무효'를 외치며 (3) ☐☐를 벌였고, 정부
가 이를 힘으로 진압해 많은 희생자가 나왔다.

↓

시위가 전국적으로 번지자 이승만은 대통령직에서 물러났고, 우리 국민들은 소중한
(4) ☐☐을 지켜 낼 수 있었다.

3 '주권'에 대해 가장 잘 이해한 사람의 이름을 써 보세요.

진우: 국가나 정부가 국민을 강제로 다스리는 힘을 말해.

우영: 국가의 의사를 최종적으로 결정하는 권력으로, 우리나라의 주권자는 국민이야.

영수: 한 사람이 한 나라의 권력을 모두 차지해 자기 마음대로 휘두르는 힘이므로 바람직하
지 않아.

(   )

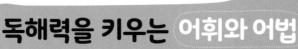
4 다음 낱말과 뜻이 알맞도록 선으로 이어 보세요.

(1) 이념 •

(2) 주권 •

(3) 혁명 •

• ① 이상적인 것으로 여겨지는 생각이나 의견.

• ② 국가의 의사를 최종적으로 결정하는 권력.

• ③ 국가나 사회의 제도와 조직 등을 새롭게 고치는 일.

5 낱말의 뜻을 보고 빈칸에 알맞은 낱말을 써 보세요.

(1) 강물에 떠내려온 소를 트랙터를 ☐☐해 구했다.
  ↳ 어떤 목적을 이루려고 사람이나 물건, 방법 등을 한데 모으다.

(2) 집에 있던 소화기로 화재를 ☐☐해 피해를 막았다.
  ↳ 강제로 억눌러 진정시키다.

(3) 자꾸 방에 들어와서 공부를 ☐☐하는 동생과 싸웠다.
  ↳ 남의 일을 간섭하고 막아 해를 끼치다.

(4) 간디는 인도를 식민지로 삼은 영국에 ☐☐해 소금 행진을 벌였다.
  ↳ 어떤 힘이나 조건에 굽히지 않고 거역하거나 견디다.

6 뜻이 반대되는 낱말을 참고하여 빈칸에 들어갈 알맞은 말을 써 보세요.

 ↔ 불의

☐☐
↳ 진리에 맞는 올바른 도리.

불의
↳ 의리, 도리, 정의 등에 어긋남.

7 낱말의 뜻을 살펴보고, 밑줄 친 낱말의 뜻으로 알맞은 것의 번호를 써 보세요.

(1)
일어나다
{ ① 잠에서 깨어나다.
② 어떤 일이 생기다. }

• 이승만의 계속된 독재 정치에 4.19 혁명이 <u>일어났다</u>. ⋯⋯⋯⋯⋯⋯⋯ (   )

(2)
찍다
{ ① 어떤 대상을 촬영기로 비추어 그 모양을 옮기다.
② 투표할 대상을 정하다. 또는 정한 대상에게 표를 던지다. }

• 나는 이번 회장 선거에서 나와 가장 친한 친구를 <u>찍었다</u>. ⋯⋯⋯⋯ (   )

8 밑줄 친 부분에서 띄어 써야 할 곳에 ∨표를 해 보세요.

(1) 첫번째 공연을 무사히 마쳤다.

(2) 배가 불러서 <u>더이상</u>은 못 먹겠어요.

(3) 이승만은 대통령을 오래 <u>하고싶어서</u> 헌법을 바꿨다.

틀리기 쉬워요!

9 다음 중 알맞은 표현에 ○표를 해 보세요.

(1) 할아버지 생신이 몇 월 (며칠 / 몇 일)인지 잊어버렸다.

(2) 연구원들은 (오래동안 / 오랫동안) 노력한 끝에 신제품을 개발했다.

(3) 새로운 정책을 두고 국회에서는 찬반 의견이 (맛서고 / 맞서고) 있다.

'몇 일' vs '며칠' 결과는?

'몇 년'과 '몇 월'은 띄어 쓰기 때문에 '몇 일'이라고 쓰기 쉬워요. '몇 년'은 [면년], '몇 월'은 [며둴]로 소리 나지만 '며칠'은 [며딜]이 아닌 [며칠]로 소리 나요. 그래서 '몇 일'이라고 쓰지 않고 소리 나는 대로 '며칠'이라고 써요.

• 네 생일이 몇 월 {며칠(○) 몇 일(×)}이니?
• {며칠(○) / 몇 일(×)} 동안 계속해서 비가 왔다.

스스로
붙임딱지

한자 어휘

'종(種)'과 '류(類)'가 들어간 말

아는 어휘에 ✔ 표시를 해 보고, 아래 활동을 하며 뜻을 익혀 보세요.

☐ 종류 ☐ 종자 ☐ 어종 ☐ 멸종 ☐ 조류 ☐ 유사 ☐ 유례 ☐ 유유상종

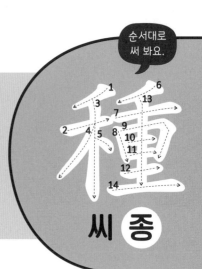

순서대로
써 봐요.

種
씨 종

種
씨 **종**

'종(種)' 자는 벼를 나타내는 禾(화) 자와 무겁다는 뜻을 가진 重(중) 자가 합쳐져서 만들어졌어요. '종류', '씨', '식물', '심다' 등을 뜻해요.

'종류'는 어떤 기준에 따라 여러 가지로 나눈 갈래를 뜻해요.

● 종(種)이 들어간 낱말은 '씨'나 '종류'라는 뜻을 가지고 있는 경우가 많아요.

종 자
씨 種   아들 子

뜻 식물에서 나온 씨 또는 씨앗.
예 밭에 종자를 뿌렸다.

어 종
물고기 魚   씨 種

뜻 물고기의 종류.
예 고유 어종이 사라지고 있다.

우럭은 서해에서 잡히는 주요 어종이야.

멸 종
없어질 滅   씨 種

뜻 생물의 한 종류가 아주 없어짐.
예 멸종 위기에 처한 희귀 동물.

'類'를 활용한 말로 '유유상종'이라는 말이 있어요.

유	유	상	종
무리 類	무리 類	서로 相	따를 從

'유유상종'은 같은 무리끼리 서로 사귄다는 말로, 비슷한 사람끼리 서로 찾아 모인다는 뜻이에요.

'유유상종'은 '유류상종'으로 써야 맞지만 사람들의 발음이 이미 굳어져서 '유유상종'이라고 써요.

나는 세 종류의 맛으로 이루어진 아이스크림이 좋아.

무리 류(유)

이 한자는 '비슷한 것들이 모여 있다'라는 뜻으로 만들어졌어요. '類'는 낱말의 첫머리에서는 '유'로, 낱말의 끝부분에서는 '류'로 소리 나요.

類
무리 류

● 류/유(類)가 들어간 낱말은 '무리'나 '비슷하다'를 뜻하는 경우가 많아요.

조 류
새 鳥 무리 類

뜻 몸에 깃털과 날개가 있고 날 수 있으며 다리가 둘인 동물.
예 박사님은 조류의 특성을 연구 중이시다.

나와 내 동생은 외모가 유사하지.

유 사
무리 類 같을 似

뜻 서로 비슷함.
예 사진과 그림의 유사점을 찾아보자.

유 례
무리 類 예 例

뜻 같거나 비슷한 예.
예 세계사에서 유례를 찾아보기 힘든 사건이 벌어졌다.

1 다음 낱말에 쓰인 '종'의 뜻을 골라 보세요. ⟝⟝⟝⟝⟝⟝⟝⟝⟝⟝⟝⟝⟝⟝⟝⟝⟝⟝⟝ (   )

| 종류 | 어종 | 직종 | 업종 |

① 심다   ② 식물   ③ 종류   ④ 뿌리다

2 빈칸에 들어갈 알맞은 낱말을 보기 에서 골라 써 보세요.

보기   변종   어종   종자   멸종

• 몇 년 전까지만 해도 그 강에는 다양한 (1) [   ]이 살았다. 그런데 지금은 강의 오염으

로 많은 물고기가 (2) [   ] 위기에 놓였다.

3 다음 낱말의 뜻과 낱말의 첫 자음자를 참고하여 빈칸에 알맞은 낱말을 써 보세요.

(1)
두 사람은 자매처럼 생김새가 [ㅇ][ㅅ] 하다.
↳ 서로 비슷함.

(2)
우리 연구소에서는 새로운 벼의 [ㅈ][ㅈ] 를 개발하고 있다.
↳ 식물에서 나온 씨 또는 씨앗.

4 다음 ▨▨▨ 안에 공통으로 들어갈 글자를 한글로 써 보세요.

조(鳥)

어(漁)

+ [   ]

몸에 깃털과 날개가 있고 날 수 있으며 다리가 둘인 동물.

주로 몸이 비늘로 덮여 있으며, 물속에 살면서 지느러미로 헤엄을 치고 아가미로 숨을 쉬는 동물.

5 보기 의 낱말을 낱말 판의 가로, 세로, 대각선에서 찾아 ○표를 해 보세요.

보기
❶ 유례: 같거나 비슷한 예.
❷ 종류: 사물의 부문을 나누는 갈래.
❸ 유유상종: 같은 무리끼리 서로 사귐.
❹ 멸종: 생물의 한 종류가 아주 없어짐.
❺ 인종: 인류를 지역과 신체적 특성에 따라 구분한 종류.

백	점	송	울	평	창	구
인	사	어	부	행	유	례
종	착	지	동	유	가	역
타	악	도	상	작	우	리
명	기	종	아	리	세	업
운	최	고	동	종	어	종
멸	종	좌	석	섬	유	류

맞은 개수 _____ /5개

걸음걸이의 종류를 알아보아요!

사람마다 지문이 다른 것처럼 걸음걸이도 사람마다 달라요. 옛날 사람들은 걸음걸이에도 인격이 묻어난다고 여겼대요. 그래서인지 우리말에는 걸음걸이와 관련된 재미있는 말이 많아요.

걸음걸이를 나타내는 말에는 동물 이름을 붙인 말이 여러 가지 있어요. 뒷걸음질하는 걸음은 '가재걸음', 아주 느리게 걷는 걸음은 '거북이걸음', 게처럼 옆으로 걷는 걸음은 '게걸음'이라고 해요. 오리가 걷는 것처럼 뒤뚱거리며 걷는 걸음은 '오리걸음'이고, '황새걸음'은 황새처럼 걷는다는 뜻으로, 긴 다리로 성큼성큼 걷는 걸음을 이르는 말이에요.

걷는 모양을 나타낸 표현도 있어요. '갈지자걸음'은 한자 '갈 지(之)' 자처럼 몸이 좌우로 쓰러질 듯 비틀대며 걷는 걸음이고, '팔자 걸음'은 발끝을 바깥쪽으로 벌려, 거드름을 피우며 느리게 걷는 걸음이에요. '종종걸음'은 발을 가까이 자주 떼며 급히 걷는 걸음이고, '퉁퉁걸음'은 발로 탄탄한 곳을 자꾸 세게 구르며 빨리 걷는 걸음을 가리켜요. 걸어가는 방향을 나타낸 '앞걸음', '제자리걸음', '뒷걸음'이라는 말도 있어요.

▲ 성큼성큼 걷는 ☐☐☐☐

▲ 발을 ☐☐☐ 자주 떼는 종종걸음

▲ ☐로 걷는 뒷걸음

출처: 윤혜령 / 정표사 / 가재야 놀자

2주 어휘 미리보기

뜻을 알고 있는 낱말에 V표 해 보세요.

알고 있는 낱말은 글에서 어떻게 쓰였는지 확인하고,
모르는 낱말은 글을 읽으며 재미있게 익혀 보아요.

	배울 내용	배울 낱말		공부한 날
Day 06	속담 개천에서 용 난다	☐ 발굴하다 ☐ 눈여겨보다 ☐ 관측하다 ☐ 한계	☐ 천문 ☐ 전념하다 ☐ 공중 ☐ 극복하다	월 / 일
Day 07	관용어 획을 긋다	☐ 논쟁 ☐ 강인하다 ☐ 표면적 ☐ 배회하다	☐ 고되다 ☐ 고독 ☐ 이면 ☐ 단정하다	월 / 일
Day 08	한자 성어 망망대해(茫茫大海)	☐ 편성되다 ☐ 속살거리다 ☐ 시기하다 ☐ 절실히	☐ 선연히 ☐ 소외감 ☐ 황폐하다 ☐ 동지애	월 / 일
Day 09	교과 어휘 - 과학 우주의 중심이 지구에서 태양으로	☐ 진리 ☐ 절대적 ☐ 출간되다 ☐ 대신하다	☐ 기원전 ☐ 생전 ☐ 위성 ☐ 고정불변하다	월 / 일
Day 10	한자 어휘 '광(廣)'과 '고(告)'가 들어간 말	☐ 광고 ☐ 광역시 ☐ 고백 ☐ 경고문	☐ 광야 ☐ 광장 ☐ 충고 ☐ 광고 매체	월 / 일

개천에서 용 난다

아는 어휘에 ✔ 표시를 해 보고, 어휘의 뜻을 생각하며 글을 읽어 보세요.

☐ 발굴하다 ☐ 천문 ☐ 전념하다 ☐ 관측하다 ☐ 공중 ☐ 한계 ☐ 극복하다

🕐 **공부한 날**

월   일

장영실은 관청에서 농기구와 무기를 손질하던 노비였어요. 손재주가 뛰어났던 장영실은 나라에서 인재를 ❶발굴하던 제도 덕분에 상의원에서 궁중 기술자로서 일했어요. 상의원은 궁중의 옷과 금은보화를 관리하던 곳이에요. ❷천문에 관심이 많던 세종은 상의원에서 일하던 장영실의 재주를 ❸눈여겨보았어요.

어느 날, 세종이 장영실을 조용히 불렀어요.

"지금 명나라의 과학 기술은 최고 수준이네. 재주 좋은 자네가 명나라에 가서 천문 기술을 배워 오게."

"예, 전하. 제가 꼭 조선에 도움이 될 천문 기술을 공부하고 오겠사옵니다."

그로부터 1년 뒤, 세종은 명에서 돌아온 장영실에게 '상의원 별좌'라는 벼슬을 내려 천문 연구에만 ❹전념하게 했어요. 노비의 신분에서 벗어난 장영실은 본격적으로 여러 기구를 만들었어요. 먼저 달과 별의 움직임을 ❺관측하는 간의와 혼천의를 만들었어요.

장영실은 우리나라 최초의 ❻공중 시계인 해시계도 만들었어요. 그러나 해시계인 앙부일구는 맑은 날에만 쓸 수 있었지요. 세종은 다시 장영실을 불렀어요.

"흐리거나 비 오는 날에도 쓸 수 있는 시계가 없겠는가?"

"전하, 물시계가 그 답이옵니다. 제가 만들겠사옵니다."

장영실은 밤낮으로 연구한 끝에 기다란 통에 물이 일정하게 고일 때마다 자동으로 시각을 알려 주는 물시계인 자격루를 만들었어요. 당시 전 세계에서 자동 물시계를 가진 나라는 조선과 중국, 아라비아, 이 세 나라뿐이었어요. 그만큼 자격루는 과학적으로 우수한 발명품이었지요. 장영실은 그 공로를 인정받아 종3품 대호군에 올랐어요. 노비였던 장영실이 오늘날 장군에 해당하는 높은 관직에 오른 거예요.

사람들은 장영실을 두고 "㉠개천에서 용 났다."라고 하며 부러워했어요. 조선은 신분의 차별이 엄격해서 천민은 과거를 볼 수 없었고, 높은 벼슬에 오르는 것은 ❽꿈도 못 꿀 일이었거든요. 장영실은 천민이라는 신분의 ❾한계를 ❿극복하고 끊임없는 연구를 통해 조선의 과학 기술을 꽃피웠어요.

❶ **발굴하던**: 널리 알려지지 않거나 뛰어난 것을 찾아 밝혀 내던.

❷ **천문**: 우주의 구조와 운동, 천체의 생성과 진화 등을 연구하는 학문.

❸ **눈여겨보았어요**: 주의 깊게 잘 살펴보았어요.

❹ **전념하게**: 오직 한 가지 일에만 마음을 쓰게.

❺ **관측하는**: 자연 현상을 기계나 눈으로 자세히 살펴보아 어떤 사실을 짐작하거나 알아내는.

❻ **공중**: 사회의 여러 사람들이 함께 사용함.

❼ **개천에서 용 났다**: 어려운 환경에서 훌륭한 인물이 나왔다.

❽ **꿈도 못 꿀**: 전혀 생각도 하지 못할.

❾ **한계**: 사물이나 능력, 책임 등이 실제 작용할 수 있는 범위.

❿ **극복하고**: 나쁜 조건이나 힘든 일 등을 이겨 내고.

1 이 글에서 일이 일어난 차례대로 번호를 써 보세요.

(1) 장영실은 상의원에 들어가 궁중 기술자가 되었다. ──────── (   )

(2) 장영실은 중국에 가서 천문 지식을 공부하고 왔다. ───── (   )

(3) 장영실은 관청에서 농기구를 고치고 무기를 손질했다. ──── (   )

(4) 여러 기구를 발명한 장영실은 그 공로를 인정받아 높은 벼슬에 올랐다. ─── (   )

2 보기 에서 알맞은 낱말을 골라 세종이 명에서 돌아온 장영실에게 벼슬을 내린 까닭을 써 보세요.

보기	천문　　　전념　　　노비

• (1) ☐☐였던 장영실이 다른 일에 신경 쓰지 않고 (2) ☐☐ 연구에만 (3) ☐☐

하게 하기 위해서이다.

3 장영실이 달과 별의 움직임을 관측하려고 만든 물건에 모두 ○표를 해 보세요.

(1)　　　　　　　(2)　　　　　　　(3)　　　　　　　(4)

▲ 간의　　　　　▲ 자격루　　　　　▲ 혼천의　　　　　▲ 앙부일구

(　　　　)　　　(　　　　)　　　(　　　　)　　　(　　　　)

4 ㉠에서 '개천'과 '용'이 뜻하는 것을 선으로 이어 보세요.

(1) 개천　•　　　　　　　　　　　•　① 훌륭한 인물

(2) 용　•　　　　　　　　　　　•　② 어려운 환경

5 다음 낱말의 뜻과 첫 자음자를 보고, 빈칸에 들어갈 알맞은 낱말을 써 보세요.

(1)
그는 하루 12시간씩 공부에 ㅈ ㄴ 해 시험에 합격했다.
↳ 오직 한 가지 일에만 마음을 쓰다.

(2)
여러 사람들이 사용하는 ㄱ ㅈ 화장실을 깨끗이 사용하자.
↳ 사회의 여러 사람들이 함께 사용함.

(3)
인류는 오랫동안 세균과 전염병을 ㄱ ㅂ 하며 발전해 왔다.
↳ 나쁜 조건이나 고생 등을 이겨 내다.

6 밑줄 친 부분의 뜻으로 알맞은 것의 번호를 써 보세요. ──────── (　　　)

천민이 높은 벼슬에 오르는 것은 <u>꿈도 못 꿀</u> 일이었다.

① 가쁜 숨을 가라앉히다.　　　　② 복작거리어 혼잡스럽다.

③ 전혀 생각도 하지 못하다.　　　④ 있는 힘을 다하여 노력하다.

7 "개천에서 용 난다."라는 속담을 <u>잘못</u> 사용한 사람의 이름을 써 보세요.

김만덕은 기생의 수양딸이었지만 조선 최고의 상인이 되었어. 개천에서 용이 난 거야.

성훈

김정호도 개천에서 난 용이야. 평민으로 태어나 조선 최고의 지리학자가 되었어.

채은

세종은 태종의 아들로, 학문과 과학을 꽃피운 성군이었어. 개천에서 용이 난 셈이지.

정원

(　　　　　)

8 **다음 중 알맞은 표현에 ○표를 해 보세요.**

(1) 장영실은 궁중 기술자(로서 / 로써) 상의원에서 일했다.

(2) 친구 사이에 다툼이 생기면 대화(로서 / 로써) 갈등을 풀어야 한다.

(3) 나는 선배(로서 / 로써) 모범을 보이기 위해 언제나 바른 말을 쓰려고 노력한다.

준말

'준말'은 낱말의 일부분이 줄어든 것이에요. 줄지 않은 본디의 말은 '본말'이라고 하지요.

예 아이 → 애　　　사이 → 새　　　마음 → 맘　　　되어요 → 돼요

---

9 **보기 와 같이 밑줄 친 낱말의 준말을 써 보세요.**

> 보기 자동차가 지나가자 웅덩이에 <u>고인</u> 물이 튀었다.
>
> → 괸

'고이다'의 준말인 '괴다'도 표준어예요!

(1) 갑자기 바깥에 나가 찬바람을 <u>쏘이면</u> 감기에 걸리기 쉽다.

→ (　　　　　　)

(2) 동생에게 초콜릿을 준다고 <u>꼬이면</u> 네 말을 잘 듣지 않을까?

→ (　　　　　　)

10 **밑줄 친 낱말과 바꾸어 쓸 수 있는 낱말의 번호를 써 보세요.**

(1) 마리 퀴리는 연구에 <u>전념한</u> 끝에 라듐을 발견했다. ………… (　　　)

① 몰두한　　② 기여한　　③ 발견한

(2) 회사에서 새로운 사업을 <u>발굴해</u> 경쟁력을 키우기로 했다. ………… (　　　)

① 수정해　　② 반성해　　③ 찾아내

(3) 수학자 중에는 장애를 <u>극복하고</u> 커다란 업적을 이룬 사람들이 많다. ………… (　　　)

① 포기하고　　② 이겨 내고　　③ 발명하고

관용어

획을 긋다

아는 어휘에 ✔ 표시를 해 보고, 어휘의 뜻을 생각하며 글을 읽어 보세요.

☐ 고되다 ☐ 강인하다 ☐ 표면적 ☐ 이면 ☐ 반기 ☐ 배회하다 ☐ 단정하다

🕐 공부한 날

월 일

▲ 반 고흐, 「구두」

허름하고 낡은 이 구두의 주인은 누구일까요? 이 그림을 그린 사람은 자살로 불행한 삶을 끝낸 빈센트 반 고흐였습니다. 고흐는 살아 있을 때 이름 없는 화가였고, 그의 작품은 죽은 다음에야 빛을 보았습니다. 고흐가 그린 이 한 점의 그림은 20세기 들어 세계적인 학자들이 [1]논쟁을 벌이면서 '같은 그림, 다른 해석'의 역사에 한 [2]획을 그었습니다.

이 그림이 그려진 지 50여 년이 지난 1935년 11월, 독일 철학자 하이데거는 한 강연장에서 그림 속 구두의 주인이 '농촌 아낙네'라고 말했습니다.

"이 구두의 어두운 틈새에는 농부의 [3]고된 삶이 담겨 있습니다. 구두에서 곧게 뻗은 밭고랑 사이를 걸어가는 아낙네의 [4]강인함이 느껴지지 않습니까? 가죽에는 대지의 습기와 풍요로움이, 바닥에는 들일을 하러 나가는 사람의 [5]고독이 묻어 있습니다."

하이데거는 작품을 해석할 때 작품의 [6]표면적 의미뿐 아니라 작품의 [7]이면에 담긴 의미까지 해석했습니다. 그는 이러한 해석을 통해 자신의 생각을 보여 주려고 했습니다.

그로부터 30여 년 뒤, 하이데거의 해석에 [8]반기를 든 인물이 등장했습니다. 미술사학자였던 샤피로는 역사적 자료를 살펴 그림 속 구두의 주인이 고흐 자신이라고 주장했습니다. 그는 이 그림이 그려진 1886년은 고흐가 파리에 머물렀던 시기이며 당시 농부들은 가난해서 가죽 구두를 신을 형편이 되지 않았다는 점을 근거로 들었습니다. 그러므로 이 그림은 파리의 뒷골목을 [9]배회하던 고흐 자신의 모습을 표현한 그림이라는 것입니다.

1977년, 프랑스 철학자 데리다는 두 사람의 해석에 대해 "구두의 주인은 아무도 정확히 알 수 없어요. 그리고 구두가 왜 한 켤레라고 [10]단정하는 거죠? 이 구두는 둘 다 왼쪽 신발처럼 보이지 않나요?"라고 말하며 구두의 주인을 찾는 것은 의미가 없다고 주장했습니다.

고흐의 그림을 둘러싸고 세계적인 학자 세 사람이 벌인 논쟁은 작품을 해석하는 데 정답이 없다는 점을 보여 주고 있습니다. 여러분도 자신만의 해석으로 이 그림 속 구두의 진짜 주인을 찾아보는 것은 어떨까요?

[1] **논쟁**: 서로 다른 의견을 가진 사람들이 각각 자기의 주장을 말이나 글로 논하여 다툼.

[2] **획을 그었습니다**: 어떤 범위나 시기를 분명하게 구분 지었습니다.

[3] **고된**: 하는 일이 힘에 겨워 몹시 피곤할 정도로 힘든.

[4] **강인함**: 억세고 질김.

[5] **고독**: 세상에 홀로 떨어져 있는 듯이 매우 외롭고 쓸쓸함.

[6] **표면적**: 겉으로 나타나거나 눈에 띄는.

[7] **이면**: 겉으로 나타나거나 눈에 보이지 않는 부분.

[8] **반기**: 반대의 뜻을 나타내는 행동이나 표시.

[9] **배회하던**: 아무 목적도 없이 어떤 곳을 중심으로 어슬렁거리며 이리저리 돌아다니던.

[10] **단정하는**: 딱 잘라서 판단하고 결정하는.

1 다음은 고흐의 그림 「구두」에 대한 세 학자의 해석입니다. 빈칸에 알맞은 낱말을 넣어 내용을 정리해 보세요.

학자	구두 주인	근거
하이데거	농촌 (1) ⬜⬜⬜	구두의 어두운 틈새에 농부의 고된 삶이 담겨 있다.
샤피로	고흐 자신	1886년 고흐는 (2) ⬜⬜에 머물렀으며 당시 농부들은 구두를 신을 형편이 안 되었다.
데리다	알 수 없음.	그림 속 구두는 한 켤레라고 단정할 수 없으며 둘 다 (3) ⬜⬜ 신발처럼 보인다.

2 이 글을 읽고 알맞게 반응한 사람의 이름을 써 보세요.

하나의 그림을 두고 세계적인 학자들의 해석이 다른 것을 보니 그림에는 정답이 없어. 그림을 볼 때 자신만의 관점으로 해석하는 일이 필요해.

세호

그림을 감상할 때는 세계적인 학자들의 해석부터 살펴봐야 해. 그림을 오래 연구한 사람들의 의견에 따라 해석하는 것이 필요해.

혜미

그림에 대한 나의 감상과 다른 사람의 감상이 다를 때에는 무조건 비판적인 태도를 보여야 해. 그렇게 하지 않으면 다른 사람이 내 의견을 반박할 거야.

민준

(   )

3 '획을 긋다'를 알맞게 활용한 문장의 기호를 써 보세요.

> ㉠ 그는 열심히 공부해 여러 방면에 획을 긋는 능력을 갖추었다.
> ㉡ 오늘날 인터넷에서 정보와 지식을 찾는 일은 획을 긋는 일이다.
> ㉢ 우리나라 독립운동사 연구에 한 획을 긋는 전자책이 출간되었다.

(   )

4 다음 낱말과 뜻이 알맞도록 선으로 이어 보세요.

(1) 이면 •

(2) 고되다 •

(3) 강인하다 •

(4) 배회하다 •

• ① 억세고 질기다.

• ② 겉으로 나타나거나 눈에 보이지 않는 부분.

• ③ 하는 일이 힘에 겨워 몹시 피곤할 정도로 힘들다.

• ④ 아무 목적도 없이 어떤 곳을 중심으로 어슬렁거리며 이리저리 돌아다니다.

5 '단정하다'의 뜻과 관련 <u>없는</u> 낱말에 ×표를 해 보세요.

(1) 자르다   (2) 결정하다   (3) 망설이다   (4) 판단하다

(   )   (   )   (   )   (   )

6 밑줄 친 관용어의 뜻으로 알맞은 것에 ○표를 해 보세요.

이름 없는 화가였던 고흐의 작품은 그가 살아 있을 때에는 <u>빛을 보지</u> 못했다. 고흐가 죽고 난 뒤 그의 그림들은 파리와 모스크바 등 여러 미술관에 전시되며 큰 성공을 거두었다.

(1) 업적이나 보람 등이 드러나다. ———————————————————— (   )

(2) 일이 진행되어 가는 결과를 보다. ——————————————————— (   )

(3) 사람을 하찮게 보거나 쉽게 생각하다. ————————————————— (   )

7 다음 문장에 들어갈 물건을 세는 말을 보기 에서 찾아 써 보세요.

> 보기   점   켤레   다발

(1) 구두가 왜 한 [   ]라고 단정하는 거죠?

(2) 현아는 그림 한 [   ]을 나에게 선물로 주었다.

(3) 어머니께서 시장에서 나물을 한 [   ] 사 가지고 오셨다.

8 밑줄 친 낱말과 바꾸어 쓸 수 있는 낱말을 골라 보세요. ⸺⸺⸺⸺ (   )

> 인공 지능이 <u>등장하면서</u> 기계가 인간을 대신하는 분야가 많아졌다.

① 많다   ② 뒤쫓다   ③ 사라지다   ④ 나타나다

틀리기 쉬워요!

9 다음 문장에서 띄어쓰기가 알맞은 것을 골라 ○표를 해 보세요.

(1) 고흐의 그림이 (그려진지 / 그려진 지) 50년 뒤의 일이었습니다.

(2) 나는 아버님, 어머님께서도 (안녕하신지 / 안녕하신 지) 궁금하구나.

(3) 마젤란은 스페인을 (떠난지 / 떠난 지) 4개월 만에 브라질에 도착했다.

한켤레 vs 한 켤레 결과는?

문장에서 낱말은 띄어 쓰는 것이 원칙이에요. 단위를 나타내는 말도 하나의 낱말이므로 앞말과 띄어 써야 하지요. 그래서 '한 켤레'라고 띄어 써야 해요.

 도자기 한 점   운동화 한 켤레   꽃 한 다발

맞은 개수 _____ /9개

한자 성어

망망대해(茫 아득할 망 茫 아득할 망 大 큰 대 海 바다 해)

아는 어휘에 ✔ 표시를 해 보고, 어휘의 뜻을 생각하며 글을 읽어 보세요.

☐ 편성되다 ☐ 선연히 ☐ 소외감 ☐ 시기하다 ☐ 황폐하다 ☐ 절실히 ☐ 동지애

🕐 **공부한 날**

월 일

❶ **편성되곤**: 예산, 조직, 무리 등
이 짜여 이루어지곤.

❷ **선연히**: 실제로 보는 것 같이
생생하게.

❸ **속살거리는데**: 남이 알아듣지
못하도록 작은 목소리로 자꾸
이야기하는데.

❹ **소외감**: 남에게 따돌림을 당
하여 멀어진 듯한 느낌.

❺ **탐색**: 드러나지 않은 사물이
나 현상 등을 찾아내거나 밝
히기 위하여 살피어 찾음.

❻ **시기하고**: 남이 잘되는 것을
샘하여 미워하고.

❼ **황폐한**: 정신이나 생활 등이
거칠어지고 메말라 가는.

❽ **망망대해**: 한없이 넓고 큰 바
다.

❾ **인내**: 괴로움이나 어려움을
참고 견딤.

❿ **절실히**: 매우 급하고 필요하게.

⓫ **동지애**: 목적과 뜻을 같이하
는 사람끼리의 사랑.

⓬ **동반자**: 어떤 행동을 할 때 짝
이 되어 함께하는 사람.

학창 시절에는 유별나게도 학년이 바뀌고 반이 바뀌어 친구들과 뿔뿔이 흩어져야 하
는 신학기가 싫었다. 마음으로 간절히 원했던 친구는 거의 언제나 다른 반으로 가 버렸
고, 한 반이 되지 않기를 빌고 빌었던 친구는 어김없이 한 반으로 ❶편성되곤 하는 불행
아닌 불행 앞에서 얼마나 많이 속상해했는지 모른다.

그래서 학년이 바뀌고 처음 얼마 동안은 늘 마음을 잡지 못했다. 아침에 눈을 떠 학교
에 갈 일을 생각하면 가슴 한 켠이 써늘해지곤 하던 그 느낌을 지금도 나는 ❷선연히 떠
올릴 수가 있다. (중략)

그런데 다른 아이들은 그렇지 않은 것 같았다. 가만히 살펴보면 어느새 하나둘씩 친한
친구를 만들어 저희끼리 밥도 먹고 조회 시간에도 나란히 서서 다정하게 ❸속살거리는데,
그 속에서 혼자만 외톨이로 빙빙 돌고 있는 아이는 나 하나뿐인 것처럼 생각되곤 했다.

그 지독한 ❹소외감은 물론 시간이 흐르면서 조금씩 나아지기는 했다. 여름 방학을 할
때쯤이면 운동장 조회나 점심시간을 외롭게 하지 않을 단짝 한 명 정도는 발견하기 마
련이니까 결국은 시간이 해결해 주기 마련이다.

그러나 역시 시간이 흐르면 신학기 또한 어김없이 다시 찾아오는 것이었다. 그러면
다시 이별과 ❺탐색, 그리고 그 지독한 소외감에 시달리는 쓸쓸한 나날이 잊지도 않고
이어지는 것이었다.

이제는 반이 나뉘고 새로운 급우들한테서 실컷 낯섦을 맛봐야 하는 신학기 따위는
영영 내 곁에서 사라졌다. 그 대신 ❻시기하고 미워하며, 또는 빼앗고 속이는 ❼황폐한
세상살이에 낯가림하며 사는 나날 속으로 내던져지고 말았다.

❽망망대해(茫茫大海)를 헤매는 듯한 인생의 항해는 신학기 잠시의 외로움을 극복하
는 일 따위와는 비교도 할 수 없을 만큼 두려움 가득하고 힘들다. 삶은 고난투성이고 끝
없는 ❾인내를 요구하기만 하는데, 그러나 홀로 헤치는 파도는 높고 거칠기만 한 것이다.

바로 이때 영혼을 함께 나눌 친구가 ❿절실히 필요해진다. 인생이란 험난한 항해를 같
이 겪고 있다는 ⓫동지애의 확인, 혹은 내 삶의 따뜻한 ⓬동반자라는 느낌이 전해져 오는
친구와 같이 있는 시간에는 이 세상도 한번 살아 볼 만하다는 용기가 솟는다. (후략)

– 양귀자, 「사막을 같이 가는 벗」 중에서

1 이 글의 주제로 알맞은 것에 ○표를 해 보세요.

(1) 바다를 항해할 때는 믿을 만한 친구가 필요하다. ──────────── (   )

(2) 신학기에는 외로움을 겪는 친구들을 배려해야 한다. ──────────── (   )

(3) 인생을 살아갈 때는 영혼을 함께 나눌 진정한 친구가 필요하다. ──────── (   )

2 글쓴이가 학년이 바뀌고 처음 얼마 동안 마음을 잡지 못한 까닭은 무엇인지 써 보세요.

• (1) ▢▢▢ 마다 친한 친구와 헤어져 지독한 (2) ▢▢▢ 을 느꼈기 때문이다.

3 다음 낱말이 빗대어 설명하는 것은 무엇인지 선으로 이어 보세요.

(1)

항해

•   • ①   인생을 힘들게 하는 고난

(2)

파도

•   • ②   우리가 인생을 살아가는 일

4 이 글에 나타난 글쓴이의 마음을 알맞게 파악한 것에 ○표를 해 보세요.

(1) 더 이상 신학기를 겪을 수 없게 되어서 아쉬움이 가득하다. ──────── (   )

(2) 학교를 졸업해서 낯선 환경에 놓이는 일이 사라져서 마음이 한결 편하다. ──── (   )

(3) 삶은 신학기를 겪는 것보다 두렵고 힘들지만, 친구와 함께라면 살아 볼 용기가 생긴다.

──────────────────────────────── (   )

5 뜻풀이를 보고, 알맞은 낱말을 골라 ○표를 해 보세요.

(1)
> 매우 급하고 필요하게.

(절실히 / 결연히 / 선연히)

(2)
> 목적과 뜻을 같이하는 사람끼리의 사랑.

(단짝 / 자기애 / 동지애)

(3)
> 드러나지 않은 사물이나 현상 등을 찾아내거나 밝히기 위하여 살피어 찾음.

(탐색 / 편성 / 확인)

6 빈칸에 들어갈 알맞은 낱말을 보기 에서 골라 써 보세요.

보기	시기	소외감	황폐

(1) 전쟁은 인간성을 파괴하고 [   ]하게 만든다.

(2) 우리는 재능이 뛰어난 사람을 [   ]하거나 질투할 때가 많다.

(3) 수빈이는 전학 간 학교에서 친구를 사귀지 못해 [   ]을 느꼈다.

7 밑줄 친 낱말의 알맞은 뜻을 골라 기호를 써 보세요.

> ㉠ 점수를 잃다.
> ㉡ 어떤 나이가 되다.
> ㉢ 어떤 마음이나 감정을 품다.
> ㉣ 음식을 배 속에 들여보내다.

(1) 나는 떠나기로 마음을 먹었다. ( )
(2) 상대편에게 먼저 한 골을 먹었다. ( )
(3) 친구의 동생은 여섯 살 먹은 아이였다. ( )
(4) 밥을 먹고 나서도 여전히 배가 고팠다. ( )

8 다음 중 알맞은 표현에 ○표를 해 보세요.

(1) 인생은 망망대해를 { 헤매는 / 헤매이는 } 것과 같다.

(2) { 빼앗고 / 빼았고 } 속이는 황폐한 세상살이가 계속된다.

(3) 다른 아이들은 다정하게 { 속살거리는데 / 속살거리는대 } 나만 혼자 서 있다.

9 보기 와 같이 낱말의 형태를 바꾸어 써 보세요.

보기	낯설다 ➔ 낯섦

(1) 만들다 ➔ (   )   (2) 베풀다 ➔ (   )

(3) 이끌다 ➔ (   )   (4) 힘들다 ➔ (   )

10 다음 설명을 읽고 빈칸에 알맞은 낱말을 써 보세요.

'날'과 '날'을 합해서 만든 낱말 '나날'은 'ㄹ' 받침이 소리 나지 않는다. 이처럼 'ㄹ' 받침을 가진 말과 다른 말을 더해서 새로운 낱말을 만들 때 'ㄹ' 받침이 발음되지 않게 바뀐 경우에는 바뀐 대로 쓴다.

(1) 딸 + -님 ➔ (   )   (2) 활 + 살 ➔ (   )

(3) 달 + 달 + -이 ➔ (   )   (4) 바늘 + -질 ➔ (   )

Day 09
우주의 중심이 지구에서 태양으로

아는 어휘에 ✔ 표시를 해 보고, 어휘의 뜻을 생각하며 글을 읽어 보세요.

☐ 진리 ☐ 기원전 ☐ 절대적 ☐ 생전 ☐ 출간되다 ☐ 대신하다 ☐ 고정불변하다

☺ 공부한 날

　　　　월　　　일

　　과학 기술이 발달하지 않았던 옛날에는 눈에 보이는 것을 ❶진리로 받아들였어요. ❷기원전 2세기경 프톨레마이오스는 태양과 별들의 움직임을 관찰해 태양을 비롯한 다른 별들이 ❸지구를 중심으로 돌고 있다고 주장했어요.

　　"우주의 중심은 지구라네. 태양뿐 아니라 모든 ❹천체가 지구 주위를 돌고 있는 것이 그 증거이지."

　　이와 같은 프톨레마이오스의 주장을 '천동설' 또는 '지구 중심설'이라고 해요. 천동설은 1500년간 유럽에서 ❺절대적인 진리로 여겨졌어요. 당시 유럽 사회를 이끌던 기독교 성직자와 지식인들은 종교의 가르침과도 잘 통하는 천동설을 당연하게 받아들였어요. 이 진리를 의심하거나 다른 주장을 내세우는 사람에게는 큰 벌을 내렸지요.

　　그런데 모두가 믿고 있던 천동설에도 문제점이 있었어요. 천동설만으로는 화성이 멈춰 있거나 다시 뒤로 움직이는 현상을 설명할 수 없었어요. 또, 천동설에 따르면 금성은 초승달이나 그믐달 모양이어야 하는데 실제로는 금성도 달처럼 여러 가지 모양으로 바뀌었거든요. 이를 처음 발견한 사람은 16세기 폴란드의 천문학자 코페르니쿠스였어요.

　　"천동설로는 반대로 움직이는 화성을 설명할 수 없어. 우주의 중심은 태양이야. 지구를 비롯한 모든 별이 태양을 중심으로 돌고 있어."

　　이런 코페르니쿠스의 생각을 '지동설' 또는 '태양 중심설'이라고 해요. 그러나 코페르니쿠스는 ❻생전에 자신의 주장을 밝히지 못했고, 그의 생각을 담은 책 『천체의 회전에 관하여』는 그가 죽기 직전에서야 ❼출간됐지요.

　　코페르니쿠스가 죽은 지 66년 후, 갈릴레이는 지동설을 과학적으로 증명했어요. 그는 망원경으로 우주를 관측해 목성 주위를 돌고 있는 4개의 ❽위성을 발견했어요. 이 위성들은 모든 별이 지구를 중심으로 돌지 않는다는 결정적인 증거였어요.

　　드디어 절대 진리였던 천동설이 무너지고 지동설이 그 자리를 ❾대신하게 되었어요. 갈릴레이의 위대한 발견으로 과학에서 ❿고정불변하는 진리는 없다는 사실이 밝혀졌고, 우주와 인간에 대한 사람들의 생각에도 많은 변화가 생겼답니다.

❶ 진리: 참된 이치, 또는 참된 도리.

❷ 기원전: 예수가 태어난 해를 기준으로 한 달력에서 기준 연도의 이전.

❸ 지구: 인류가 사는 별로, 태양에서 셋째로 가까운 별.

❹ 천체: 우주에 있는 모든 물체.

❺ 절대적인: 비교하거나 상대될 만한 것이 없는.

❻ 생전: 살아 있는 동안.

❼ 출간됐지요: 글, 그림, 악보 등이 책으로 만들어져 세상에 나왔지요.

❽ 위성: 행성의 주위를 도는 우주의 천체.

❾ 대신하게: 어떤 대상의 자리나 구실을 바꾸어 새로 맡게.

❿ 고정불변하는: 한번 정한 대로 변함이 없는.

1 다음은 이 글을 읽고 천동설과 지동설을 정리한 내용입니다. 빈칸에 알맞은 낱말을 써 보세요.

	(1) 천동설	(2) 지동설
형태		
개념	• 모든 천체가 ☐☐를 중심으로 돌고 있다는 주장임. • '☐☐ 중심설'이라고도 함.	• 모든 별이 ☐☐을 중심으로 돌고 있다는 주장임. • '☐☐ 중심설'이라고도 함.
주장한 사람	프톨레마이오스	코페르니쿠스, 갈릴레이

2 지동설에 대한 책이 코페르니쿠스가 죽기 직전에서야 출간된 까닭으로 알맞은 것에 ○ 표를 해 보세요.

(1) 천동설의 문제점을 해결할 방법을 찾지 못해서 ┄┄┄┄┄┄┄┄┄┄ (   )

(2) 지동설을 뒷받침할 만한 과학적인 근거를 찾지 못해서 ┄┄┄┄┄┄┄ (   )

(3) 천동설과 어긋나는 생각을 발표하면 큰 벌을 받을 것이므로 ┄┄┄┄ (   )

3 다음은 지동설이 진리가 된 까닭입니다. 빈칸에 들어갈 알맞은 낱말을 보기 에서 골라 써 보세요.

보기	우주 지구 망원경 천동설 지동설

• 코페르니쿠스는 1500년간 절대적 진리였던 (1) ☐☐☐의 문제점을 밝혀내 (2) ☐☐가 태양의 주위를 돌고 있다는 것을 주장했다. 이후 갈릴레이가 (3) ☐☐☐으로 목성의 위성을 발견함으로써 (4) ☐☐☐을 과학적으로 증명했다.

4 다음 낱말과 뜻이 알맞도록 선으로 이어 보세요.

(1) 천체 • • ① 우주에 있는 모든 물체.

(2) 절대적 • • ② 한번 정한 대로 변함이 없다.

(3) 고정불변하다 • • ③ 비교하거나 상대될 만한 것이 없는 것.

5 빈칸에 알맞은 낱말을 보기 에서 골라 써 보세요.

> 보기　　　　　　　　　　출간　　생전　　대신

(1) 나는 할머니 ☐☐에 자주 찾아뵙지 못한 것을 후회했다.

(2) 미래에는 인공 지능 로봇이 인간을 ☐☐해 집안일을 할 것이다.

(3) 텔레비전 드라마 속 주인공이 쓴 책이 서점에 실제로 ☐☐되었다.

6 밑줄 친 부분과 뜻이 비슷한 한자 성어에 ○표를 해 보세요.

> 기독교 성직자와 지식인들은 종교의 가르침과도 잘 통하는 천동설을 당연하게 받아들였다.

(1) **전무후무**(前無後無): 전에도 없었고 앞으로도 없음. ⋯⋯⋯⋯⋯⋯⋯⋯ (　)

(2) **일맥상통**(一脈相通): 사고방식, 상태, 성질 등이 서로 통하거나 비슷해짐. ⋯⋯ (　)

(3) **태연자약**(泰然自若): 마음에 어떠한 충동을 받아도 움직임 없이 천연스러움. ⋯⋯ (　)

7 다음 중 낱말을 맞춤법에 알맞게 쓴 것에 ○표를 해 보세요.

(1) 달리기를 하다가 힘들어서 { 셨다 / 쉬었다 }.

(2) { 멈쳤던 / 멈췄던 } 비가 다시 내리기 시작했다.

(3) 금성도 달처럼 여러 가지 모양으로 { 바꼈다 / 바뀌었다 }.

(4) 기독교 성직자와 지식인들은 천동설을 절대적인 진리로 { 내세었다 / 내세웠다 }.

8 다음 중 띄어쓰기를 알맞게 한 것에 ○표를 해 보세요.

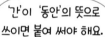
'간'이 '동안'의 뜻으로
쓰이면 붙여 써야 해요.

(1) 천동설은 (1500년간 / 1500년 간) 절대적인 진리로 여겨졌다.

(2) 1970년대에 서울과 (부산간 / 부산 간) 고속 도로가 새로 만들어졌다.

(3) 노인층과 젊은 층 사이에서 (세대간 / 세대 간)의 갈등이 심해지고 있다.

(4) 우리 가족은 여름 방학 때 (한 달간 / 한 달 간) 전국 일주를 하기로 했다.

9 보기 와 같이 하나의 문장을 두 개의 문장으로 나누어 써 보세요.

> 보기   모두가 믿고 있던 천동설에도 문제점이 있었다.
>
> → { 모두가 천동설을 믿었다.
>   천동설에도 문제점이 있었다.

• 나는 주차장에 있던 차를 닦았다.

→ { (1) _____

     (2) _____

한자 어휘

'광(廣)'과 '고(告)'가 들어간 말

아는 어휘에 ✔ 표시를 해 보고, 아래 활동을 하며 뜻을 익혀 보세요.

☐ 광야 ☐ 광역시 ☐ 광장 ☐ 고백 ☐ 충고 ☐ 경고문 ☐ 광고 매체

廣
넓을 **광**

이 한자는 广(집 엄) 자와 黃(누를 황) 자를 합쳐서 만들었어요. 규모가 크고 넓은 집을 나타내는 글자로, '넓다' 또는 '널찍하다'라는 뜻을 가지고 있지요.

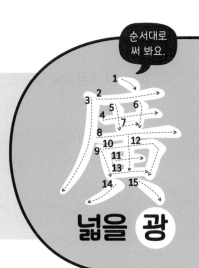

순서대로 써 봐요.

넓을 **광**

'광고'는 '세상에 널리 알림. 또는 그런 일.'이라는 뜻이야.

● 광(廣)이 들어간 낱말은 '넓다'라는 뜻을 가지고 있는 경우가 많아요.

광 야 넓을 廣 들 野	뜻 텅 비고 아득히 넓은 들. 예 눈앞에 광야가 펼쳐졌다.
광 역 시 넓을 廣 지경 域 시장 市	뜻 큰 도시와 그 근처의 작은 시와 군을 포함하는 하나의 넓은 행정 단위. 예 우리 시는 광역시이다.
광 장 넓을 廣 마당 場	뜻 많은 사람들이 모일 수 있게 거리에 만들어 놓은, 넓은 빈터. 예 아이들이 광장에서 사물놀이를 한다.

우리나라에는 광역시가 6곳이나 있어.

'광(廣)'과 '고(告)'를 활용한 말로 '광고 매체'라는 말이 있어요.

광	고	매	체
넓을 廣	고할 告	중매 媒	몸 體

'광고 매체'는 사람들에게 널리(廣) 알리는(告) 내용을 전달하는(媒) 수단(體)이라는 뜻입니다.

광고가 실리는 신문이나 잡지, 라디오와 텔레비전 등을 광고 매체라고 부르지요. 요즘에는 인터넷과 모바일로 광고 매체가 늘어나고 있어요.

텔레비전에서 재미있는 음료수 광고를 보았어.

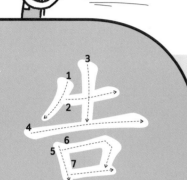

告
고할 고

'고(告)' 자는 牛(소 우)와 口(입 구)가 합쳐진 글자예요. 제사를 지낼 때 소를 제물로 바치고 신에게 알린다고 하여 '고하다', '알리다'라는 뜻을 가지고 있어요.

告
고할 고

● 고(告)가 들어간 낱말은 '알리다'라는 뜻을 가지고 있는 경우가 많아요.

고	백	
고할 告	흰 白	

뜻 마음속에 생각하고 있는 것이나 감추어 둔 것을 사실대로 숨김없이 말함.
예 나는 정빈이에게 좋아한다고 고백했다.

충	고	
충성 忠	고할 告	

뜻 남의 결함이나 잘못을 진심으로 타이름.
예 편식하는 친구에게 따끔하게 충고했다.

축구 경기에서 경고를 받았어.

경	고	문
깨우칠 警	고할 告	글월 文

뜻 어떤 일에 대해 조심하거나 삼가라고 주의를 주는 글.
예 택배 상자에는 경고문이 붙어 있었다.

1 다음 낱말에 쓰인 '광'의 뜻을 골라 보세요. ⸺⸺⸺⸺⸺⸺⸺⸺⸺⸺⸺⸺ (   )

광야	광장	광고	광역시

① 희다   ② 길다   ③ 넓다   ④ 빛나다

2 '광야'의 뜻으로 알맞은 것의 기호를 써 보세요.

▲ 광야

㉠ 넓은 범위.

㉡ 텅 비고 아득히 넓은 들.

㉢ 사람들에게 널리 알림. 또는 그런 일.

(   )

3 다음 낱말과 뜻이 알맞도록 선으로 이어 보세요.

(1) 고백 •

• ① 어떤 일에 대해 조심하거나 삼가라고 주의를 주는 글.

(2) 경고문 •

• ② 마음속에 생각하고 있는 것이나 감추어 둔 것을 사실대로 숨김없이 말함.

4 빈칸에 들어갈 알맞은 낱말을 보기 에서 골라 써 보세요.

보기	충고	광고	고백

• 사촌 언니는 꽃병을 깨뜨린 일을 어머니께 빨리 (1) ⬜⬜ 하라고 (2) ⬜⬜ 했다.

주어진 낱말을 활용해 빈칸에 알맞은 낱말을 써 보세요.

| 고백 | 광고 | 광장 | 충고 | 경고문 |

달의 이름을 알아보아요!

　밤하늘에 떠 있는 달을 관찰해 본 적이 있나요? 여러 날 동안 달을 관찰해 보면 달 모양이 조금씩 바뀌는 것을 알 수 있어요. 그렇다면 달은 왜 모양이 바뀔까요? 바로, 달이 지구 둘레를 돌고 있기 때문이에요. 달이 어디 있는지에 따라 지구에서 보이는 달의 모양이 달라진답니다. 그리고 달의 모양에 따라 부르는 이름도 달라요.

　매달 첫날에는 달이 보이지 않다가 점차 달의 오른쪽 부분이 보이기 시작해요. 초승달은 오른쪽이 둥근 상현달이 되고, 상현달은 점점 커져서 보름달이 돼요. 그리고 다시 오른쪽 부분이 점점 보이지 않게 되면서 왼쪽이 둥근 하현달이 되고, 점점 더 작아져서 그믐달이 됩니다. 이렇게 달이 점점 커지면서 둥근 모양이 되는 것을 달이 찬다고 해요. 반대로 둥근 달이 다시 작아지는 것을 달이 기운다고 하지요.

　달을 부르는 다른 이름도 있어요. 눈썹 모양으로 보이는 초승달이나 ☐☐☐을 '눈썹달'이라고 하고, 반원 모양의 달을 '반달'이라고 해요. ☐☐☐과 하현달 모두 반달이에요. ☐☐

☐은 '둥근달'이라고도 하는데 한자로는 '만월(滿月)'이라고 해요.

| 그믐달 | ← | 하현달 | ← | 보름달 | ← | 상현달 | ← | 초승달 |

3주 어휘 미리보기

뜻을 알고 있는 낱말에 V표 해 보세요.

알고 있는 낱말은 글에서 어떻게 쓰였는지 확인하고,
모르는 낱말은 글을 읽으며 재미있게 익혀 보아요.

	배울 내용	배울 낱말		공부한 날
Day 11	속담 **발 없는 말이 천 리 간다**	☐ 사치스럽다 ☐ 횡포 ☐ 습격하다 ☐ 삽시간	☐ 대립하다 ☐ 해산하다 ☐ 기름을 붓다 ☐ 불합리하다	월 일
Day 12	관용어 **눈이 동그래지다**	☐ 헛기침 ☐ 옷맵시 ☐ 억실억실하다 ☐ 지그시	☐ 재촉하다 ☐ 목메다 ☐ 함빡 ☐ 얼빠지다	월 일
Day 13	한자 성어 **각양각색(各樣各色)**	☐ 섬유 ☐ 보존 ☐ 띠다 ☐ 삭다	☐ 원료 ☐ 형체 ☐ 물리적 ☐ 친환경	월 일
Day 14	교과 어휘 – 사회 **정의의 수호자 '해태'**	☐ 신령스럽다 ☐ 성품 ☐ 상징하다 ☐ 공명정대하다	☐ 가리다 ☐ 잘잘못 ☐ 집행하다 ☐ 대비하다	월 일
Day 15	한자 어휘 **'성(性)'과 '격(格)'이 들어간 말**	☐ 성격 ☐ 개성 ☐ 자격 ☐ 인격	☐ 특성 ☐ 성향 ☐ 엄격 ☐ 십인십색	월 일

속담

발 없는 말이 천 리 간다

아는 어휘에 ✔ 표시를 해 보고, 어휘의 뜻을 생각하며 글을 읽어 보세요.

☐ 사치스럽다 ☐ 대립하다 ☐ 해산하다 ☐ 습격하다 ☐ 삽시간 ☐ 불합리하다

🕐 **공부한 날**

월   일

❶ **사치스러운**: 필요 이상의 돈이나 물건을 쓰거나 자기 처지에 지나친 생활을 하는 데가 있는.

❷ **대립했어요**: 의견이나 처지, 속성 등이 서로 반대되거나 맞지 않았어요.

❸ **등골이 빠지게**: 견디기 어려울 정도로 몹시 힘이 들게.

❹ **횡포**: 제멋대로 굴며 몹시 난폭함.

❺ **해산하려고**: 모였던 사람이 흩어지게 하려고.

❻ **습격하면서**: 갑자기 상대편을 덮쳐 치면서.

❼ **기름을 붓는**: 감정이나 행동을 부추겨 정도를 심하게 만드는.

❽ **발 없는 말이 천 리 간다**: 말은 비록 발이 없지만 천 리 밖까지도 순식간에 퍼진다는 뜻으로, 말을 삼가야 함을 비유적으로 이르는 말.

❾ **삽시간**: 매우 짧은 시간.

❿ **불합리하고**: 이론이나 이치에 맞지 않고.

여러분은 민주주의의 시작을 알렸던 '프랑스 혁명'에 대해 알고 있나요? 프랑스 혁명은 프랑스뿐 아니라 유럽 전체에 큰 영향을 끼친 사건이었어요.

당시 프랑스는 왕실 사람들이 ❶사치스러운 생활을 계속하면서 경제가 어려워졌고, 루이 16세가 미국의 독립을 도우려다 큰 빚까지 지게 되면서 상황이 더욱 나빠졌어요. 루이 16세는 세금을 더 걷어서 이 문제를 해결하려고 했지요. 그동안 세금을 내지 않았던 성직자와 귀족은 이를 반대했고, 루이 16세는 결론을 내기 위해 삼부회를 소집했어요. 왕의 바람과는 달리 성직자, 귀족, 평민 대표로 구성된 삼부회는 계속해서 서로 ❷대립했어요. 성직자와 귀족은 회의할 때 평민 대표들을 차별했을 뿐만 아니라 평민 계급이 회의장에 들어가지 못하게 문까지 잠가 버렸어요. ❸등골이 빠지게 세금을 내던 평민들은 성직자와 귀족의 ❹횡포를 참을 수 없었어요. 화가 난 평민 대표들은 따로 '국민 의회'를 만들었어요.

그러자 루이 16세는 군대를 불러 국민 의회를 ❺해산하려고 했어요. 이에 분노한 파리 시민들이 바스티유 감옥을 ❻습격하면서 프랑스 혁명이 시작되었어요. 한 달 뒤, 국민 의회는 모든 사람이 자유롭고 평등한 권리를 가지며 나라의 주권이 국민에게 있다는 '인간과 시민의 권리 선언(인권 선언)'을 발표했지요. 그러나 루이 16세가 이를 받아들이지 않자, 시민들은 크게 분노했어요.

여기에 ❼기름을 붓는 소문이 더해졌어요. 베르사유 궁전에서는 여전히 화려한 파티를 벌이고 있고, 왕비 마리 앙투아네트가 빵이 없다는 시민에게 빵이 없으면 케이크를 먹으라고 했다는 것이에요. ㉠❽발 없는 말이 천 리 간다고, 이 거짓 소문은 ❾삽시간에 널리 퍼졌지요. 오랜 흉년에 굶주리던 파리 시민들은 "우리에게 빵을 달라!"라고 외치며 궁전으로 몰려갔어요. 겁을 먹은 루이 16세는 인권 선언을 인정했지요.

이후 국민 의회는 교회의 재산을 모두 빼앗고, 귀족에게도 세금을 걷기 시작했어요. 불안해진 루이 16세는 오스트리아 군대의 힘을 빌려 프랑스를 탈출하려고 했지만 실패했어요. 파리로 끌려온 루이 16세는 시민들에 의해 처형되었고 이후 프랑스에서는 시민들이 함께 의견을 모아 정치를 하는 공화정이 시작되었답니다. 프랑스 혁명은 시민을 중심으로 ❿불합리하고 낡은 사회 질서를 허물려고 했다는 점에서 큰 가치를 지니고 있어요.

1 이 글의 내용을 통해서 알 수 **없는** 사실은 무엇인지 골라 보세요. ··············· (　　　)

① 프랑스 혁명이 일어난 배경　　　　② 프랑스 혁명이 가지는 의미

③ 프랑스 혁명이 진행된 과정　　　　④ 프랑스 혁명이 일어날 때 주변 나라의 반응

2 프랑스 혁명이 진행된 차례대로 기호를 써 보세요.

> ㉮ 평민 대표들이 국민 의회를 만들었다.
>
> ㉯ 국민 의회가 '인권 선언'을 발표하였다.
>
> ㉰ 시민들이 바스티유 감옥을 습격하였다.
>
> ㉱ 루이 16세를 처형하고 공화정이 시작되었다.
>
> ㉲ 성직자, 귀족, 평민 대표로 구성된 삼부회가 열렸다.

㉲ ➔ (　　　) ➔ (　　　) ➔ (　　　) ➔ (　　　)

3 다음 관용어와 뜻이 알맞도록 선으로 이어 보세요.

(1) 기름을 붓다　　　　•　　•　①　견디기 어려울 정도로 몹시 힘이 든다.

(2) 등골이 빠지다　　•　　•　②　감정이나 행동을 부추겨 정도를 심하게 만든다.

4 빈칸에 ㉠이 들어가기에 알맞은 것에 ○표를 해 보세요.

(1) 수다쟁이 누나한테는 왜 말했어? 〔　　　〕는 속담도 몰라? ··············· (　　　)

(2) 〔　　　〕고 했어. 책이 아무리 많아도 읽지 않으면 소용이 없지. ··············· (　　　)

(3) 항상 긍정적으로 생각하고 말할 필요가 있어. 〔　　　〕는 말도 있잖아. ··············· (　　　)

(4) 네가 함부로 말하니까 동생도 생각 없이 말하는 거야. 〔　　　〕고 하잖아. ··············· (　　　)

5 다음 낱말과 뜻이 알맞도록 선으로 이어 보세요.

(1) 횡포 •

(2) 불합리 •

(3) 삽시간 •

• ① 매우 짧은 시간.

• ② 제멋대로 굴며 몹시 난폭함.

• ③ 이론이나 이치에 맞지 않음.

6 빈칸에 들어갈 낱말을 보기 에서 찾아 써 보세요.

보기   습격   해산   대립

(1) 아버지와 아들은 사사건건 ☐☐했다.

(2) 장군은 적의 ☐☐에 대비하여 국경 지역의 수비를 강화했다.

(3) 교장 선생님의 말씀이 끝나자 운동장에 모인 학생들은 각자 교실로 ☐☐했다.

7 밑줄 친 낱말과 바꾸어 쓸 수 없는 낱말이 연결된 것을 골라 보세요. ·············· (   )

① 프랑스 혁명 전에는 평민만 왕에게 세금을 냈다.   걷었다

② 분노한 파리 시민들은 바스티유 감옥을 습격했다.   화가 난

③ 루이 16세는 시민들이 두려워서 인권 선언을 인정했다.   받아들였다

8 다음 중 알맞은 표현에 ○표를 해 보세요.

(1) 결국 내가 거짓말을 한 것이 (드러났다 / 들어났다).

(2) 재평이는 선생님의 충고를 (받아드리지 / 받아들이지) 않았다.

(3) 진아는 아무도 들어오지 못하게 방문을 걸어 (잠갔다 / 잠궜다).

(4) 우리의 (바람 / 바램)대로 내일 아침에는 흰 눈이 내렸으면 좋겠다.

9 보기 를 참고하여 '뿐'을 알맞게 띄어 쓴 문장에 ○표를 해 보세요.

> 보기
> • 이제 믿을 것은 오직 실력뿐이다.
> • 나는 그저 가만히 서 있었을 뿐이다.

(1) 나에게는 너뿐이야. ──────────────────────── (   )

(2) 나는 해야 할 일을 했을뿐이다. ─────────────── (   )

(3) 그는 웃고만 있을뿐이지 싫다 좋다 말이 없다. ───── (   )

(4) 아이는 학교 뿐만 아니라 집에서도 말썽꾸러기였다. ── (   )

10 다음 설명을 참고하여 낱말의 발음을 써 보세요.

> '국민[궁민], 국물[궁물]'과 같이 받침 'ㄱ'은, 'ㅁ' 앞에서 [ㅇ]으로 발음한다.

(1) 독물 ➡ [   ]   (2) 백미 ➡ [   ]

(3) 작문 ➡ [   ]   (4) 혁명 ➡ [   ]

관용어

눈이 동그래지다

아는 어휘에 ✔ 표시를 해 보고, 어휘의 뜻을 생각하며 글을 읽어 보세요.

☐ 헛기침 ☐ 재촉하다 ☐ 옷맵시 ☐ 목메다 ☐ 억실억실하다 ☐ 함빡 ☐ 지그시

공부한 날

월   일

분홍 치마에 흰 반회장저고리(깃, 고름, 끝동에 다른 색의 천을 대어 지은 여자의 저고리.)를 입은 남이는 딴사람같이 예뻐 보였다. 어디다 내세우더라도 얌전한 색싯감이었다. 남이 아버지는 대문짝에 담뱃대를 딱딱 두드리면서 ❶헛기침을 하며 남이에게 빨리 나오라고 ❷재촉하였다. 철수 아내는 남이의 ❸옷맵시를 보아주면서

"어서 가거라. 네가 결혼식을 할 때는 네 아저씨가 가든지 내가 가든지 꼭 할게."

그러나 남이는 한마디 인사말도 없이 영이와 윤이를 찾는다. 골목에 나가 있던 영이와 윤이는 남이의 달라진 모양을 보고 ㉠❹눈이 동그래져서,

"아지마, 어데 가노?" / 하고 묻는다.

남이는 대답도 않고 두 아이를 건넌방으로 데려가 두 팔로 안고서,

"윤아, 아지마 가면 니 빠빠 누가 줄꼬?" / 하자, 영이가 또,

"아지마, 어데 가노?" / 하고 묻는다.

남이는 ❺목멘 낮은 소리로,

"우리 집에 간다."

그러나 영이는,

"거짓말이다. 이거 너거 집 앙이고 머고?"

하고 발까지 구르며 짜증을 낸다. 갑자기 윤이가 그 넓적한 입을 삐죽거리면서 ❻억실억실한 눈에 눈물을 ❼함빡 가둔다. 남이는 ❽지그시 팔에 힘을 준다. 윤이 눈에서 눈물 한 방울이 떨어져 남이의 자줏빛 옷고름에 얼룩이 진다.

바로 이때였다. 골목에서 엿장수 가위 소리가 들려왔다. 남이는 재빨리 윤이를 업고, 영이의 손목을 잡은 채 밖으로 나갔다. 남이 아버지는 벌써 저만치 내려가고, 엿장수는 막 철수네 집 앞에서 대문을 나서는 남이와 마주쳤다. 엿장수는 ❾얼빠진 사람처럼 남이를 바라보는데 남이의 눈에는 순간 어두운 그림자가 지나갔다.

남이는 윤이를 업은 채 허리를 굽히고, 몸을 약간 돌려 치맛자락을 걷고 주머니에서 십 원짜리 두 장을 꺼내 엿장수를 주었다. 엿장수는 그제서야 눈을 돌려 남이와 돈을 번갈아 보다 말고, 신문지 조각에 엿을 싸서 아무 말도 없이 돈과 함께 내민다.

남이는 약간 망설이다가 역시 아무 말도 없이 한 손으로 받아가지고는 영이를 앞세우고 안으로 들어왔다.

– 오영수, 「고무신」 중에서

❶ **헛기침**: 사람이 있다는 것을 알리거나 목청을 가다듬기 위해 일부러 하는 기침.

❷ **재촉하였다**: 어떤 일을 빨리 하도록 졸랐다.

❸ **옷맵시**: 차려입은 옷이 어울리는 모양새.

❹ **눈이 동그래져서**: 몹시 놀라거나 이상하여 눈이 크고 동그랗게 되어서.

❺ **목멘**: 기쁨이나 슬픔 같은 감정이 북받쳐 올라 목이 막힌.

❻ **억실억실한**: 얼굴 모양이나 생김새가 선이 굵고 시원시원한.

❼ **함빡**: 분량이 차고도 남도록 넉넉하게.

❽ **지그시**: 슬며시 힘을 주는 모양.

❾ **얼빠진**: 정신이 없어진.

1 **이 글의 내용으로 알맞은 것에는 ○표, 알맞지 않은 것에는 ×표를 해 보세요.**

(1) 남이는 아버지와 함께 자신의 집으로 돌아가게 되었다. ——————— (○ / ×)

(2) 남이는 엿장수를 좋아하는 마음을 적극적으로 표현하고 있다. ——————— (○ / ×)

(3) 철수 아내는 남이에게 다정한 말을 건네며 남이를 떠나보내고 있다. ——————— (○ / ×)

2 **이 글에 나오는 인물에 대한 설명으로 알맞은 것을 골라 보세요.** ——————— (   )

① **엿장수**: 남이가 떠나는 이유를 알고 축복한다.

② **철수 아내**: 남이를 데려가는 남이 아버지를 원망한다.

③ **남이**: 엿장수를 다시 만날 수 있을 것이라고 기대한다.

④ **영이와 윤이**: 남이와의 이별을 받아들이지 않으려고 한다.

3 **빈칸에 알맞은 낱말을 넣어 이 글에서 일어난 일을 정리해 보세요.**

남이 아버지가 (1) ☐☐ 했지만 남이는 주인집 아이들을 안아 주며 작별 인사를 했다.

→ 엿장수의 (2) ☐☐ 소리가 들리자 남이는 대문 밖으로 나갔다.

→ (3) ☐☐☐ 사람처럼 남이를 보던 엿장수는 돈도 받지 않고 남이에게 엿을 주었다.

→ 남이는 엿을 받아서 주인집 아이들과 함께 다시 집 안으로 들어왔다.

4 **관용어 ㉠을 사용하기에 알맞은 상황에 ○표를 해 보세요.**

(1) 오랫동안 만나지 못한 친구가 보고 싶어서 눈이 동그래졌다. ——————— (   )

(2) 명준이가 갑자기 책상을 탁 치자 아이들이 깜짝 놀라 눈이 동그래졌다. ——————— (   )

(3) 친구와 만나기로 약속했는데 친구를 기다리다가 지쳐서 눈이 동그래졌다. ——————— (   )

5 다음 낱말과 뜻이 알맞도록 선으로 이어 보세요.

(1) 목메다 •

(2) 얼빠지다 •

(3) 재촉하다 •

• ① 정신이 없어지다.

• ② 어떤 일을 빨리 하도록 조르다.

• ③ 기쁨이나 슬픔 같은 감정이 북받쳐 올라 목이 막히다.

6 낱말의 뜻을 보고 빈칸에 들어갈 알맞은 낱말을 써 보세요.

(1) 연주는 일부러 ☐☐☐을 했다.
↳ 사람이 있다는 것을 알리거나 목청을 가다듬기 위하여 일부러 하는 기침.

(2) 너도 그렇게 차려입으니 ☐☐☐가 난다.
↳ 차려입은 옷이 어울리는 모양새.

(3) 우리 할아버지는 옆집 순희를 나의 ☐☐☐으로 정해 두셨다.
↳ 신부가 될 만한 인물.

7 밑줄 친 낱말의 뜻을 보기 에서 골라 번호를 써 보세요.

> 보기 ① 분량이 차고도 남도록 넉넉하게.
> ② 물이 속에서 겉으로 스며 나오도록 젖은 모양.

(1) 오랜 시간 달린 민준이의 등은 땀으로 <u>함빡</u> 젖어 있었다. ⋯⋯⋯⋯⋯ ( )
(2) 친절한 승무원은 얼굴에 <u>함빡</u> 웃음을 머금고 승객들을 대했다. ⋯⋯⋯⋯ ( )

8 밑줄 친 낱말의 발음으로 알맞은 것의 번호를 써 보세요.

(1) 이것을 반죽하려면 넓적한 그릇이 필요해. ──────────────── (   )

① [널쩌칸]   ② [넙쩌칸]

(2) 이 옷은 얇지만 구김이 잘 생겨서 불편하다. ──────────── (   )

① [얄찌만]   ② [얍찌만]

(3) 방이 넓지는 않지만 세 명은 충분히 누울 수 있다. ──────── (   )

① [널찌는]   ② [넙찌는]

틀리기 쉬워요!

9 낱말의 뜻을 보고 빈칸에 알맞은 낱말을 써 보세요.

(1)
> • **지그시**: 슬며시 힘을 주는 모양.
> • **지긋이**: 나이가 비교적 많아 듬직하게.

① 눈을 ☐☐☐ 감고 깊은 한숨을 내쉬었다.

② 앞에 앉은 아저씨는 나이가 ☐☐☐ 들어 보인다.

(2)
> • **체**: 그럴듯하게 꾸미는 거짓 태도나 모양.
> • **채**: 이미 있는 상태 그대로 있다는 뜻을 나타내는 말.

① 벽에 기대앉은 ☐로 잠이 들었다.

② 알지도 못하면서 아는 ☐는 왜 하니?

10 다음 중 알맞은 표현에 ○표를 해 보세요.

(1) 오늘은 나 먼저 { 갈게 / 갈께 }.

(2) 이제 나는 무엇을 하며 { 살고 / 살꼬 }?

(3) 일단 밥부터 먹고 설거지는 나중에 { 할게요 / 할께요 }.

한자 성어

각양각색(各 각각 각 樣 모양 양 各 각각 각 色 빛 색)

아는 어휘에 ✔ 표시를 해 보고, 어휘의 뜻을 생각하며 글을 읽어 보세요.

☐ 섬유　☐ 원료　☐ 보존　☐ 형체　☐ 띠다　☐ 물리적　☐ 삭다　☐ 친환경

🕐 **공부한 날**

월　　　일

　우리나라의 전통 종이 한지를 알고 있나요? 한지는 주로 닥나무 껍질에서 뽑아낸 ❶섬유로 만든 종이예요. 20세기 초·중반에 서양 종이인 양지가 들어와 쓰이면서 양지와 구별하기 위해 우리 종이를 한지라고 불렀어요.

　한지의 가장 큰 특징은 질기고 ❷수명이 오래간다는 것이에요. 종이는 재료와 만드는 방법에 따라 종류가 ❸각양각색이지만, 대부분 식물 섬유를 ❹원료로 만들어요. 그런데 식물 섬유는 세균이나 곰팡이, 벌레 등의 피해를 받으면 쉽게 썩는다는 단점이 있어요. 그래서 대부분의 종이는 약하고 ❺보존이 어렵지요. 반면, 한지는 종이인데도 천 년이 넘는 세월을 버텨 낼 수 있어요. 천이백여 년 전에 만들어진 『무구 정광 대다라니경』이 그 증거이지요. 이 인쇄물은 부스러지고 벌레가 먹긴 했지만 아직까지 ❻형체를 유지하고 있어 한지의 수명이 매우 길다는 것을 보여 줘요.

　한지가 이처럼 오래 보존될 수 있는 비밀은 한지의 주원료인 닥나무에 숨어 있어요. 닥나무는 양지의 원료보다 섬유의 길이가 훨씬 길다고 해요. 따라서 섬유끼리 더 강하게 결합해 아주 질긴 종이가 될 수 있어요. 옛날에는 한지로 갑옷도 만들었다고 하니, 한지가 얼마나 질긴지 짐작할 수 있겠지요?

　한지가 보존성이 뛰어난 또 다른 까닭은 한지가 중성을 ❼띠고 있기 때문이에요. 일반적인 종이를 만들 때는 식물 섬유를 뽑아내기 위해 빻고 찧는 등 ❽물리적인 방법만을 사용해요. 그런데 한지를 만들 때는 닥나무를 잿물(짚이나 나무를 태운 재를 우려낸 물)에 넣고 삶은 다음 두드려서 섬유를 뽑아낸다고 해요. 이렇게 만들어진 한지는 산성을 띠는 양지와 달리 중성을 띠지요. 그래서 우리가 사용하는 신문지나 교과서는 100년 정도 지나면 누렇게 색이 변하고 ❾삭아 버리지만 한지는 오랜 시간 동안 색이 변하지 않고 유지될 수 있어요.

　최근 한지는 ❿친환경 소재로 주목받고 있어요. 한지는 식물 섬유로 만들었기 때문에 재활용, 재사용이 가능하고 인체에 해롭지 않거든요. 그래서 의류나 가구, 생활용품 등 한지를 활용한 다양한 제품이 만들어지고 있어요. 천 년의 세월을 견뎌 낸 질긴 한지가 우리 생활에서 더욱 중요한 역할을 하게 될 날을 기대해 봐요.

❶ **섬유**: 생물체의 몸을 이루는, 가늘고 긴 실 모양의 물질.

❷ **수명**: 사물 등이 사용에 견디는 기간.

❸ **각양각색**: 각기 다른 여러 가지 모양과 빛깔.

❹ **원료**: 어떤 물건을 만드는 데 들어가는 재료.

❺ **보존**: 잘 보호하고 간수하여 남김.

❻ **형체**: 물건의 생김새나 그 바탕이 되는 몸체.

❼ **띠고**: 어떤 성질을 가지고.

❽ **물리적인**: 몸이나 무기 등의 힘을 사용하는.

❾ **삭아**: 물건이 오래돼 본바탕이 변하여 썩은 것처럼 되어.

❿ **친환경**: 자연환경을 오염지지 않고 자연 그대로의 환경과 잘 어울리는 일.

1 **이 글의 내용으로 알맞은 것에는 ○표, 알맞지 않은 것에는 ×표를 해 보세요.**

(1) 요즘에는 한지를 활용해 생활용품을 만들기도 한다. ──────────── (○ / ×)

(2) 교과서는 산성지로 만들어져서 오랜 시간이 지나면 누렇게 색이 변한다. ──────────── (○ / ×)

(3) 한지를 만들 때는 식물 섬유를 뽑아내기 위해 물리적인 방법만을 사용한다. ──────────── (○ / ×)

2 **이 글을 통해 알 수 <u>없는</u> 사실을 찾아 기호를 써 보세요.**

| ㉠ 한지에 없는 양지의 장점 | ㉡ 양지가 우리나라에 들어온 시기 |
| ㉢ 양지 재료와 한지 재료의 차이점 | ㉣ 『무구 정광 대다라니경』이 만들어진 시기 |

(   )

3 **이 글을 읽고 한지의 특징을 정리하였습니다. 빈칸에 들어갈 알맞은 낱말을 써 보세요.**

| 한지의 특징 | 질기고 (1) ☐☐ 이 오래감. |
| 한지가 우수한 까닭 | • 닥나무는 양지의 원료보다 (2) ☐☐ 의 길이가 길어서 질긴 종이를 만들 수 있음.
• 한지는 (3) ☐☐ 을 띠어서 오랜 시간 동안 색이 변하지 않고 유지될 수 있음. |

4 **다음 한자를 보고 빈칸에 알맞은 말을 써 보세요.**

| 各 | 樣 | 各 | 色 |
| 각각 각 | 모양 양 | 각각 각 | 빛 색 |

➜ '각양각색'은 '각기 다른 여러 가지의 ☐☐ 과 빛깔.'이라는 뜻이다.

5 다음 낱말과 뜻이 알맞도록 선으로 이어 보세요.

(1) 수명 •

(2) 삭다 •

(3) 섬유 •

• ① 사물 등이 사용에 견디는 기간.

• ② 생물체의 몸을 이루는, 가늘고 긴 실 모양의 물질.

• ③ 물건이 오래되어 본바탕이 변하여 썩은 것처럼 되다.

6 빈칸에 들어갈 알맞은 낱말을 보기 에서 골라 써 보세요.

보기	보존	형체	물리적

(1) 사건 현장은 경찰이 도착할 때까지 잘 [   ]되어 있었다.

(2) 교통사고로 차가 심하게 찌그러져서 [   ]를 알아보기 어렵다.

(3) 우리는 그 남자가 사실을 말하지 않으면 [   ]인 힘을 쓸 생각이었다.

7 빈칸에 들어갈 뜻이 반대되는 낱말을 써 보세요.

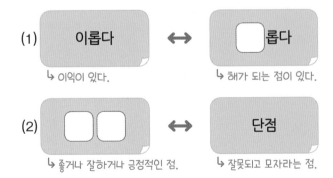

(1) 이롭다 ↔ [ ]롭다
↳ 이익이 있다.   ↳ 해가 되는 점이 있다.

(2) [ ][ ] ↔ 단점
↳ 좋거나 잘하거나 긍정적인 점.   ↳ 잘못되고 모자라는 점.

8 밑줄 친 부분이 시간을 나타내는 말과 어울리도록 고쳐 써 보세요.

(1) 옛날에는 한지로 갑옷도 <u>만든다</u>.

→ ⬜⬜⬜⬜

(2) 앞으로 한지는 우리 생활에서 더욱 중요한 역할을 <u>했다</u>.

→ ⬜⬜⬜

(3) 『무구 정광 대다라니경』은 지금까지도 형체가 온전히 <u>유지될 것이다</u>.

→ ⬜⬜⬜⬜

9 다음 중 알맞은 표현에 ○표를 해 보세요.

(1) 영진이는 얼굴에 미소를 { 띠고 / 띄고 } 있었다.

(2) 이 다리는 섬을 육지와 이어 주는 { 역할 / 역활 }을 한다.

(3) { 썩은 / 썪은 } 부분을 자르고 나니 사과가 얼마 남지 않았다.

10 보기 를 참고하여 밑줄 친 부분을 알맞게 고쳐 써 보세요.

> 보기 닥나무 껍질은 한지를 만드는 데 <u>쓰여진다</u>.
>
> → 쓰인다

(1) 바람이 불면 창문이 <u>닫혀진다</u>.

→ (   )

(2) 비가 쉽게 그칠 것처럼 <u>보여지지</u> 않는다.

→ (   )

(3) 전기나 수소는 친환경 자동차의 연료로 <u>쓰여지고</u> 있다.

→ (   )

정의의 수호자 '해태'

아는 어휘에 ✔ 표시를 해 보고, 어휘의 뜻을 생각하며 글을 읽어 보세요.

☐ 신령스럽다 ☐ 가리다 ☐ 성품 ☐ 잘잘못 ☐ 상징하다 ☐ 집행하다 ☐ 공명정대하다

공부한 날

월 일

광화문 앞에는 돌로 만든 해태상이 광장을 지키고 있어요. 해태는 중국 전설에 나오는 상상의 동물이랍니다. 생김새는 사자와 비슷한데 몸 전체가 푸른 비늘로 뒤덮여 있어요. 머리에는 뿔이 하나 달려 있고, 양쪽 겨드랑이에는 날개를 닮은 깃털이 있어서 날 수 있었다고 해요. 해태

▲ 광화문의 해태상

는 나쁜 기운과 귀신에게서 사람들을 지키라고 해님이 인간에게 보낸 동물이었어요. '해님이 보낸 ❶벼슬아치'를 줄여서 '해치'라고도 불렀지요.

❷신령스러운 짐승이었던 해태는 옳고 그른 것, 착하고 나쁜 것을 ❸가리는 특별한 재주가 있었어요. 힘은 세지만 ❹성품이 정의로워서 사람들이 논쟁을 벌일 때 옳지 않은 사람을 가려내 물거나 죄인을 만나면 뿔로 들이받았대요. 누구의 ❺잘잘못인지를 판단하기 어려운 상황에서도 해태가 곁에 있으면 올바른 결정을 내릴 수 있었다지요. 그래서 우리 조상들은 해태가 정의를 지키고 법을 ❻상징하는 동물이라고 생각했어요.

조선 시대에는 오늘날 ❼법원과 비슷한 역할을 했던 사헌부가 있었어요. 법원에서 법에 따라 옳고 그름을 판단하고 심판하는 것처럼 사헌부는 관리의 잘못을 감독하고 법을 ❽집행했어요. 사헌부의 우두머리 대사헌은 해태 문양을 새긴 옷을 입었는데, 해태처럼 ❾공명정대하고 정의로운 마음으로 일하기를 바라는 마음에서였지요. 지금도 법을 만드는 국회 의사당과 범죄를 수사하는 대검찰청에 해태상이 세워져 있어요.

해태는 불을 막아 주는 짐승으로도 여겨졌어요. 그래서 옛날 사람들은 해태 그림을 붙이면 화재를 막을 수 있다고 생각했어요. 경복궁으로 들어가는 광화문 앞에 해태를 세운 것도 화재에 ❿대비하기 위해서였지요. 경복궁은 나무로 지어져서 한번 불이 나면 불길이 빠르게 번져 큰 화재가 될 위험이 있었어요. 그래서 흥선 대원군은 임진왜란 때 불탔던 경복궁을 다시 지으면서 광화문 앞에 해태상을 만들었어요. 불기운을 막고 궁궐을 지키라는 뜻을 담은 것이지요.

해태는 옳고 그름을 판단하는 지혜로운 동물로, 불을 막아 주는 신비한 동물로 우리 조상들의 사랑을 받았어요. 해태가 우리 조상들의 생활 속에 오랫동안 함께해 온 사실을 알고 해태에 대해 관심을 가져 보세요.

❶ **벼슬아치**: 나랏일을 하는 관리.

❷ **신령스러운**: 보기에 신기하고 묘한 데가 있는.

❸ **가리는**: 잘잘못이나 좋고 나쁨 등과 같은 기준에 따라 구별하거나 나누는.

❹ **성품**: 사람이 가진 성질이나 됨됨이.

❺ **잘잘못**: 잘함과 잘못함.

❻ **상징하는**: 추상적인 사물이나 개념을 구체적인 사물로 나타내는.

❼ **법원**: 재판을 하는 국가 기관.

❽ **집행했어요**: 실제로 행했어요.

❾ **공명정대하고**: 하는 일이나 태도가 한쪽으로 치우치거나 그릇됨이 없이 정당하며 떳떳하고.

❿ **대비하기**: 앞으로 일어날지도 모르는 어떠한 일에 대응하기 위해 미리 준비하기.

1 이 글의 내용으로 알맞은 것에는 ○표, 알맞지 않은 것에는 ×표를 해 보세요.

(1) 해태는 실제로 존재하는 동물로, '해치'라고도 불린다. ──────── (○ / ×)

(2) 조선 시대에는 대사헌이 입는 관복에 해태 문양을 새겼다. ──────── (○ / ×)

(3) 흥선 대원군은 왕의 잘못을 깨우쳐 주려고 광화문 앞에 해태상을 세웠다. ──── (○ / ×)

3주차 Day 14

정답과 해설 25쪽

2 이 글을 통해 알 수 <u>없는</u> 사실을 골라 보세요. ──────── (　)

① 해태의 생김새

② 해태가 상징하는 것

③ 해태의 특별한 재주

④ 해태상이 서울에 많은 까닭

3 이 글을 바탕으로 하여 해태의 특성을 정리할 때 빈칸에 들어갈 낱말을 써 보세요.

해태의 특성

옳고 그름을 (1) ☐☐하는
지혜로운 동물

불을 막아 주는 신비한 동물

(2) ☐☐를 지키고 법을 상징하는
해태 문양을 대사헌의 관복에 새겼음.

(3) ☐☐☐ 앞에 해태상을 세워
불기운을 막고 궁궐을 지키려 했음.

4 이 글을 읽고 알 수 있는 '법원'의 역할에 ○표를 해 보세요.

(1) 법을 토대로 공정한 재판을 하는 기관이다. ──────── (　)

(2) 국민의 의견을 반영하여 법을 만드는 기관이다. ──────── (　)

(3) 범죄를 예방하고 범죄자를 체포하는 등의 일을 하는 기관이다. ──────── (　)

5 다음 낱말과 뜻이 알맞도록 선으로 이어 보세요.

(1) 성품 •

(2) 신령스럽다 •

(3) 공명정대하다 •

• ① 사람이 가진 성질이나 됨됨이.

• ② 보기에 신기하고 묘한 데가 있다.

• ③ 하는 일이나 태도가 한쪽으로 치우치거나 그릇됨이 없이 정당하고 떳떳하다.

6 낱말의 뜻을 보고 빈칸에 들어갈 알맞은 낱말을 써 보세요.

(1) 비둘기는 평화를 ☐☐하는 새이다.
↳ 추상적인 사물이나 개념을 구체적인 사물로 나타내다.

(2) 장마철을 ☐☐해 하천의 쓰레기를 치워야 한다.
↳ 앞으로 일어날지도 모르는 어떠한 일에 대응하기 위해 미리 준비하다.

(3) 민준이는 이름을 바꾸려고 ☐☐에 가서 개명 신청을 했다.
↳ 재판을 하는 국가 기관.

(4) 일제는 국제법을 무시하고 안중근 의사의 사형을 ☐☐했다.
↳ 실제로 행하다.

7 밑줄 친 낱말과 바꾸어 쓸 수 있는 낱말 두 가지를 골라보세요. ·········· ( )

> 해태는 옳고 그른 것, 착하고 나쁜 것을 <u>가리는</u> 재주가 있었다.

① 가로막는   ② 골라내는

③ 구별하는   ④ 기록하는

8 다음 설명을 참고하여 낱말의 발음을 써 보세요.

> 받침 'ㅎ, ㄶ, ㅀ' 뒤에 'ㄱ, ㄷ, ㅈ'이 올 때에는 뒷말의 첫소리와 합쳐서 [ㅋ, ㅌ, ㅊ]으로 발음한다. 받침 'ㄱ, ㄷ, ㅂ, ㅈ'이 다음 글자의 첫소리 'ㅎ'과 결합될 때에도 [ㅋ, ㅌ, ㅍ, ㅊ]으로 발음한다.

(1) 역할 ➔ [   ] (2) 옳지 ➔ [   ]

(3) 착하고 ➔ [   ] (4) 집행하다 ➔ [   ]

9 다음 중 띄어쓰기가 알맞은 것에 ○표를 해 보세요.

(1) 심심한데 노래나 (한번 / 한 번) 불러 볼까?

(2) 옛정을 생각해서 이번 (한번 / 한 번)만 봐줄게.

(3) (한번 / 한 번) 엎지른 물은 다시 주워 담지 못한다.

(4) 은재는 나와 지내는 동안 (한번 / 한 번)도 화를 낸 적이 없다.

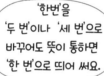
'한번'을 '두 번'이나 '세 번'으로 바꾸어도 뜻이 통하면 '한 번'으로 띄어 써요.

10 다음 중 알맞은 표현에 ○표를 해 보세요.

(1) 들판이 온통 눈으로 { 뒤덮인 / 뒤덮힌 } 광경이 장관이었다.

(2) 기러기들이 무리를 지어 하늘을 { 나는 / 날으는 } 모습을 보았다.

(3) { 해님 / 햇님 }이 방실방실 웃으며 우리를 지켜봐 주는 것 같아요.

'성(性)'과 '격(格)'이 들어간 말

아는 어휘에 ✔ 표시를 해 보고, 아래 활동을 하며 낱말을 익혀 보세요.

☐ 성격 ☐ 특성 ☐ 개성 ☐ 성향 ☐ 자격 ☐ 엄격 ☐ 인격 ☐ 십인십색

性
성품 **성**

'성(性)' 자는 마음을 뜻하는 心(심) 자에 '나다'라는 뜻을 가진 生(생) 자를 더해 만들었어요. 그래서 '타고난 심성'이라는 뜻을 나타내지요.

순서대로 써 봐요.

性
성품 **성**

'성격'은 '개인이 가지고 있는 고유의 성질이나 품성'을 뜻해요.

● 성(性)이 들어간 낱말은 '성질'이나 '성품'이라는 뜻이 있는 경우가 많아요.

특 성
특별할 **特** 성품 **性**

뜻 일정한 사물에만 있는 특수한 성질.
예 그 지역은 지리적인 특성이 있다.

개 성
낱 **個** 성품 **性**

뜻 다른 것과 구별되는 고유의 특성.
예 그의 작품에는 개성이 없다.

나는 개성 있는 옷차림을 좋아해.

성 향
성품 **性** 향할 **向**

뜻 성질에 따른 경향.
예 그녀는 사랑을 독차지하려는 성향이 있다.

'性格'과 관련 있는 한자 성어로 '십인십색'이라는 말이 있어요.

십	인	십	색
열 十	사람 人	열 十	색 色

'십인십색'은 열 사람의 열 가지 색이라는 뜻으로, 사람의 모습이나 생각이 저마다 다름을 이르는 말이에요.

모든 사람은 저마다 다른 성격을 가지고 있어요. 나와 다른 것은 틀린 것이 아니기 때문에 각자의 개성을 존중해 주어야 해요.

모두 긍정적인 성격을 가졌으면 좋겠어.

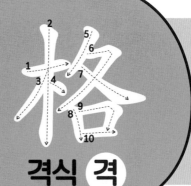

격식 격

'격(格)' 자는 나무를 다듬어 모양을 바로잡는다는 뜻에서 '바로잡다'나 '고치다'로 뜻이 넓어졌어요. 잘 다듬어진 사람의 인성이나 인격을 뜻하기도 해요.

格
격식 **격**

● 격(格)이 들어간 낱말은 '격식', '지위', '품격'과 같은 뜻을 가지고 있어요.

자 격
바탕 資 격식 格

뜻 일정한 신분이나 지위.
예 회장 자격으로 참석했다.

엄 격
엄할 嚴 격식 格

뜻 말, 태도, 규칙 등이 매우 엄하고 철저함.
예 지수의 부모님은 엄격하시다.

심사가 매우 엄격하군.

인 격
사람 人 격식 格

뜻 사람으로서의 품격.
예 말은 그 사람의 인격이다.

69

1 다음 낱말에 쓰인 '성'의 뜻을 골라 보세요. ·····························(   )

| 개성   성향   성격 |

① 성질   ② 성별   ③ 이름   ④ 마음

2 빈칸에 들어갈 알맞은 낱말을 **보기** 에서 골라 써 보세요.

보기   개성   성향   특성

(1) 민서는 항상 남에게 의존하려는 ☐☐ 이 있다.

(2) 지안이는 평범한 디자인의 옷도 ☐☐ 을 잘 살려 입는다.

(3) 이 식물은 추위에 강한 ☐☐ 을 가지고 있어 겨울에 꽃을 피운다.

3 낱말의 뜻을 보고 빈칸에 뜻이 반대되는 낱말을 써 보세요.

☐☐ ↔ 무자격

↳ 일정한 신분이나 지위.   ↳ 어떤 일을 할 만한 신분
                                   이나 지위가 없음.

4 다음 한자를 살펴보고 '십인십색'과 뜻이 비슷한 낱말에 ○표를 해 보세요.

(1)

| 各 | 人 | 各 | 樣 |
| 각 각 | 사람 인 | 각 각 | 모양 양 |

(   )

(2)

| 類 | 類 | 相 | 從 |
| 무리 유 | 무리 유 | 서로 상 | 따를 종 |

(   )

5 사다리를 타고 내려가서 뜻에 알맞은 낱말을 빈칸에 써 보세요.

성질에 따른
경향.

일정한
신분이나
지위.

다른 것과
구별되는
고유의 특성.

말, 태도,
규칙 등이 매우
엄하고 철저함.

(1) (2) (3) (4)

스스로
붙임딱지

사랑과 관련된 낱말을 알아보아요!

우리는 아주 많이 좋아하면 사랑한다는 표현을 해요. 어떤 사람이나 사물을 아끼고 귀중히 여기는 마음이 바로 사랑이에요. 사랑과 관련된 다양한 낱말을 알아볼까요?

사랑을 서로 주고받으면 '맞사랑', 한쪽만 상대편을 사랑하면 '짝사랑'이에요. 사랑하는 사람끼리 싸우면 '사랑싸움', 사랑 때문에 괴로워하면 '사랑앓이'이지요. 처음으로 느끼거나 맺은 사랑은 '첫사랑'이고, 시간이 흘러 지난날 맺었던 사랑이 되면 '옛사랑'이라고 해요.

윗사람이 아랫사람을 사랑하면 '내리사랑', 아랫사람이 윗사람을 사랑하면 '치사랑'이라고 해요. 윗사람이 아랫사람을 사랑하기는 해도 아랫사람이 윗사람을 사랑하기는 좀처럼 어렵다고 해서 "내리사랑은 있어도 치사랑은 없다."라는 속담도 있어요.

사랑을 뜻하는 한자는 '愛(애)'예요. 이 글자가 들어간 낱말은 '사랑'과 관련이 있어요. '애' 자에 '가장'을 뜻하는 한자를 붙이면 가장 사랑한다는 뜻의 '최애'가 되고, '치우치다'라는 뜻의 한자를 더하면 '어느 한 사람이나 한쪽만을 치우치게 사랑함.'이라는 뜻의 '편애'가 되지요.

(1) 최애 •　　　　• ① 가장 사랑함.

(2) 짝사랑 •　　　　• ② 윗사람이 아랫사람을 사랑함.

(3) 첫사랑 •　　　　• ③ 한쪽만 상대편을 사랑하는 일.

(4) 내리사랑 •　　　　• ④ 처음으로 느끼거나 맺은 사랑.

정답: (1)① (2)③ (3)④ (4)②

4주 어휘 미리보기

뜻을 알고 있는 낱말에 V표 해 보세요.
알고 있는 낱말은 글에서 어떻게 쓰였는지 확인하고,
모르는 낱말은 글을 읽으며 재미있게 익혀 보아요.

	배울 내용	배울 낱말		공부한 날
Day 16	속담 하늘은 스스로 돕는 자를 돕는다	☐ 적이 ☐ 난데없이 ☐ 비장하다 ☐ 막막하다	☐ 시사 ☐ 예측하다 ☐ 속사정 ☐ 뜬눈	월 일
Day 17	관용어 무릎을 치다	☐ 열중하다 ☐ 정체불명 ☐ 미지 ☐ 인류	☐ 증명하다 ☐ 수록하다 ☐ 특허 ☐ 숭고하다	월 일
Day 18	한자 성어 함흥차사(咸興差使)	☐ 번번이 ☐ 오죽하다 ☐ 간절하다 ☐ 반발하다	☐ 선뜻 ☐ 누비다 ☐ 차마 ☐ 유래	월 일
Day 19	교과 어휘 – 과학 추워지면 왜 나뭇잎이 떨어질까요	☐ 소복하다 ☐ 생존 ☐ 공급되다 ☐ 전략	☐ 앙상하다 ☐ 불리하다 ☐ 탄성 ☐ 진화하다	월 일
Day 20	한자 어휘 '전(傳)'과 '설(說)'이 들어간 말	☐ 전설 ☐ 전래 ☐ 연설 ☐ 설명서	☐ 전기 ☐ 전파 ☐ 설득 ☐ 구전 설화	월 일

16

하늘은 스스로 돕는 자를 돕는다

아는 어휘에 ✔ 표시를 해 보고, 어휘의 뜻을 생각하며 글을 읽어 보세요.

☐ 적이 ☐ 시사 ☐ 난데없이 ☐ 예측하다 ☐ 비장하다 ☐ 속사정 ☐ 막막하다

😊 공부한 날

월	일

❶ **하늘은 스스로 돕는 자를 돕는다**: 하늘은 스스로 노력하는 사람을 성공하게 만든다는 뜻으로, 어떤 일을 이루기 위해서는 자신의 노력이 중요함을 이르는 말.

❷ **적이**: 꽤 어지간한 정도로.

❸ **시사**: 그 당시에 일어난 여러 가지 사회적 사건.

❹ **난데없이**: 갑자기 불쑥 나타나 어디서 왔는지 알 수 없게.

❺ **예측하지**: 미리 헤아려 짐작하지.

❻ **엎질러진 물**: 다시 바로잡거나 되돌릴 수 없는 일을 비유적으로 이르는 말.

❼ **비장한**: 슬프면서도 그 감정을 억눌러 씩씩하고 장한.

❽ **속사정**: 겉으로 드러나지 않은 일의 형편.

❾ **막막했다**: 어떻게 하면 좋을지 몰라 아득했다.

❿ **뜬눈**: 밤에 잠을 이루지 못한 눈.

개학을 사흘 앞둔 날 저녁때, 은주가 갑자기 우리 집에 왔다.

❶하늘은 스스로 돕는 자를 돕는다더니 그 말이 하나도 틀리지 않았다. 그동안 내가 은주 생각을 얼마나 많이 했으며, 은주와 목장 주인이 되기 위해서 얼마나 많은 노력을 했던가!

나는 웬일인가 싶어 말도 못 꺼내고 있는데 은주가 먼저 입을 열었다.

"방학책 좀 빌려주믄 안 되끄나?"

앞뒤 다른 말 없이 불쑥 튀어나온 말에 나는 ❷적이 당황했다.

"방학책?" / "응, 방학책에 나온 문제를 하나도 풀지 못했거든……."

사실 나도 아직 방학책을 풀지 않았다. 방학책뿐만이 아니었다. 담임 선생님이 따로 내 주신 방학 숙제도 제대로 해 놓은 것이 하나도 없었다. 일기 쓰기, 독후감 쓰기, 식물 채집, 곤충 채집, 상표 모으기, 우표 모으기, ❸시사 화보 정리하기 등 어느 것 하나 해 놓은 것이 없었다.

나뿐만이 아니라 이 촌구석에서 방학 숙제를 제대로 하는 아이들은 별로 없다. 그런데 ❹난데없이 방학책을 빌려 달라니……. 전혀 ❺예측하지 못한 일이었다.

'이럴 줄 알았으믄 미리 방학책 문제라도 다 풀어 놓았을 틴디…….'

후회하는 마음이 들었지만 이미 ❻엎질러진 물이었다. 나는 속으로 ❼비장한 각오를 한 뒤 은주에게 말했다.

"방학책, 내일 빌려주믄 안 되끄나? 마침 내가 보고 있었거든. 뒷부분이 쪼깐 덜 되어 있어서……." / 그 말을 하는 동안 얼굴이 화끈거렸다.

"그러믄 내일 꼭 좀 볼 수 있게 해 주라."

은주는 고맙게도 내 ❽속사정을 모른 채 돌아갔다. 은주가 돌아간 뒤 나는 잠시 멍해졌다. 오랜만에 은주와 단둘이 마주 보고 말을 해 보았다는 사실이 그렇게 기쁠 수가 없었다. 더구나 은주가 제 발로 나를 찾아오다니!

나는 점점 은주가 내 각시가 되어 가는 것이 현실인 양 여겨졌다. 그러나 기쁨도 잠시, 방학책 문제를 언제 다 풀어서 은주에게 빌려주어야 할지 ❾막막했다.

나는 그날 밤을 거의 ❿뜬눈으로 새웠지만 방학책을 다 풀지 못했다. 아침을 먹는 둥 마는 둥 하고 서둘러 염소를 산에 데려가 매어 놓고 왔다. (후략)

— 박상률, 『봄바람』 중에서

1 이 글에서 일어난 일로 알맞으면 ○표, 알맞지 않으면 ×표를 해 보세요.

(1) 은주는 개학을 앞두고 갑자기 '나'의 집에 찾아왔다. ──────── (○ / ×)

(2) 은주는 '나'에게 잃어버린 책을 찾아 달라고 부탁했다. ──────── (○ / ×)

(3) '나'는 은주에게 내일 방학책을 빌려 주겠다고 말했다. ──────── (○ / ×)

(4) 은주가 다녀가고 나서 '나'는 밤을 새워서 방학책을 모두 풀었다. ──── (○ / ×)

2 은주가 집에 찾아왔을 때 '나'의 마음으로 알맞지 <u>않은</u> 것을 골라 보세요. ───── (   )

① 기뻤다.   ② 귀찮았다.   ③ 부끄러웠다.   ④ 후회스러웠다.

4주차
Day
16

정답과 해설 26쪽

3 보기 에서 알맞은 낱말을 골라 은주가 돌아간 뒤 '나'의 마음을 정리하여 써 보세요.

보기	각시 방학 친구

• '나'는 은주가 자신의 (1) ☐☐ 가 되어 간다고 생각하면서도 (2) ☐☐ 책 문제를 언제 다 풀어서 은주에게 빌려줘야 할지 막막했다.

4 이 글을 바탕으로 하여 "하늘은 스스로 돕는 자를 돕는다."라는 속담의 뜻을 짐작해서 써 보세요.

| • '나'는 그동안 은주 생각을 많이 했다.
• 은주와 목장 주인이 되기 위해 노력했다.	노력

↓   ↓

• 은주가 갑자기 '나'의 집에 찾아왔다.	성공

➔ 어떤 일을 이루기 위해서는 자신의 ☐☐ 이 중요함을 이르는 말이다.

5 다음 낱말과 뜻이 알맞도록 선으로 이어 보세요.

(1) 시사 •

(2) 적이 •

(3) 속사정 •

(4) 난데없이 •

• ① 꽤 어지간한 정도로.

• ② 겉으로 드러나지 않은 일의 형편.

• ③ 그 당시에 일어난 여러 가지 사회적 사건.

• ④ 갑자기 불쑥 나타나 어디서 나왔는지 알 수 없게.

6 빈칸에 들어갈 알맞은 낱말을 보기 에서 골라 써 보세요.

보기	막막	비장	예측

(1) 아무도 ☐☐ 하지 못한 일이 일어났다.

(2) 일자리를 잃은 그녀는 생계가 ☐☐ 해 한숨짓는 날이 많았다.

(3) 전봉준은 싸우러 나가기 전 ☐☐ 한 눈빛으로 농민군을 바라보았다.

7 '풀다'가 보기 와 같은 뜻으로 쓰인 것에 ○표를 해 보세요.

> 보기 사실 나도 아직 방학책을 <u>풀지</u> 않았다.

(1) 어머니는 집을 장만하시고 평생의 소원을 <u>푸셨다</u>. ⋯⋯⋯⋯⋯⋯⋯⋯ (   )

(2) 나에게 배달된 택배를 <u>풀어</u> 보니 이상한 물건이 있었다. ⋯⋯⋯⋯⋯ (   )

(3) 탐험가들은 피라미드의 벽에 수수께끼처럼 숨은 암호를 <u>풀어</u> 냈다. ⋯⋯ (   )

8 낱말의 뜻을 살펴보고 문장의 빈칸에 들어갈 낱말의 뜻을 골라 번호를 써 보세요.

> ① **새다**: 날이 밝아 오다.
>
> ② **새우다**: 한숨도 자지 아니하고 밤을 지내다.

(1) 은우는 책을 읽느라고 밤을 [   ]. ⸺⸺⸺⸺⸺ (   )

(2) 어느덧 날이 [   ] 창문이 뿌옇게 밝아 온다. ⸺⸺⸺ (   )

(3) 며칠 밤을 [   ], 피곤한지 입술이 부르텄다. ⸺⸺⸺ (   )

9 다음 문장에서 알맞은 표현을 골라 ○표를 해 보세요.

(1) 네가 여기 (웬일 / 왠일)이니?

(2) 도서관에 오면 (웬지 / 왠지) 공부가 잘된다.

(3) 거리에 (웬 / 왠) 사람들이 이렇게 많은지 모르겠네.

(4) 오늘은 (웬지 / 왠지) 초등학교 때 친구들이 보고 싶었어요.

> '웬'은 '어찌 된', '어떠한'이라는 뜻이에요.

10 보기 와 같이 꾸며 주는 말과 서술어가 호응하도록 문장을 고쳐 써 보세요.

> 보기 윤서는 조용한 성격이라 말이 별로 있다.
>
> ➔ 없다

(1) 성희는 고기를 별로 좋아한다.

➔ (   )

(2) 알고 보니 그 일은 별로 중요했다.

➔ (   )

(3) 친구들이 있어서 그런지 별로 겁나는 게 있었다.

➔ (   )

무릎을 치다

🕐 공부한 날

　　월　　　일

    1895년 11월의 어느 날, 물리학 교수였던 뢴트겐은 저녁도 잊은 채 음극선(음극에서 나온 전기의 흐름) 실험에 ❶열중했어요. 뢴트겐은 음극선관(음극선 실험을 위한 유리관)에서 빛이 새어 나오지 못하게 두꺼운 검은 종이로 막은 다음, 실험실의 불을 껐어요. 그러고 나서 음극선관의 전원을 켜자 책상 위에 있던 형광 스크린이 ❷희미하게 빛났어요.

    "이상하군. 음극선관에서는 빛이 나올 리가 없는데……. 이 빛은 뭐지?"

    캄캄한 실험실에서 빛을 내는 물건을 찾던 뢴트겐은 갑자기 ❸무릎을 쳤어요.

    "아, 알았어! 이 빛은 음극선이 아니라 새로운 빛이야."

    뢴트겐은 실험실에 틀어박혀 음극선관과 형광 스크린 사이에 나무판과 헝겊, 금속판 등을 놓아 가며 실험을 반복했어요. 그는 곧 새로운 광선이 나무와 헝겊, 고무는 통과하지만 납은 통과하지 못한다는 사실을 알아냈지요. 뢴트겐은 사진기로 보이지 않는 광선을 찍어서 ❹증명하려고 마음먹었어요.

뢴트겐은 음극선관에서 나온 빛으로 아내의 손을 촬영했지요. 사진을 본 두 사람은 깜짝 놀랐어요.

    "어머, 사진에 내 손가락 뼈와 반지가 그대로 찍혔네."

    "이럴 수가! 이 ❺정체불명의 빛이 정말 대단한 일을 했군."

    뢴트겐은 이 사진을 ❻수록한 논문을 발표하면서 새로운 광선을 ❼'미지의 빛'이라는 뜻에서 'X선'이라고 불렀어요. 뢴트겐은 X선을 발견한 공로를 인정받아 최초로 노벨 물리학상을 받았어요.

    그때 한 독일 기업가가 뢴트겐을 찾아와 큰돈을 줄 테니 X선의 ❽특허를 팔라고 제안했어요. 그러자 뢴트겐은 "X선은 한 사람의 것이 아닌 인류 모두의 것이에요. 전 원래 있던 X선을 발견한 것뿐입니다."라고 답했어요.

    뢴트겐은 특허를 거절하고 나서 자신의 연구와 실험 결과를 모두 공개했어요. 뢴트겐은 아무 대가 없이 전 ❾인류에게 X선을 선물해 과학자의 ❿숭고한 정신을 보여 주었지요. 뢴트겐의 특별한 선택 덕분에 오늘날 X선은 의료 장비와 공항 검색대, 건물의 안전 검사 등 다양한 분야에서 활용되고 있어요.

❶ **열중했어요**: 한 가지 일에 정신을 쏟았어요.

❷ **희미하게**: 분명하지 못하고 흐릿하게.

❸ **무릎을 쳤어요**: 갑자기 어떤 놀라운 사실을 알게 되었거나 희미한 기억이 되살아날 때, 또는 몹시 기쁠 때 무릎을 탁 쳤어요.

❹ **증명하려고**: 어떤 사항이나 판단 등에 대하여 그것이 진실인지 아닌지 증거를 들어서 밝히려고.

❺ **정체불명**: 정체가 분명하지 않은 것.

❻ **수록한**: 모아서 기록한.

❼ **미지**: 아직 알지 못함.

❽ **특허**: 발명 또는 새로운 기술을 생각해 낸 사람이나 단체가 그 발명이나 기술에 관해 독점적으로 가지는 권리.

❾ **인류**: 세계의 모든 사람.

❿ **숭고한**: 뜻이 높고 훌륭한.

1 이 글에서 뢴트겐에게 있었던 일의 차례대로 빈칸에 번호를 써 보세요.

(1) X선을 발견한 공로로 최초의 노벨 물리학상을 받았다. ⬚

(2) 새로운 광선을 증명하려고 그 빛으로 아내의 손을 촬영했다. ⬚

(3) 음극선 실험을 하던 중 보이지 않는 새로운 광선을 발견했다. ⬚

(4) X선에 대한 특허를 거절하고 자신의 연구와 실험 결과를 모두 공개했다. ⬚

정답과 해설 27쪽

2 뢴트겐에 대한 생각을 알맞게 말한 사람의 이름을 써 보세요.

아름: 큰돈을 포기하고 인류를 위해 연구 결과를 모두 공개하다니, 나도 뢴트겐처럼 다른 사람을 위하는 마음을 배워야겠어.

호진: X선 발견으로 이미 노벨상을 받았으니 유명해지고 상금도 많이 받았을 거야. 그러니 뢴트겐이 X선 특허를 거절한 것은 당연해.

(   )

3 X선이 쓰이는 예로 알맞지 <u>않은</u> 것을 골라 보세요. ⋯⋯⋯⋯⋯ (   )

① 사진기   ② 의료 장비   ③ 공항 검색대   ④ 건물의 안전 검사

4 '무릎을 치다'와 가장 어울리는 상황을 골라 기호를 써 보세요.

㉠ 야구를 하다가 민찬이네 화분을 깨뜨린 선우는 다른 친구가 알아챌까 봐 겁이 나서 마음을 졸였다.

㉡ 어버이날 선물을 고민하던 유빈이는 한 소년이 꽃을 사 가는 모습을 보고 기발한 생각이 떠올랐다.

㉢ 다가오는 누나 생일에 화장품을 사 주려고 했지만 일주일도 지나지 않아 용돈이 모두 바닥나 버렸다.

(   )

5 낱말의 뜻을 보고 빈칸에 들어갈 알맞은 낱말을 써 보세요.

(1) 자식에 대한 부모의 사랑만큼 ☐☐ 한 것은 없다.
　　　　　　　　　　　　　　↳ 뜻이 높고 훌륭하다.

(2) 면허증은 자격이 있다는 것을 ☐☐ 하는 문서이다.
　　　　　　　　　　　　　　↳ 어떤 사항이나 사실에 대하여 그것이 진실인지 아닌지 증거를 들어 밝히다.

(3) 여러분은 공부에 ☐☐ 해 큰 일꾼으로 성장하기 바란다.
　　　　　　　　　　　↳ 한 가지 일에 정신을 쏟다.

(4) 『삼국유사』에는 고구려, 백제, 신라의 역사적 자료들이 ☐☐ 되어 있다.
　　　　　　　　　　　　　　　　　　　　　　　↳ 모아서 기록하다.

6 밑줄 친 낱말과 바꾸어 쓸 수 있는 낱말의 번호를 써 보세요.

(1) 뢴트겐은 실험실에 틀어박혀 실험을 반복했다. ⋯⋯⋯⋯⋯⋯⋯⋯⋯ (　　)
　　　　① 머물며　　② 나오며　　③ 들어가며

(2) 산 아래에 있는 동네에서 불빛들이 희미하게 보였다. ⋯⋯⋯⋯⋯⋯ (　　)
　　　　① 강하게　　② 선명하게　　③ 흐릿하게

(3) 탐험가들은 여기저기를 떠돌다가 미지의 원시 세계를 발견했다. ⋯⋯ (　　)
　　　　① 알고 있는　　② 알지 못하는

7 다음 문장에서 ㉠~㉣의 기본형을 써 보세요.

> 뢴트겐은 음극선관을 ㉠두꺼운 ㉡검은 종이로 ㉢막고 실험실의 불을 ㉣껐어요.

(1) ㉠: (　　　　　　)　　　　(2) ㉡: (　　　　　　)
(3) ㉢: (　　　　　　)　　　　(4) ㉣: (　　　　　　)

8 다음 문장에 알맞은 낱말을 골라 ○표를 해 보세요.

(1) 본 지 오래된 영화라서 제목을 (잃었다 / 잊었다).

(2) 복잡한 시장 거리에서 지갑을 (잃어 / 잊어) 버렸다.

(3) 뢴트겐은 저녁도 (잊은 / 잃은) 채 실험에 열중했다.

(4) 우리나라는 일제 강점기에 나라 (잊은 / 잃은) 설움을 겪었다.

9 다음 설명을 참고하여 주어진 낱말과 뜻이 반대되는 낱말을 만들어 보세요.

> 낱말 앞에 '비'나 '불'을 붙이면 '아님'이나 못함'이라는 뜻이 있는 낱말을 만들 수 있다.
>
> 예 공개 ↔ 비공개   안전 ↔ 불안전

(1) **정상** ↔ ☐☐☐
↳ 특별한 변동이나 탈이 없이 제대로인 상태.   ↳ 정상이 아님.

(2) **공평** ↔ ☐☐☐
↳ 어느 쪽으로도 치우치지 않고 고름.   ↳ 한쪽으로 치우쳐 고르지 못함.

10 다음 문장을 알맞게 띄어 써 보세요.

(1) 어느날갑자기공이없어졌다.

➜ ☐☐☐☐☐☐☐☐☐☐☐☐☐☐☐☐☐☐☐☐

(2) 오늘날X선은다양하게활용된다.

➜ ☐☐☐☐☐☐☐☐☐☐☐☐☐☐☐☐☐☐☐☐

한자 성어

함흥차사(咸 다 함 興 일어날 흥 差 다를 차 使 부릴 사)

아는 어휘에 ✔ 표시를 해 보고, 어휘의 뜻을 생각하며 글을 읽어 보세요.

☐ 번번이 ☐ 선뜻 ☐ 오죽하다 ☐ 누비다 ☐ 간절하다 ☐ 차마 ☐ 반발하다 ☐ 유래

⏱ 공부한 날

월   일

조선의 세 번째 임금인 태종은 형과 아우를 죽이고 왕이 되었어요. 아버지 태조 이성계는 이 일에 분노해 고향인 함흥으로 떠났지요. 태종은 몇 번이나 함흥으로 심부름꾼인 차사를 보내 아버지를 다시 모셔 오려고 했어요. 그러나 태조는 태종이 보낸 차사를 모두 죽이거나 가두어 버렸어요. 차사들이 ❶번번이 돌아오지 않다 보니 함흥에 가려는 신하들이 없었어요.

그때, 태조의 오랜 친구였던 박순이 ❷선뜻 나섰어요.

"전하, 제가 함흥에 가서 반드시 태상왕(자리를 물려주고 들어앉은 왕) 전하를 모셔 오겠습니다."

태종이 허락하자 박순은 망아지와 어미 말을 몰고 함흥에 갔어요. 그러고는 망아지를 따로 떨어뜨려 놓고 어미 말만 끌고 태조를 만났지요. 오랜만에 만난 두 사람은 시간 가는 줄 모르고 이야기를 나누었어요. 그러는 사이 밖에서 망아지가 어미 말을 찾으며 울부짖었어요. 태조가 무슨 소리인지 궁금해하자 박순이 말했어요.

"제가 데려온 망아지가 어미 말을 찾는 소리이옵니다. 짐승도 이러한데 주상(왕)의 마음은 ❸오죽하시겠습니까? 노여움을 거두시고 그만 한양으로 돌아가시지요."

함께 전쟁터를 ❹누비던 박순의 ❺간절한 설득에 태조는 마음이 크게 흔들렸어요. ❻차마 박순까지 죽일 수 없던 태조는 박순에게 먼저 돌아가 한양에 돌아가겠다는 뜻을 전하라고 했지요.

박순이 돌아가자 함흥의 신하들은 크게 ❼반발했어요. 태조가 한양으로 돌아가면 자신들이 죽을까 봐 두려워 박순을 죽여야 한다고 소리를 높였지요. 며칠 동안 시간을 끌던 태조는 "박순이 용흥강을 건넜으면 살려 주고 건너지 못했으면 목을 베거라." 하고 명령했어요. 태조는 박순이 꽤 멀리 갔을 것이라고 생각한 것이었어요.

태조의 신하들이 용흥강에 도착했을 때 박순은 막 배를 타려던 ❽참이었어요. 결국 박순도 태조를 따르던 신하들에게 목숨을 잃고 한양으로 돌아가지 못했어요. 이 일은 심부름을 가서 오지 않거나 늦게 온 사람을 가리키는 말인 ❾함흥차사의 ❿유래가 되었답니다.

❶ **번번이**: 매 때마다.

❷ **선뜻**: 동작이 빠르고 시원스러운 모양.

❸ **오죽하시겠습니까**: 얼마나 심하거나 대단하시겠습니까.

❹ **누비던**: 이리저리 거리낌 없이 다니던.

❺ **간절한**: 마음속에서 우러나와 바라는 정도가 매우 절실한.

❻ **차마**: 부끄럽거나 안타까워서 감히.

❼ **반발했어요**: 어떤 상태나 행동 등에 대하여 거스르고 반항했어요.

❽ **참**: 무엇을 하는 경우나 때.

❾ **함흥차사**: 심부름을 가서 오지 아니하거나 늦게 온 사람을 이르는 말.

❿ **유래**: 사물이나 일이 생겨남.

1 이 글에서 일이 일어난 차례대로 번호를 써 보세요.

(1) 박순이 함흥에 차사로 가겠다고 스스로 나섰다. ———— ☐

(2) 박순은 망아지와 어미 말을 몰고 가서 태조를 설득했다. ———— ☐

(3) 박순은 용흥강을 건너기 전 태조의 신하들에게 죽임을 당했다. ———— ☐

(4) 함흥으로 떠난 태조가 태종이 보낸 차사를 모두 죽이거나 가두었다. ———— ☐

2 박순이 망아지와 어미 말을 몰고 간 까닭을 알맞게 말한 친구의 이름을 써 보세요.

태조의 마음을 위로하기 위해 망아지와 어미 말을 선물하려고 했던 거야.

세현

아버지 태조에게 부모와 헤어져 부모를 그리워하는 자식의 마음을 보여 주려고 한 거야.

태율

함흥에 죽거나 갇힌 차사가 많았기 때문에 탈출하기 쉽도록 말을 탄 것이지.

은지

(   )

3 이 글의 중심 내용을 정리하여 써 보세요.

• 태조가 태종이 보낸 (1) ☐☐ 를 죽이거나 가두어 (2) ☐☐ 으로 돌려보내지 않았던

일에서 '함흥차사'라는 말이 유래했다.

4 '함흥차사'와 바꾸어 쓸 수 있는 표현을 골라 보세요. ———————— (   )

① 그림의 떡   ② 감감무소식   ③ 빛 좋은 개살구

5 다음 낱말과 뜻이 알맞도록 선으로 이어 보세요.

(1) 유래 •

(2) 선뜻 •

(3) 반발하다 •

(4) 오죽하다 •

• ① 사물이나 일이 생겨남.

• ② 동작이 빠르고 시원스러운 모양.

• ③ 정도가 매우 심하거나 대단하다.

• ④ 어떤 상태나 행동 등에 대하여 거스르고 반항하다.

6 '찾다'가 보기 와 같은 뜻으로 쓰인 것에 ○표를 해 보세요.

> 보기 제가 데려온 망아지가 어미 말을 찾는 소리이옵니다.

(1) 윤성이는 수선하려고 맡겼던 청바지를 찾았다. ─────────────── ( )
(2) 문화재 정보를 찾으려고 박물관 누리집을 방문했다. ─────────── ( )
(3) 삼촌은 잃어버린 아이를 찾으려고 놀이공원을 뒤졌다. ─────────── ( )

7 '시간 가는 줄 모르다'의 뜻으로 알맞은 것의 기호를 써 보세요.

> ㉠ 어떤 자리에 모습을 나타내다.
> ㉡ 머리를 써서 해결 방안을 생각해 내다.
> ㉢ 쓸데없이 지나치게 아무 일에나 참견하는 면이 있다.
> ㉣ 어떤 일에 몰두해 시간이 어떻게 지났는지 알지 못하다.

( )

8 다음 중 알맞은 표현에 ○표를 해 보세요.

(1) 함흥에 간 차사들은 { 번번이 / 번번히 } 돌아오지 않았다.

(2) 여러분, 식사를 하기 전에는 손을 { 깨끗이 / 깨끗히 } 씻어야 해요.

(3) 식품을 살 때에는 영양 성분 표시를 { 꼼꼼이 / 꼼꼼히 } 살펴야 한다.

4주차
Day 18

정답과 해설 27쪽

9 낱말의 뜻을 살펴보고 빈칸에 들어갈 알맞은 낱말을 보기 에서 골라 써 보세요.

> **보기**
> • **반드시**: 틀림없이 꼭.
> • **반듯이**: 비뚤어지거나 굽거나 흐트러지지 않고 바르게.

(1) 흐트러진 책을 [   ] 꽂아야 해.

(2) 열심히 노력하면 [   ] 좋은 날이 올 거야.

(3) 신발을 꺾어 신지 말고 [   ] 신어야 한다.

(4) 달리기 운동을 하기 전에는 [   ] 발목을 풀어야 한다.

'반드시'는 '반드시'로만 쓰이지만, '반듯이'는 '반듯하다', '반듯하게' 등으로 쓰일 수 있어요.

10 다음 문장의 빈칸에 공통으로 들어갈 알맞은 낱말을 써 보세요.

> • 시원이의 짝꿍은 [   ] 잘생겼다.
> • 아무리 바빠도 점심 먹을 [   ]이 없어?
> • 우리 가족이 식사를 하려던 [   ]에 손님이 왔다.
> • 누이가 [   ]을 내오자 일꾼들이 논 밖으로 나왔다.

[   ]

맞은 개수 _____ /10개

스스로 붙임딱지

Day 19 추워지면 왜 나뭇잎이 떨어질까요

아는 어휘에 ✔ 표시를 해 보고, 어휘의 뜻을 생각하며 글을 읽어 보세요.

☐ 소복하다　☐ 앙상하다　☐ 생존　☐ 불리하다　☐ 공급되다　☐ 전략　☐ 진화하다

공부한 날

월　　일

　가을이 오면 화려한 단풍이 산과 들에 **❶수**를 놓아요. 거리에도 노란 은행잎과 알록달록한 낙엽들이 **❷소복하게** 쌓이지요. 날씨가 추워지면 사람들은 두꺼운 옷을 꺼내 입지만, 가을이 되면 나무는 나뭇잎 옷마저 벗고 한겨울에는 **❸앙상한** 가지만 남겨 놓아요. 추워지면 왜 나뭇잎이 떨어질까요?

　식물의 잎이 하는 가장 중요한 일은 광합성이에요. 광합성이란 식물이 잎에서 햇빛, 물, 공기 중의 이산화 탄소를 이용해 스스로 영양분을 만드는 작용이지요. 나무들은 영양분이 많을수록 잘 크기 때문에 봄과 여름에는 될 수 있는 대로 많은 잎을 달려고 해요. 그런데 날씨가 추워지면 햇빛이 줄어들고 땅이 얼면서 물이 부족해져요. 광합성을 하기 어려워지고 물도 모자란데 여름 동안 늘려 놓은 잎에서는 물이 계속 빠져나가지요. 그러면 나무는 잎을 가지고 있는 것이 **❹생존**에 **❺불리하다**고 판단해 잎을 떨어뜨려 몸집을 줄여요. 마치 사람들이 운동을 해서 **❻군살**을 빼는 것처럼 말이에요.

　나무는 잎을 버리기 전 가장 먼저 잎에 있는 영양분의 절반을 줄기로 옮겨요. 이 양분으로 겨울을 나려는 것이지요. 다음에는 가지와 잎을 이어 주는 잎자루에 '떨켜층'이라는 칸막이를 만들어요. 떨켜층이 완성되면 잎에는 더 이상 물이 **❼공급되지** 않아 엽록소가 파괴되지요. 초록색을 띠는 엽록소가 파괴되면 엽록소에 가려져 있던 붉은색, 노란색, 갈색 색소가 서서히 나타나 단풍이 들어요. 단풍잎에는 '카로틴'이라는 붉은색 색소가, 은행잎에는 잎을 샛노랗게 만드는 '크산토필'이 나타나지요. 낙엽에는 '타닌'이라는 갈색 색소가 나타나요.

　사람들의 **❽탄성**을 자아내는 아름다운 단풍도 열흘쯤 지나면 우수수 땅에 떨어져요. 잎이 떨어져 나간 자리는 떨켜층이 막아서 나무의 수분을 보호하지요. 땅에 떨어진 잎은 썩어서 미생물의 먹이와 나무의 거름이 돼요.

　나무가 잎을 떨어뜨리는 것은 춥고 건조한 환경에서 살아남기 위한 나무의 **❾전략**이에요. 추운 겨울을 무사히 견뎌 내고 봄을 맞이하려고 오랫동안 **❿진화해** 온 결과이지요.

❶ 수를 놓아요: 색실로 새긴 것처럼 아름다운 모습을 이루어요.

❷ 소복하게: 쌓이거나 담긴 물건이 볼록하게 많이.

❸ 앙상한: 나뭇잎이 지고 가지만 남아서 쓸쓸한.

❹ 생존: 살아 있음. 또는 살아남음.

❺ 불리하다고: 이롭지 아니하다고.

❻ 군살: 음식을 지나치게 많이 먹거나 운동이 부족해서 쓸데없이 붙은 살.

❼ 공급되지: 요구나 필요에 따라 물품 등이 제공되지.

❽ 탄성: 몹시 감탄하는 소리.

❾ 전략: 정치, 경제 등의 사회적 활동을 하는 데 필요한 방법과 계획.

❿ 진화해: 생물이 생명이 생긴 후부터 조금씩 변해.

1 날씨가 추워지면 나무가 잎을 떨어뜨리는 까닭을 찾아 ○표를 해 보세요.

(1) 단풍을 만들어 햇빛을 더 많이 받으려고 ──────────── (　　　)

(2) 생존에 불리한 잎을 없애 겨울을 무사히 나려고 ──────────── (　　　)

(3) 여름보다 겨울에 광합성이 더 활발하게 일어나서 ──────────── (　　　)

(4) 광합성을 할 수 있는 잎을 늘려 영양분을 얻으려고 ──────────── (　　　)

2 다음은 나무가 잎을 떨어뜨리는 과정입니다. 빈칸에 들어갈 알맞은 낱말을 써 보세요.

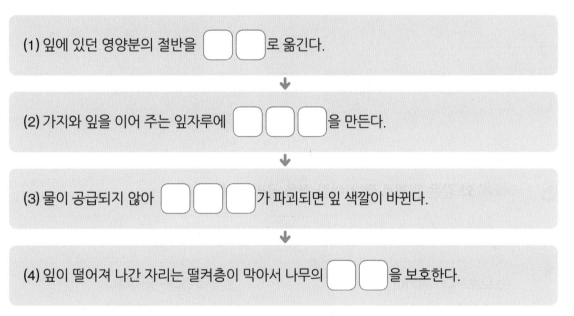

(1) 잎에 있던 영양분의 절반을 [　][　]로 옮긴다.

↓

(2) 가지와 잎을 이어 주는 잎자루에 [　][　][　]을 만든다.

↓

(3) 물이 공급되지 않아 [　][　][　]가 파괴되면 잎 색깔이 바뀐다.

↓

(4) 잎이 떨어져 나간 자리는 떨켜층이 막아서 나무의 [　][　]을 보호한다.

3 각각의 나뭇잎을 물들이는 색소를 찾아 선으로 이어 보세요.

(1) 낙엽 ●　　● ㉠ 붉은색 ●　　● ① 타닌

(2) 은행잎 ●　　● ㉡ 노란색 ●　　● ② 카로틴

(3) 단풍잎 ●　　● ㉢ 갈색 ●　　● ③ 크산토필

4 낱말의 뜻을 보고 빈칸에 들어갈 알맞은 낱말을 써 보세요.

(1) 밤사이에 눈이 와서 [ ][ ]하게 쌓였다.
    ↳ 쌓이거나 담긴 물건 등이 볼록하게 많다.

(2) 동생은 [ ][ ]한 입장에 놓이면 눈물을 흘린다.
    ↳ 이롭지 아니하다.

(3) 물을 자주 마셔서 피부에 수분을 [ ][ ]해야 한다.
    ↳ 요구나 필요에 따라 물품 등을 제공하다.

(4) 선인장은 사막 환경에 맞게 잎을 가시로 [ ][ ]해 왔다.
    ↳ 생물이 생명이 생긴 후부터 조금씩 변해 가다.

5 보기 와 같은 관계로 짝 지어진 것을 골라 보세요. ·········· (   )

보기	나타나다 - 드러나다

① 보호하다 - 지키다   ② 부족하다 - 풍족하다

③ 줄어들다 - 늘어나다   ④ 마중하다 - 배웅하다

6 '수를 놓다'의 뜻으로 알맞은 것의 기호를 써 보세요.

> ㉠ 한꺼번에 많이 모여들다.
> ㉡ 어떤 자리나 지위에 오르다.
> ㉢ 기분이나 몸이 가뿐하고 상쾌하다.
> ㉣ 색실로 새긴 것처럼 아름다운 모습을 이루다.

(   )

7 낱말의 뜻을 살펴보고 낱말을 알맞게 사용한 문장 두 가지에 ○표를 해 보세요.

> • **바라다**: 생각이나 희망대로 어떤 일이 이루어지기를 기대하다.
>
> • **바래다**: 볕이나 습기 때문에 색이 희미해지거나 누렇게 변하다.

(1) 네 꿈이 꼭 이루어지길 바래. ⸺⸺⸺⸺⸺⸺⸺⸺⸺⸺⸺⸺⸺ ( )

(2) 노력 없이 성공하기를 바라서는 안 되지요. ⸺⸺⸺⸺⸺⸺⸺ ( )

(3) 시간이 흘러 진한 자줏빛 커튼도 색이 바라고 있었습니다. ⸺⸺ ( )

(4) 색이 누렇게 바랜 티셔츠는 식초를 넣고 삶으면 하얗게 변합니다. ⸺ ( )

4주차

Day
19

정답과 해설 28쪽

8 다음 중 알맞은 낱말을 골라 ○표를 해 보세요.

(1) 식물은 { 햇빛 / 햇볕 } 을 받아 광합성을 합니다.

(2) 한낮에는 { 햇빛 / 햇볕 } 이 강해서 양산을 써야 해.

(3) { 햇빛 / 햇볕 } 이 잘 드는 곳에서는 빨래가 잘 마릅니다.

(4) 나는 { 햇빛 / 햇볕 } 에 눈이 부셔서 선글라스를 꼈습니다.

'햇빛'은 해의 빛을,
'햇볕'은 해가 내리쬐는
기운을 뜻해요.

9 뜻을 더해 주는 말과 그 뜻이 알맞도록 선으로 이어 보세요.

(1) 군살 •

(2) 샛노랗다 •

(3) 한겨울 •

• ① 쓸데없는

• ② 정확한, 한창인

• ③ 매우 짙고 선명하게

'전(傳)'과 '설(說)'이 들어간 말

😊 공부한 날　　월　　일

아는 어휘에 ✔ 표시를 해 보고, 아래 활동을 하며 뜻을 익혀 보세요.

☐ 전설　☐ 전기　☐ 전래　☐ 전파　☐ 연설　☐ 설득　☐ 설명서　☐ 구전 설화

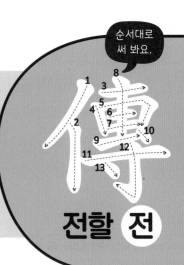

순서대로
써 봐요.

傳
전할 전

傳
전할 **전**

이 한자는 人(사람 인) 자와 專(오로지 전) 자를 합친 글자예요. '전(傳)' 자는 소식을 전달하던 마차나 말을 뜻하다가 '전하다' 또는 '전해 내려오다'라는 뜻이 되었어요.

'전설'은 '옛날부터 사람들 사이에서 전하여 내려오는 이야기.'를 뜻해요.

● 전(傳)이 들어간 낱말은 '전하다'라는 뜻을 가지고 있는 경우가 많아요.

전	기	
전할 傳	기록할 記	뜻 한 사람의 일생을 기록한 글. 예 위인들의 전기를 읽으면 배울 점이 많다.

전	래	
전할 傳	올 來	뜻 예로부터 전하여 내려옴. 예 오늘 학교에서 전래 동요를 배웠다.

이것은 우리 집안에 가보로 전래된 도자기야.

초싱

전	파	
전할 傳	뿌릴 播	뜻 전하여 널리 퍼뜨림. 예 인쇄술 덕분에 지식이 전파되었다.

'전(傳)'과 '설(說)'을 활용한 말로 '구전 설화'라는 말이 있어요.

구	전	설	화
입 口	전할 傳	말씀 說	말할 話

'구전 설화'는 각 민족 사이에 옛날부터 전해 내려오는 이야기 (說話) 중에서 입에서 입으로(口) 전해 오는(傳) 것을 말해요.

'설화'는 신화, 전설, 민담과 같은 옛이야기를 통틀어서 이르는 말이에요. 그중에서도 '전설'은 특정 장소나 인물에 얽힌 이야기가 많아요.

우리나라에는 재미있는 전설이 많아.

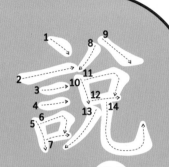

說
말씀 설

'설(說)' 자는 言(말씀 언) 자와 兌(기쁠 태) 자가 합쳐져 누군가에게 말하는 것을 나타냈어요. '말씀', '말하다', '이야기하다'라는 뜻으로 쓰이는 글자이지요.

說
말씀 설

4주차
Day
20

정답과 해설 28쪽

● 설(說)이 들어간 낱말은 '말'과 관련된 뜻을 가지고 있는 경우가 많아요.

많은 친구가 내 연설을 듣고 감명받았지.

연	설
펼 演	말씀 說

ⓣ 여러 사람 앞에서 자기의 생각이나 주장을 발표함.
ⓔ 링컨의 연설이 끝나자 사람들이 박수를 쳤다.

설	득
말씀 說	얻을 得

ⓣ 상대편이 이쪽 편의 이야기를 따르도록 여러 가지로 깨우쳐 말함.
ⓔ 우리가 끈질기게 설득한 끝에 진영이가 다시 학교에 나오기로 했다.

설	명	서
말씀 說	밝을 明	글 書

ⓣ 내용이나 이유, 사용법 등을 잘 알 수 있도록 밝힌 글.
ⓔ 로봇을 조립하기 전에 설명서를 읽었다.

1 빈칸에 들어갈 알맞은 낱말을 보기 에서 골라 써 보세요.

보기
전래   전파   전기

(1) 나는 이순신의 [   ]를 읽으며 꿈을 키웠다.

(2) 감자는 남아메리카에서 스페인으로 처음 [   ]되었다.

(3) 대문놀이나 비석치기처럼 옛날부터 [   ]된 놀이가 점점 사라지고 있다.

2 밑줄 친 뜻을 보고 빈칸에 들어갈 알맞은 한자를 골라 보세요. ·················· (   )

• 父[ ]子[ ](부전자전): 아버지의 겉모습, 성격, 버릇 등이 아들에게 그대로 전해짐.

① 前(앞 전)   ② 全(온전할 전)   ③ 傳(전할 전)

3 다음 한자어에 쓰인 한자를 바탕으로 하여 '전설'의 뜻을 써 보세요.

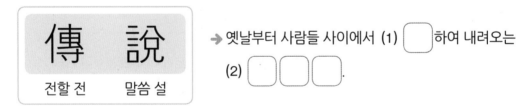

傳　說
전할 전　말씀 설

→ 옛날부터 사람들 사이에서 (1) [ ] 하여 내려오는

(2) [ ][ ][ ].

4 다음 대화에 알맞은 낱말을 골라 ○표를 해 보세요.

은지: 자전거가 엄청 복잡해 보이는데, 네가 조립할 수 있겠어?

한율: 그럼, 여기 (연설문 / 설명서)에 적힌 순서대로 하면 돼.

5 주어진 낱말을 활용해 빈칸을 채워 보세요.

| 설득력 | 설명 | 전래 | 전파 |

오늘로 이 책도 끝났으니 책거리를 하자꾸나.

야, 신난다!

훈장님, 그런데 책거리 뭐예요?

돌이는 책거리가 처음이지? 책거리에 대해 (①)해 주마.

책거리는 옛날부터 (②)된 풍습이야. 책 한 권을 마치고 나서 고마운 마음을 담아 스승과 친구들에게 음식을 대접하는 것이지.

이렇게 좋은 건 널리 (③)해야죠. 그런데 훈장님, 책 한 권을 끝내면 꼭 책거리를 하는 거죠?

그렇지.

돌아, 이게 다 뭐니?

훈장님, 이렇게 하면 일주일마다 책거리를 할 수 있어요.

좋은 생각인데?

묘하게 (④) 있네.

스스로 붙임딱지

돈이 들어가는 낱말을 알아보아요!

우리는 물건을 사거나 서비스를 이용할 때 돈을 내요. 돈은 사물의 가치를 나타내고, 재산을 쌓을 때 사용해요. 돈은 생활과 밀접한 관련이 있기 때문에 우리말에도 '돈'이 들어간 낱말이 많아요.

- **공돈:** 노력의 대가로 생긴 것이 아닌, 거저 얻거나 생긴 돈.

- **돈더미:** 돈을 쌓아 놓은 〔 〕〔 〕라는 뜻으로, 매우 많은 돈을 이르는 말.

- **돈방석:** 매우 많은 돈을 가지고 있음을 비유적으로 이르는 말.

- **생돈:** 쓸데없는 곳에 공연히 쓰는 돈.

- 〔 〕〔 〕: 개인이 자질구레하게 쓰는 돈. 특별한 목적을 갖지 않고 자유롭게 쓸 수 있는 돈.

- **웃돈:** 본래의 값에 덧붙이는 돈.

- **큰돈:** 많은 돈.

- **푼돈:** 많지 아니한 몇 푼의 돈.

- **헛돈:** 보람 없이 〔 〕되게 쓰는 돈.

5주 어휘 미리보기

뜻을 알고 있는 낱말에 V표 해 보세요.
알고 있는 낱말은 글에서 어떻게 쓰였는지 확인하고,
모르는 낱말은 글을 읽으며 재미있게 익혀 보아요.

		배울 내용	배울 낱말		공부한 날
Day 21		속담 **우물을 파도 한 우물을 파라**	☐ 인위적 ☐ 천문대 ☐ 채용하다 ☐ 장학금	☐ 관측 ☐ 열정 ☐ 공로 ☐ 업적	월 일
Day 22		관용어 **시치미를 떼다**	☐ 도로 ☐ 가책 ☐ 끄떡도 않다 ☐ 반전	☐ 청천벽력 ☐ 애원하다 ☐ 낭만적 ☐ 몰아세우다	월 일
Day 23		한자 성어 **퇴고(推敲)**	☐ 한적하다 ☐ 골몰하다 ☐ 무례 ☐ 떨치다	☐ 행차 ☐ 호통 ☐ 자초지종 ☐ 논하다	월 일
Day 24		교과 어휘 - 사회 **남북이 하나 되는 날**	☐ 단절되다 ☐ 간섭 ☐ 왕래하다 ☐ 결실	☐ 교류 ☐ 정상 ☐ 겨레말 ☐ 머지않다	월 일
Day 25		한자 어휘 **'상(商)'과 '품(品)'이 들어간 말**	☐ 상품 ☐ 상업 ☐ 식품 ☐ 학용품	☐ 상점 ☐ 협상 ☐ 품질 ☐ 일회용품	월 일

속담

우물을 파도 한 우물을 파라

아는 어휘에 ✔ 표시를 해 보고, 어휘의 뜻을 생각하며 글을 읽어 보세요.

☐ 인위적 ☐ 관측 ☐ 열정 ☐ 채용하다 ☐ 공로 ☐ 장학금 ☐ 업적

⏱ 공부한 날

월   일

❶ **인위적으로**: 자연의 힘이 아닌 사람의 힘으로.

❷ **우물을 파도 한 우물을 파라**: 일을 너무 벌여 놓거나 하던 일을 자주 바꾸어 하면 아무런 성과가 없으니 어떠한 일이든 한 가지 일을 끝까지 해야 성공할 수 있다는 말.

❸ **천문학자**: 우주의 구조와 운동, 천체의 생성과 진화 등을 연구하는 학자.

❹ **관측**: 눈이나 기계로 자연 현상을 자세히 살펴보아 어떤 사실을 짐작하거나 알아냄.

❺ **천문대**: 천문 현상을 관측하고 연구하기 위하여 설치한 시설.

❻ **열정**: 어떤 일에 뜨거운 애정을 가지고 열심히 하는 마음.

❼ **채용하였습니다**: 사람을 골라서 썼습니다.

❽ **공로**: 일을 마치거나 목적을 이루는 데 들인 노력과 수고.

❾ **장학금**: 주로 성적은 우수하지만 경제적인 이유로 학업에 어려움을 겪는 학생에게 보조해 주는 돈.

❿ **업적**: 어떤 사업이나 연구 등에서 이루어 낸 일의 결과.

비가 오면 빗물은 땅 밑으로 스며들어 지하수가 됩니다. 이 지하수가 자연적으로 밖으로 솟아나면 샘이 되고, 땅을 파서 ❶인위적으로 솟아나게 만들면 우물이 됩니다. 물은 사람이 살아가는 데 꼭 필요하기 때문에 우리 조상들은 마을의 중심에 우물을 두고 주변에 집을 지었습니다.

그런데 우물을 만들려면 물이 나올 때까지 계속 땅을 파야 합니다. 조금 파다가 물이 안 나온다고 해서 여기저기 파다 보면 우물 하나도 제대로 만들기 어렵습니다. 한 가지 일을 끝까지 해야 한다는 "❷우물을 파도 한 우물을 파라."라는 속담이 여기에서 나왔습니다.

미국의 ❸천문학자 클라이드 톰보도 한 우물을 판 사람입니다. 톰보는 어릴 때부터 별 관찰하기를 좋아했습니다. 톰보는 삼촌의 망원경으로 하늘의 별을 바라보며 우주의 세계에 빠졌습니다. 하지만 집에서 운영하던 농장이 어려워지자 그는 대학에 가는 것마저 포기했습니다. 톰보는 평범한 농부로 살면서도 우주 ❹관측을 멈추지 않았습니다. 그는 혼자서 수학과 과학을 공부했고, 20세가 되던 해에는 돈을 모아 직접 망원경을 만들었습니다. 톰보는 자신이 만든 망원경으로 매일 화성과 목성을 관찰한 후 이를 그림으로 그려서 천문학자 로웰이 세운 ❺천문대에 보냈습니다. 로웰 천문대는 그의 ❻열정을 알아보고 톰보를 연구원으로 ❼채용하였습니다. 톰보는 천체 망원경으로 찍은 사진을 일일이 분석해 그동안 발견하지 못한 천체가 있는지 확인하는 작업을 계속했습니다.

1930년 2월 18일, 사진을 훑어 보던 톰보에게 별 하나가 눈에 띄었습니다. 그것은 크기가 작아 맨눈으로는 볼 수 없고 망원경으로만 볼 수 있는 별, 명왕성이었습니다. 톰보는 명왕성을 발견한 ❽공로로 ❾장학금을 받고 대학을 졸업했습니다. 그는 공부를 계속해 천문학 교수이자 천문학자로 살아갔습니다. 톰보는 명왕성을 발견하는 데 그치지 않고 다양한 천체를 발견했습니다.

▲ 명왕성

톰보는 우주를 관측하려는 꿈을 포기하지 않고 끊임없이 노력했습니다. 그리고 마침내 천문학에 큰 ❿업적을 남긴 학자가 되었습니다. 여러분도 이루고 싶은 꿈이 있다면 톰보처럼 한 우물을 파는 사람이 되어 봅시다.

1 글의 내용으로 알맞은 것에는 ○표, 알맞지 않은 것에는 ×표를 해 보세요.

(1) 샘과 우물은 모두 지하수에서 나온 것이다. ──────────────── (○ / ×)

(2) 톰보는 자신이 만든 망원경으로 화성을 발견했다. ────────────── (○ / ×)

(3) 톰보는 경제적으로 어려워서 별을 관찰하지 못했다. ──────────── (○ / ×)

(4) 로웰 천문대는 톰보의 열정을 보고 연구원으로 뽑았다. ─────────── (○ / ×)

2 보기 에서 알맞은 말을 골라 이 글의 내용을 정리하여 써 보세요.

보기	천문대	연구원	명왕성	망원경	천문학자

톰보의 우물	톰보의 한 우물 파기
우주를 관측하고 연구하는 (1) ⬜⬜⬜⬜ 가 되는 것 →	• 대학에 진학하지 않고 혼자서 수학과 과학을 공부함. • 직접 (2) ⬜⬜⬜ 을 제작해 별들을 관측함. • 매일 화성과 목성을 관측해 그림을 그려서 천문대에 보냄. • 로웰 천문대의 연구원이 되어 천체 사진을 분석하다가 (3) ⬜⬜⬜ 을 발견함.

3 빈칸에 알맞은 말을 넣어 톰보가 한 우물을 판 사람인 까닭을 써 보세요.

• 톰보는 우주를 관측하려는 꿈을 (1) ⬜⬜ 하지 않고 끊임없이 노력하여 천문학에 큰

(2) ⬜⬜ 을 남긴 학자가 되었기 때문이다.

4 "우물을 파도 한 우물을 파라."라는 속담을 알맞게 활용한 사람의 이름을 써 보세요.

> **아영**: 우물을 파도 한 우물을 파랬다고 한번 하겠다고 결심했으니 끝까지 도전할 거야!
>
> **윤이**: 우물을 파도 한 우물을 파랬다고 방 청소를 하다가 지난번에 잃어버렸던 용돈을 찾았어.
>
> **현진**: 아무리 수영을 잘해도 물에서는 항상 조심해야 해. 우물을 파도 한 우물을 파야 한다니까!

(   )

5 낱말의 뜻이 알맞은 것에는 ○표를, 알맞지 않은 것에는 ×표를 해 보세요.

(1) 채용 ── 일터에서 일하던 사람을 그만두게 하여 내보냄. ( )

(2) 열정 ── 어떤 일에 뜨거운 애정을 가지고 열심히 하는 마음. ( )

(3) 장학금 ── 주로 성적은 우수하지만 경제적인 이유로 학업에 어려움을 겪는 학생에게 보조해 주는 돈. ( )

6 빈칸에 들어갈 알맞은 낱말을 보기 에서 골라 써 보세요.

보기	관측	업적	공로

(1) 첨성대는 신라 때 별을 □□하던 시설이었다.

(2) 세종 대왕의 가장 큰 □□은 한글을 만든 것이다.

(3) 그는 전염병 퇴치에 힘쓴 □□로 표창장을 받았다.

7 낱말의 뜻풀이를 보고 빈칸에 들어갈 낱말을 써 보세요.

자연적 ↔ □□□

↳ 사람의 손길이 가지 않은 자연 그대로의 모습을 지닌 것.

↳ 자연의 힘이 아닌 사람의 힘으로 이루어지는 것.

틀리기 쉬워요!

8 낱말의 뜻을 보고 문장에 어울리는 낱말을 골라 ○표를 해 보세요.

- **띄다**: ① 눈에 보이다. ② 남보다 훨씬 두드러지다.
- **띠다**: ① 용무나, 직책, 사명 등을 지니다. ② 빛깔이나 색채 등을 가지다.

(1) 붉은빛을 (띤 / 띈) 하늘이 매우 아름답다.

(2) 톰보에게 별 하나가 눈에 (띠었다 / 띄었다).

(3) 우리 사회는 눈에 (띠는 / 띄는) 발전을 이루었다.

(4) 그는 중대한 임무를 (띠고 / 띄고) 청나라에 파견되었다.

9 빈칸에 넣을 수 <u>없는</u> 낱말을 골라 보세요. .... (   )

맨- + ◯

① 눈   ② 비   ③ 바닥   ④ 주먹

10 보기 와 같이 밑줄 친 부분을 문장에 알맞게 바꾸어 써 보세요.

보기 톰보가 천체 망원경으로 사진을 <u>찍혔다</u>.
➜ 찍었다

(1) 나는 바다를 <u>보였다</u>.
➜

(2) 고양이가 나를 <u>물렸다</u>.
➜

(3) 예리가 물고기를 <u>잡혔다</u>.
➜ ☐☐☐

주어와 서술어의 호응이
알맞도록 고쳐 써요.

스스로
붙임딱지

시치미를 떼다

아는 어휘에 ✔ 표시를 해 보고, 어휘의 뜻을 생각하며 글을 읽어 보세요.

☐ 도로 ☐ 청천벽력 ☐ 가책 ☐ 애원하다 ☐ 낭만적 ☐ 반전 ☐ 몰아세우다

🕐 공부한 날

월   일

마릴라는 자수정(보랏빛을 띠는 보석) 브로치가 없어진 것을 알고 브로치를 보았는지 앤에게 물었습니다. 브로치는 마릴라의 방 바늘꽂이에 꽂혀 있었습니다. 앤은 자수정 브로치를 보고 옷에 달아 보았다가 **❶도로** 놓아두었다고 대답했습니다. 마릴라는 앤의 대답을 듣고 다시 샅샅이 찾아보았지만 브로치를 찾을 수 없었습니다.

'앤이 브로치를 가져가서 잃어버린 게 뻔한데 순진한 얼굴로 **❷시치미를 떼다니.**'

마릴라는 앤에게 사실을 고백하기 전에는 방에서 나올 수도 없고, 다음 주 수요일에 학교 소풍도 갈 수 없다고 했습니다. 소풍 갈 생각에 들떠 있던 앤에게는 **❸청천벽력** 같은 이야기였습니다. 앤이 소풍을 가게 해 달라고 빌었지만 마릴라는 허락하지 않았습니다.

"사실대로 말하기 전에는 소풍은 꿈도 꾸지 마라, 앤."

수요일 아침에 앤은 고백할 준비가 되었다며 마릴라를 찾아왔습니다.

"제가 그 브로치를 가져갔어요. 보랏빛이 너무 아름다워 그대로 브로치를 달고 호숫가를 산책하다가 실수로 호수에 빠뜨렸어요."

앤은 양심의 **❹가책**을 느끼지 못하는지 꿈을 꾸듯 자신의 잘못을 고백했습니다. 마릴라는 화가 치밀어 올랐습니다.

"앤 셜리, 넌 오늘 소풍 가지 말고 집에 남아서 잘못을 반성하도록 해."

앤은 울면서 소풍만은 보내 달라고 **❺애원했지만** 마릴라는 **❻끄떡도 않았습니다.** 앤은 밥도 먹지 않았습니다.

"심장이 부서진 것처럼 고통스러운데 삶은 돼지고기와 채소를 먹으라는 건 너무 **❼낭만적이지** 않잖아요. 언젠가 아주머니는 저에게 미안해하시게 될 거예요. 그때 저는 아주머니를 용서해 드릴게요."

❽반전이 일어난 것은 점심시간이 지나서였습니다. 마릴라가 해진 숄을 수선하려고 방에 갔다가 숄에 달린 브로치를 발견한 것이었습니다. 앤은 브로치를 가져가지 않았지만 소풍을 가려고 자신이 브로치를 잃어버렸다고 거짓으로 고백했던 것입니다. 마릴라는 어이가 없어 웃음이 나왔지만 자신이 먼저 앤을 **❾몰아세웠던** 것에 미안함을 느꼈습니다. 마릴라는 앤에게 사과하고 앤이 거짓말한 것을 용서해 주었습니다. 그리고 앤이 그토록 바라던 소풍을 갈 수 있도록 준비해 주었습니다. 그날 저녁 앤은 그 어느 때보다 행복한 하루를 보내고 자신의 초록 지붕 집에 돌아왔습니다.

— 몽고메리, 『빨간 머리 앤』 중에서

❶ 도로: 향하던 쪽에서 되돌아서. 먼저와 다름없이.

❷ 시치미를 떼다니: 자기가 하고도 하지 아니한 체하거나 알고 있으면서도 모르는 체하다니.

❸ 청천벽력: 맑게 갠 하늘에서 치는 날벼락이라는 뜻으로, 뜻밖에 일어난 큰 변고나 사건을 비유적으로 이르는 말.

❹ 가책: 자기나 남의 잘못에 대하여 꾸짖거나 나무라며 못마땅하게 여김.

❺ 애원했지만: 소원이나 요구 등을 들어 달라고 애처롭게 사정하여 간절히 바랐지만.

❻ 끄떡도 않았습니다: 조금이라도 움직이거나 동요하지 아니하고 버텼습니다.

❼ 낭만적이지: 달콤하고 감동적인 분위기가 있지.

❽ 반전: 일의 형세가 뒤바뀜.

❾ 몰아세웠던: 잘잘못을 가리지도 않고 마구 다그치거나 나무랐던.

1 이 글에 대한 설명으로 알맞지 <u>않은</u> 것에 ×표를 해 보세요.

(1) 앤은 거짓으로 고백을 할 만큼 소풍을 가고 싶었다. ───────────── (   )

(2) 마릴라는 앤이 자신의 브로치를 잃어렸다고 믿었다. ───────────── (   )

(3) 앤은 브로치를 잃어버린 것이 미안해서 밥도 먹지 않았다. ───────────── (   )

2 마릴라와 앤의 갈등이 시작된 까닭은 무엇인지 빈칸에 알맞은 낱말을 써 보세요.

• 마릴라는 앤이 ☐☐☐를 가져가서 잃어버렸으면서도 도로 놓아두었다고 거짓말한 것

이라고 생각했기 때문이다.

3 '시치미를 떼다'의 유래를 읽고 빈칸에 들어갈 알맞은 낱말을 보기 에서 골라 '시치미'의
뜻을 완성해 보세요.

> **보기**   태도   주인   사냥   이름

>   고려 시대에는 매가 귀하고 비싸서 사람들은 매의 꽁지
> 에 주인의 이름과 사는 곳 등을 적은 '시치미'를 달아 두었
> 다. 사냥하다가 길을 잃은 매가 날아들면 시치미를 떼어
> 버리고 자신이 그 매의 주인이라고 우기는 사람도 많았
> 다. 그 뒤로 자기가 하고도 하지 않은 체하거나 알면서도
> 모른 체하는 경우에 '시치미를 떼다'라는 표현을 쓰게 되었다.

↓

> '시치미'는 원래 매의 (1) ☐☐을 알려 주는 표식이었지만 '자기가 하고도 하지 않은
>
> 체하거나 알고도 모르는 체하는 (2) ☐☐.'를 뜻하는 말로 바뀌었다.

4 '시치미를 떼다'와 뜻이 비슷한 속담을 골라 보세요. ───────────── (   )

① 누워서 떡 먹기   ② 꿩 먹고 알 먹는다

③ 소 잃고 외양간 고친다   ④ 닭 잡아먹고 오리발 내놓기

5 빈칸에 들어갈 알맞은 낱말을 보기 에서 골라 써 보세요.

> 보기   청천벽력   가책   낭만적

(1) 함께 놀다가 친구가 다쳐서 양심의 [   ]이 들었다.

(2) 적군이 고향을 점령했다는 [   ] 같은 소식이 들려왔다.

(3) 하얀 산호초에 파란 물결이 이는 이 섬은 매우 [   ]이다.

6 밑줄 친 낱말과 바꾸어 쓸 수 있는 낱말을 골라 번호를 써 보세요.

(1) 마릴라는 앤을 몰아세웠던 것에 미안함을 느꼈다. ────────── (   )
              ① 다그쳤던   ② 미워했던   ③ 서둘렀던

(2) 앤은 울면서 소풍만은 가게 해 달라고 애원했다. ────────── (   )
              ① 발견했다   ② 사정했다   ③ 차별했다

7 밑줄 친 낱말의 뜻을 보기 에서 골라 번호를 써 보세요.

> 보기   ① **반전(反戰):** 전쟁을 반대함.
>
>   ② **반전(反轉):** 일의 형세가 뒤바뀜.

(1) 그는 위기 상황을 오히려 반전의 기회로 삼았다. ────────── (   )

(2) 국민들이 반전을 외치며 거리에서 행진을 하고 있다. ────────── (   )

틀리기 쉬워요!

8 다음 문장에 알맞은 낱말을 골라 ○표를 해 보세요.

(1) 마릴라는 솔이 (해져 / 헤져) 수선을 하였다.

(2) 마릴라는 (어의가 / 어이가) 없어 웃음이 났다.

(3) 자수정 브로치는 바늘꽂이에 (꼳혀 / 꽂혀) 있었다.

9 보기 와 같이 낱말 사이에 'ㅅ'이 들어가야 하는 것을 두 가지 찾아 고쳐 써 보세요.

> 보기 두 낱말이 합해져 만들어진 낱말 중에서 앞말이 모음으로 끝나는 경우, 'ㅅ'을 적어서 나타내요.
> - 아래 + 니 ➡ 아랫니
> - 이 + 몸 ➡ 잇몸
> - 나무 + 가지 ➡ 나뭇가지
> - 나무 + 잎 ➡ 나뭇잎

> 보라빛 브로치를 달고 호수가를 산책하다가 실수로 호수에 빠뜨렸어요.

(1) (   ) ➡ (   )

(2) (   ) ➡ (   )

10 다음을 참고하여 낱말의 발음을 써 보세요.

> 받침 'ㄱ, ㄷ, ㅂ(ㅄ)' 뒤에 오는 'ㄱ, ㄷ, ㅂ, ㅅ, ㅈ'은 된소리로 발음한다.

(1) 듣고 ➡ [   ]   (2) 없고 ➡ [   ]

(3) 먹지 ➡ [   ]   (4) 밥도 ➡ [   ]

맞은 개수 _____ /10개

스스로 붙임딱지

퇴고(推 밀 퇴 敲 두드릴 고)

아는 어휘에 ✔ 표시를 해 보고, 어휘의 뜻을 생각하며 글을 읽어 보세요.

☐ 한적하다 ☐ 행차 ☐ 골몰하다 ☐ 호통 ☐ 무례 ☐ 자초지종 ☐ 논하다

중국 당나라에 가도라는 시인이 있었습니다. 어느 날, 가도는 나귀를 타고 길을 가면서 시를 짓고 있었습니다.

"'밀다'로 할까? 아니야, '두드리다'가 더 어울려. 어찌 보면 '밀다'가 더 나은 것 같은데. 아니야, '두드리다'가 더 나은 것 같기도 하고……."

가도는 시의 마지막 구절 때문에 고민하고 있었습니다. 그가 지은 시의 내용은 이러했습니다.

이웃이 드물어 ❶한적한 집, (閑居隣竝少)
풀이 자란 좁은 길은 거친 뜰로 이어져 있네. (草徑入荒園)
새는 연못가 나무 위에서 잠들고, (鳥宿池邊樹)
스님은 달 아래 문을 두드리네. (僧敲月下門)

시의 마지막 구절을 '고(敲)'로 쓰면 "스님이 문을 두드린다."라는 뜻이 됩니다. 반면, '퇴(推)'로 쓰면 "스님이 문을 민다."라는 전혀 다른 뜻이 됩니다. 가도는 어떤 글자를 넣어야 할지 결정하기 어려웠습니다.

그때 맞은편에서 높은 관리의 ❷행차가 오고 있었습니다. 시 짓기에 ❸골몰하던 가도는 앞을 보지 못하고 그만 지나가던 무리와 부딪치고 말았습니다. 하인들의 ❹호통 소리에 정신을 차린 가도는 자신의 ❺무례를 사과했습니다. 관리가 가도에게 길을 막은 까닭을 묻자 가도는 ❻자초지종을 이야기했습니다. 그 말을 들은 관리는 가도에게 화를 내기는커녕 빙그레 웃으면서 말했습니다.

"내 생각에는 '고(敲)'로 하는 편이 좋을 듯하군."

이 관리는 당시 시인으로 이름을 ❼떨치고 있던 한유였습니다. 시인의 마음은 시인이 아는 것일까요? 이 일을 인연으로 두 사람은 함께 시를 ❽논하는 친구가 되었습니다.

❾퇴고(推敲)는 이 이야기에서 생겨난 말로, '글을 쓸 때 여러 번 생각하여 고치고 다듬는 일.'을 뜻합니다. 한 편의 글을 완성하기 위해서는 고치고 다듬는 퇴고의 과정이 꼭 필요합니다.

❶ 한적한: 한가하고 고요한.

❷ 행차: 웃어른이 차리고 나서서 길을 갈 때 이루는 사람들의 무리.

❸ 골몰하던: 다른 생각을 할 여유도 없이 한 가지 일에만 파묻히던.

❹ 호통: 몹시 화가 나서 크게 소리 지르거나 꾸짖음.

❺ 무례: 태도나 말에 예의가 없음.

❻ 자초지종: 처음부터 끝까지의 과정.

❼ 떨치고: 이름이나 영향력을 널리 미치거나 알리고.

❽ 논하는: 의견이나 이론을 조리 있게 말하는.

❾ 퇴고: 글을 지을 때 여러 번 생각하여 고치고 다듬는 일.

1 이 글의 중심 내용은 무엇인지 골라 보세요. ··· (　　　)

① 시 창작의 어려움　　　　　　　　② 퇴고의 유래와 뜻

③ 가도와 한유의 우정　　　　　　　④ '밀다'와 '두드리다'의 차이

2 가도가 한유에게 말한 자초지종의 내용으로 알맞지 <u>않은</u> 것을 골라 기호를 써 보세요.

> ㉠ "나귀를 타고 길을 가면서 시구를 생각했습니다."
>
> ㉡ "시만 생각하다가 앞을 제대로 보지 못하였습니다."
>
> ㉢ "나귀가 주인의 말을 듣지 않고 제멋대로 갔습니다."
>
> ㉣ "시의 마지막 구절에 들어갈 글자를 무엇으로 할지 고민했습니다."

（　　　　　　　）

3 한유가 가도에게 화를 내지 않고 웃으며 말한 까닭을 짐작하여 써 보세요.

• 한유 역시 (1) ☐☐ 이었으므로, 좋은 시를 짓기 위해 고민하는 가도의 (2) ☐☐ 을 이해할 수 있었기 때문이다.

4 이 글의 내용을 가장 알맞게 이해한 사람의 이름에 ○표를 해 보세요.

글을 잘 쓰려면 다른 사람의 의견을 듣는 것보다 내 생각대로 써야 해.

현지

글을 쓸 때는 여러 번 생각해서 잘 다듬고 고치는 과정이 필요해.

동화

글을 쓰다가 막힐 때는 여기저기 다니는 것이 좋아. 생각이 더 잘 떠오르거든.

효경

5 다음 낱말과 뜻이 알맞도록 선으로 이어 보세요.

(1) 행차 •

(2) 한적하다 •

(3) 자초지종 •

• ① 한가하고 고요하다.

• ② 처음부터 끝까지의 과정.

• ③ 웃어른이 차리고 나서서 길을 갈 때 이루는 사람들의 무리.

6 다음 문장과 관련 있는 한자 성어를 골라 보세요. ─────────── ( )

시인의 마음은 시인이 아는 것일까요?

① **이심전심**(以心傳心): 마음과 마음으로 서로 뜻이 통함.

② **사면초가**(四面楚歌): 아무에게도 도움을 받지 못하는 어려운 상황이나 형편.

③ **어부지리**(漁父之利): 두 사람이 서로 다투는 사이에 다른 사람이 힘들이지 않고 얻은 이익.

④ **타산지석**(他山之石): 다른 사람의 좋지 않은 태도나 행동도 자신의 몸과 마음을 바로잡는 데 도움이 될 수 있음.

7 밑줄 친 낱말의 뜻을 보기 에서 골라 번호를 써 보세요.

보기 ① **결정**(決定): 행동이나 태도를 분명하게 정함.

② **결정**(結晶): 애써 노력하여 보람 있는 결과를 이루는 것이나 그 결과를 비유적으로 이르는 말.

(1) 우리는 진희를 회장으로 뽑기로 <u>결정</u>했다. ─────────────── ( )

(2) 이 작품은 시인이 오랫동안 정성을 들인 노력의 <u>결정</u>이다. ───────── ( )

틀리기 쉬워요!

8 다음 문장에 알맞은 낱말을 골라 ○표를 해 보세요.

(1) 비밀번호를 (달라서 / 틀려서) 문이 열리지 않았다.

(2) 수민이는 나의 생각이 자신과 (다르다고 / 틀리다고) 화를 냈다.

(3) 우리 식구들은 좋아하는 음식이 모두 (달라서 / 틀려서) 외식하기 어렵다.

(4) 하늘은 스스로 돕는 자를 돕는다더니 그 말이 하나도 (다르지 / 틀리지) 않았다.

9 낱말의 형태가 어떻게 바뀌는지에 주의하며 빈칸에 '낫다'의 형태를 바꾸어 써서 문장을 완성해 보세요.

'보다 더 좋거나 앞서 있다.'라는 뜻의 '낫다'는 뒤에 오는 말에 따라 낱말 형태가 바뀌어요.

(1) 나는 밥보다 빵이 더 ☐ 다.

(2) 살림이 전보다 ☐ 지만 풍족하지는 않다.

(3) 우리에게는 더 ☐☐ 간식이 필요하다.

(4) 간식으로 빵과 만두 중 어느 것이 ☐☐ 까요?

10 밑줄 친 낱말의 발음으로 알맞은 것을 골라 번호를 써 보세요.

(1) 관리는 가도와 친구가 되었다. ─────────────────────── ( )
　　① [관니]　　② [괄리]

(2) 환경 오염은 전 인류의 문제이다. ─────────────────────── ( )
　　　　① [인뉴]　　② [일류]

(3) 신라를 세운 사람은 박혁거세이다. ─────────────────────── ( )
　　① [신나]　　② [실라]

(4) 거짓은 절대로 진리를 이길 수 없다. ─────────────────────── ( )
　　① [진니]　　② [질리]

맞은 개수 _____ /10개

스스로 붙임딱지

남북이 하나 되는 날

아는 어휘에 ✔ 표시를 해 보고, 어휘의 뜻을 생각하며 글을 읽어 보세요.

☐ 단절되다 ☐ 교류 ☐ 정상 ☐ 긴장 ☐ 왕래하다 ☐ 결실 ☐ 머지않다

공부한 날

월   일

우리는 전 세계 어느 곳이라도 하루 만에 갈 수 있는 시대를 살고 있습니다. 그러나 우리가 유일하게 갈 수 없는 곳이 어디인지 알고 있나요? 바로, **북한**이에요. 우리는 6.25 전쟁이 휴전된 1953년부터 북한과 ❶**단절**된 채 살아가고 있습니다. 남과 북은 다시 하나가 될 수 있도록 다양한 노력을 기울이고 있어요.

남북 ❷**교류**의 움직임은 정치 분야에서 가장 먼저 시작되었습니다. 1972년 분단 이후 최초로 남북이 함께 ❸**통일** 문제를 의논한 것을 시작으로, 1991년에는 남과 북이 서로 화해하고 협력하기로 ❹**합의했**습니다. 또한, 세 번에 걸쳐 남북 ❺**정상**이 만나 한반도의 평화를 위해 노력하기로 뜻을 모았습니다. 두 지도자의 만남은 남북의 ❻**긴장** 관계를 없애고 교류의 길을 더 넓히는 계기가 되었습니다.

남한은 경제적으로 어려운 북한을 돕기 위해 식량을 보냈습니다. 북한과의 관계가 좋아지자 금강산 관광과 개성 공단 사업도 시작되었지요. 남북의 경제 교류를 목적으로 설립된 개성 공단은 남한의 자본과 기술에 북한의 노동력을 결합한 대규모 산업 단지예요. 2000년대에는 경의선과 동해선을 연결하여 남북이 도로와 철도로 ❼**왕래하기** 시작하였습니다.

남북은 정치나 경제 외에도 다양한 분야에서 교류하고 있습니다. 남북은 1991년 세계 탁구 선수권 대회에 단일팀으로 참가한 이후로 꾸준한 체육 교류를 하고 있습니다. 2018년 겨울에 평창에서 열린 국제 체육 대회에서는 남과 북이 한반도기를 들고 함께 입장하였습니다. 같은 해에 남북 예술단이 '우리는 하나'라는 주제로 평양, 강릉, 서울에서 함께 무대를 꾸미기도 하였지요. 또한, 50년이 넘는 세월 동안 떨어져 지내면서 달라진 남북의 언어를 통일하기 위해 ❽'**겨레말** 큰 사전'에 수록될 어휘를 검토하는 일이 진행 중입니다.

이러한 노력이 ❾**결실**을 맺으려면 통일에 대한 관심이 지속되어야 합니다. 서로에 대한 믿음을 바탕으로 남북이 함께하는 기회를 늘린다면 ❿**머지않아** 가깝고도 먼 우리 땅을 자유롭게 오갈 수 있는 날이 올 것입니다.

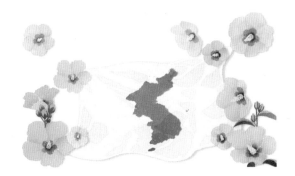

❶ **단절된**: 서로 간의 관계가 끊어진.

❷ **교류**: 문화나 사상 등이 서로 통함.

❸ **통일**: 나누어진 것들을 합쳐서 하나가 되게 함.

❹ **합의했습니다**: 서로 의견이 일치했습니다.

❺ **정상**: 한 나라에서 가장 중요한 자리의 인물.

❻ **긴장**: 일이 되어 가는 형편이나 분위기가 평온하지 않은 상태.

❼ **왕래하기**: 가고 오고 하기.

❽ **겨레말**: 한 겨레(민족)가 같이 쓰는 말.

❾ **결실**: 일의 결과가 잘 맺어짐. 또는 그런 성과.

❿ **머지않아**: 시간적으로 멀지 않아.

1 이 글의 내용으로 알맞은 것에 ○표, 알맞지 않은 것에 ×표를 해 보세요.

(1) 남북의 교류는 정치 분야에서 유일하게 이루어졌다. ────────── (○ / ×)

(2) 남북 정상들은 남북 관계를 개선하려고 여러 번 만났다. ───────── (○ / ×)

(3) 우리나라 사람이라면 누구나 허가를 받고 북한에 방문할 수 있다. ───── (○ / ×)

2 남북이 통일을 위해 한 일의 차례대로 번호를 써 보세요.

(1) 경의선과 동해선을 연결하였다. ────────────────── ☐

(2) 남북 예술단이 합동 공연을 펼쳤다. ──────────────── ☐

(3) 세계 탁구 선수권 대회에 단일팀으로 참가했다. ─────────── ☐

(4) 분단 이후 최초로 함께 통일 문제를 의논하였다. ─────────── ☐

3 남북이 '겨레말 큰 사전'을 만드는 까닭은 무엇인지 써 보세요.

• 50년이 넘는 세월 동안 떨어져 지내면서 달라진 남북의 ☐☐를 통일하기 위해서이다.

4 다음은 어떤 낱말의 뜻을 정리한 것인지 알맞은 낱말을 글에서 찾아 써 보세요.

① 나누어진 것들을 합쳐서 하나가 되게 함.
② 여러 요소를 서로 같거나 일치되게 맞춤.
③ 여러 가지 잡념을 버리고 마음을 한곳으로 모음.

( )

정답과 해설 30쪽

5 주어진 내용을 보고 빈칸을 채워 보세요.

(1) 결실

일의 [ㄱ][ㄱ]가 잘 맺어짐.

예 노력의 결실을 거두었다.

(2) [ㄱ][ㄹ]

문화나 사상 등이 서로 통함.

예 이웃한 두 나라는 문화 ○○가 활발하다.

(3) 정상

한 나라에서 가장 중요한 자리의 [ㅇ][ㅁ].

예 세계 정상들이 우리나라에 모여서 회의를 했다.

6 밑줄 친 낱말이 보기 와 같은 뜻으로 쓰인 문장을 골라 보세요. ·············· ( )

> 보기 두 지도자의 만남은 남북 교류의 길을 더 넓히는 계기가 되었다.

① 서랍은 길이 들지 않아 잘 열리지 않았다.

② 할머니께서 시청으로 가는 길을 물어보셨다.

③ 열 길 물속은 알아도 한 길 사람의 속은 모른다.

④ 우리나라는 4.19 혁명과 함께 민주화의 길에 들어섰다.

7 밑줄 친 낱말과 바꾸어 쓸 수 있는 낱말을 골라 번호를 써 보세요.

(1) 머지않아 사실이 밝혀질 것이다. ·· ( )
　　① 곧　　② 차차

(2) 밤늦은 시간인데도 거리에는 많은 차가 왕래하고 있었다. ·············· ( )
　　　　　　① 여닫고　　② 오가고

단일어[홀 단(單) 한 일(一) 말씀 어(語)]
낱말을 나누면 본디의 뜻이 없어져 더는 나눌 수 없는 낱말을 '단일어'라고 해요. '사과'는 '사'와 '과'로 나누면 뜻이 없어지는 단일어예요.
예 꽃, 하늘, 바다, 어머니 등

8 보기 에서 <u>단일어</u>를 모두 찾은 것을 골라 보세요. ·········· ( )

보기	우리	하루	겨레말
	단일팀	꾸미다	오가다

① 우리, 하루, 꾸미다   ② 우리, 겨레말, 꾸미다
③ 하루, 단일팀, 오가다   ④ 겨레말, 단일팀, 오가다

틀리기 쉬워요!

9 보기 를 참고하여 빈칸에 알맞은 표현을 써 보세요.

보기 • 우리가 유일하게 갈 수 없는 곳은 바로, 북한이에요.
     • 개성 공단은 남한의 자본과 기술에 북한의 노동력을 결합한 대규모 산업 단지예요.

(1) 아저씨, 사과 한 봉지에 얼마 [   ]?

(2) 이것은 제가 가장 좋아하는 과자 [   ].

(3) 민수는 책 읽는 것을 싫어해서 걱정 [   ].

(4) 여기가 우리나라에서 가장 유명한 건물 [   ].

10 다음 문장에서 알맞은 표현에 ○표를 해 보세요.

(1) 온 가족이 (함께 / 함께) 여행을 다녀왔다.

(2) (관강 / 관광)을 위해 서울을 찾는 외국인이 많아졌다.

(3) 나는 영어 안내 방송을 듣는 데 주의를 (기울이고 / 귀울이고) 있었다.

맞은 개수 _____ /10개

스스로
붙임딱지

한자 어휘

'상(商)'과 '품(品)'이 들어간 말

아는 어휘에 ✔ 표시를 해 보고, 아래 활동을 하며 뜻을 익혀 보세요.

☐ 상품 ☐ 상점 ☐ 상업 ☐ 협상 ☐ 식품 ☐ 품질 ☐ 학용품 ☐ 일회용품

商
장사 **상**

'상(商)' 자는 '장사하다'라는 뜻을 나타내는 글자예요. 장사하는 사람을 나타내는 '장수'나 '몫', '헤아리다' 등을 뜻하기도 해요.

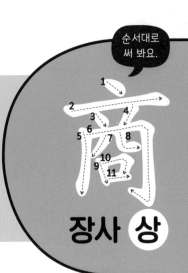

순서대로 써 봐요.

商
장사 **상**

'상품'은 '사고파는 물품.'을 말해요.

● 상(商)이 들어간 낱말은 '장사'의 뜻을 나타내는 경우가 많아요.

상 점	
장사 商 가게 店	뜻 물건을 파는 곳. 예 옷감을 사려면 어떤 상점으로 가야 하지?
상 업	
장사 商 업 業	뜻 물건을 사고파는 행동으로 이익을 얻는 일. 예 이 도시는 상업이 발달한 곳이다.
협 상	
도울 協 장사 商	뜻 어떤 목적에 맞는 결정을 하기 위해 여럿이 서로 의논함. 예 서로 의견이 맞지 않아 협상이 길어졌다.

시험을 잘 보면 장난감을 사 달라고 어머니와 협상했어.

'品'을 활용한 말로 '일회용품'이라는 말이 있어요.

일	회	용	품
한 一	돌아올 回	쓸 用	물건 品

일회용품은 '한 번만(一回) 쓰고(用) 버리도록 되어 있는 물건(品)'을 뜻해요.

우리가 사는 상품 중에는 일회용품이 많아요. 지구를 보호하려면 일회용품을 줄이고 물건을 재활용하는 습관을 들여야 해요.

우리가 먹고 입고 쓰는 모든 것들이 상품이야.

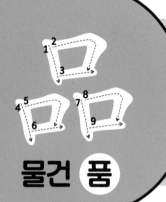

물건 品

이 한자는 口(입 구) 자가 3개 모여 있는 글자예요. 주로 '물건'이나 '등급', '품격'이라는 뜻을 나타내지요.

물건 品

●품(品)이 들어간 낱말은 '물건'이라는 뜻을 가지고 있는 경우가 많아요.

식	품
먹을 食	물건 品

뜻 사람이 일상적으로 먹는 음식물을 통틀어 이르는 말.
예 어린이는 여러 가지 식품을 골고루 먹어야 한다.

우리나라 제품은 품질이 매우 우수하지.

No.1!!

품	질
물건 品	바탕 質

뜻 물건의 성질과 바탕.
예 품질은 좋지만 값이 너무 비싸요.

학	용	품
배울 學	쓸 用	물건 品

뜻 학습에 필요한 물품.
예 나는 학용품을 사러 문방구에 갔다.

1 다음 낱말에 공통으로 쓰인 '상'의 뜻을 골라 보세요. ································ (   )

| 상점 | 상품권 | 상가 | 상인 |

① 생각　　　　　② 일상　　　　　③ 장사　　　　　④ 항상

2 빈칸에 들어갈 알맞은 낱말을 보기 에서 골라 써 보세요.

보기　　　　　농업　공업　상업　상품　약품

조선 후기에는 (1) ☐☐ 이 발달하면서 큰 도시를 중심으로 장사를 하는 상인 집단이 생겨났다. 특히 개성을 중심으로 활동한 송상은 곳곳에 '송방'이라는 지점을 만들고 전국을 무대로 장사를 했다. 송상은 중국과 일본 등 외국과도 무역 활동을 했는데, 이들이 거래한 대표적인 (2) ☐☐ 은 인삼이었다.

3 다음 빈칸에 공통으로 들어갈 글자를 골라 보세요. ································ (   )

• ☐질: 물건의 성질과 바탕.　　　• 제☐: 원료를 써서 만들어 낸 물품.

① 기　　　　　② 상　　　　　③ 정　　　　　④ 품

4 첫 자음자를 참고하여 빈칸에 '물건 품(品)' 자로 끝나는 낱말을 써 보세요.

(1)
박물관에 가서 미술 ㅈ ㅍ 들을 감상했다.
↳ 예술 창작 활동으로 얻어지는 제작물.

☐☐

(2)
내 취미는 여러 가지 ㅅ ㅍ 재료를 사서 요리하는 것이다.
↳ 사람이 일상적으로 먹는 음식물을 통틀어 이르는 말.

☐☐

5 낱말의 뜻을 보고, 길을 따라가서 각 번호에 알맞은 낱말을 써 보세요.

① 물건의 성질과 바탕.

② 물건을 파는 곳이 많이 늘어선 거리.

③ 상품을 사고파는 행동으로 이익을 얻는 일.

④ 사람이 일상적으로 먹는 음식물을 통틀어 이르는 말.

⑤ 어떤 목적에 맞는 결정을 하기 위하여 여럿이 서로 의논함.

⑥ 학습에 필요한 물품. 필기도구, 공책 따위를 통틀어 이른다.

스스로 붙임딱지

신체 부위 이름을 알아보아요!

"머리, 어깨, 무릎, 발, 무릎, 발." 한 번쯤 이 노래를 따라 부른 적이 있을 거예요. 이처럼 우리 몸은 여러 부분으로 나눌 수 있고, 각 부분을 부르는 이름이 있어요. 몸의 어느 부분을 가리키는 말인지 정확히 알고 사용할 수 있도록 신체 부위 이름을 알아볼까요?

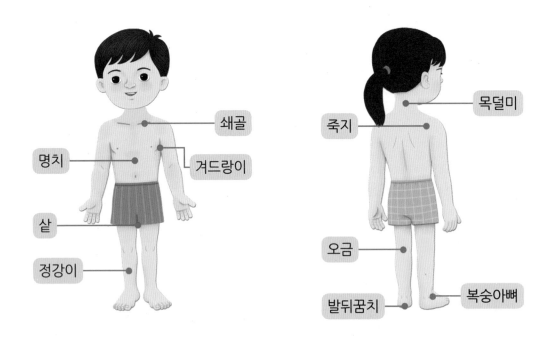

- ⬜⬜⬜⬜: 양편 팔 밑의 오목한 곳.
- **명치:** 사람의 가슴뼈 아래 한가운데의 오목하게 들어간 곳.
- **목덜미:** 목의 뒤쪽 부분과 그 아래 근처.
- **발⬜꿈치:** 발의 뒤쪽 발바닥과 발목 사이의 불룩한 부분.
- **복숭아뼈:** 발목 부근에 안팎으로 둥글게 나온 뼈.
- **샅:** 두 다리의 사이.
- **쇄골:** 가슴⬜쪽 좌우에 있는 한 쌍의 뼈.
- **오금:** 무릎의 구부러지는 오목한 안쪽 부분
- **정강이:** 무릎 아래에서 앞 뼈가 있는 부분.
- **죽지:** 팔과 어깨가 이어진 부분.

6주 어휘 미리보기

뜻을 알고 있는 낱말에 V표 해 보세요.

알고 있는 낱말은 글에서 어떻게 쓰였는지 확인하고,
모르는 낱말은 글을 읽으며 재미있게 익혀 보아요.

	배울 내용	배울 낱말		공부한 날
Day 26	속담 **감나무 밑에 누워서 홍시 떨어지기를 기다린다**	☐ 주식 ☐ 자본 ☐ 비례하다 ☐ 영향력	☐ 투자하다 ☐ 대가 ☐ 인식하다 ☐ 요행	월 일
Day 27	관용어 **하늘을 찌르다**	☐ 미치다 ☐ 수포 ☐ 위엄 ☐ 종적	☐ 공중 ☐ 분분하다 ☐ 마땅하다 ☐ 신출귀몰하다	월 일
Day 28	한자 성어 **각주구검(刻舟求劍)**	☐ 출세하다 ☐ 뱃전 ☐ 품 ☐ 아랑곳하다	☐ 기진맥진하다 ☐ 요동치다 ☐ 사연 ☐ 융통성	월 일
Day 29	교과 어휘 – 과학 **전기의 시대를 연 발명가 에디슨**	☐ 어원 ☐ 파편 ☐ 혁신적 ☐ 시행착오	☐ 언급되다 ☐ 지속되다 ☐ 개량하다 ☐ 기리다	월 일
Day 30	한자 어휘 **'개(改)'와 '선(善)'이 들어간 말**	☐ 개선 ☐ 개명 ☐ 선악 ☐ 최선	☐ 개정 ☐ 개혁 ☐ 선의 ☐ 개과천선	월 일

속담

감나무 밑에 누워서 홍시 떨어지기를 기다린다

아는 어휘에 ✓ 표시를 해 보고, 어휘의 뜻을 생각하며 글을 읽어 보세요.

☐ 투자하다 ☐ 대가 ☐ 비례하다 ☐ 계기 ☐ 인식하다 ☐ 영향력 ☐ 요행

공부한 날

월   일

"부모님께서 세뱃돈을 모두 ❶주식에 ❷투자해 주신다고 하셨어. 요즘은 주식으로 많은 돈을 벌 수 있대."

"진짜? 주식 투자? 그게 뭐야?"

요즘 친구들과 이런 대화를 나누고 있지 않나요? 주식에 투자하는 사람이 늘면서 주식에 관심을 가지는 어린이도 많아졌습니다. 주식이란, 회사의 ❸자본을 같은 값으로 나눈 문서를 말합니다. 회사는 주식을 팔아 그 돈으로 회사를 운영합니다. 사람들이 주식을 사고파는 것을 주식에 투자한다고 합니다. 주식 투자는 여러 가지 원인으로 늘어나기도 하고 줄어들기도 합니다.

주식 투자가 증가하는 가장 큰 원인은 은행의 금리 때문입니다. 금리란 은행에서 빌린 돈이나 예금에 붙는 이자의 비율을 말합니다. 간식거리를 사고 싶은 마음을 참고, 그 돈을 은행에 맡기면 은행은 그 ❹대가로 이자를 덧붙여 줍니다. 은행은 돈을 맡긴 시간에 ❺비례해 이자를 줍니다. 그래서 이자를 '인내에 대한 대가'라고 말하기도 합니다. 금리가 높아진다면 사람들은 무엇인가를 사고 싶은 마음을 참고 더 많은 돈을 더 오랫동안 예금하려고 할 것입니다. 반대로 금리가 내려간다면 돈을 다른 곳에 투자하려고 할 것이고 이것은 사람들이 주식 투자로 눈을 돌리는 ❻계기가 됩니다.

그러나 주식에 투자한다고 해서 무조건 돈을 벌 수 있는 것은 아닙니다. 한 전문가는 "주식 투자로 돈을 벌려고 생각하는 사람이야말로 성실하고 부지런해야 한다."라고 말했습니다. 노력 없이 성공하기를 바라는 것은 ❼감나무 밑에 누워서 홍시 떨어지기를 기다리는 것과 같다는 것입니다.

그래서 요즘 주식에 투자하는 사람들은 주식도 공부가 필요하다는 것을 ❽인식하고 많은 노력을 기울입니다. 그 결과 주식 투자 방법에 관한 책이 많이 팔리고 주식 전문가들의 인기와 ❾영향력도 높아지고 있습니다.

유명한 투자자인 워런 버핏은 "당신이 알고 있는 것에 투자하라."라고 말했습니다. 그의 말처럼 우리가 ❿요행을 바라는 것이 아니라 부지런히 공부하며 투자할 때 주식 투자는 바람직한 방향으로 나아갈 것입니다.

❶ **주식**: 회사의 자본을 같은 값으로 나눈 문서.

❷ **투자해**: 이익을 얻기 위해 어떤 일이나 사업에 돈을 대거나 시간이나 정성을 쏟아.

❸ **자본**: 장사나 사업 등의 기본이 되는 돈.

❹ **대가**: 노력이나 희생을 통하여 얻게 되는 결과.

❺ **비례해**: 한쪽의 양이나 수가 증가하는 만큼 그와 관련 있는 다른 쪽의 양이나 수도 증가해.

❻ **계기**: 어떤 일이 일어나거나 변화하도록 하는 결정적인 원인이나 기회.

❼ **감나무 밑에 누워서 홍시 떨어지기를 기다리는**: 아무런 노력도 안 하면서 좋은 결과가 이루어지기만 바라는.

❽ **인식하고**: 무엇을 분명히 알며 이해하고.

❾ **영향력**: 어떤 사물의 효과나 작용이 다른 것에 미치는 힘.

❿ **요행**: 행복을 바람. 뜻밖에 얻는 행운.

1 이 글의 내용으로 알맞지 <u>않은</u> 것에 ×표를 해 보세요.

(1) 은행에 돈을 맡기면 대가로 이자를 덧붙여 준다. ─────────────── (　　　)

(2) 주식에 투자하는 사람들은 모두 큰돈을 벌 수 있다. ───────────── (　　　)

(3) 회사의 자본을 같은 값으로 나눈 문서를 주식이라고 한다. ─────────── (　　　)

(4) 주식에 대해 끊임없이 공부하는 사람이 주식 투자에 성공할 수 있다. ──── (　　　)

2 서로 관계 있는 것끼리 선으로 이어 보세요.

(1) 금리가 높아짐. •　　• ㉠ 예금 증가 •　　• ① 주식 투자 증가

(2) 금리가 낮아짐. •　　• ㉡ 예금 감소 •　　• ② 주식 투자 감소

3 빈칸에 들어갈 알맞은 낱말을 이 글에서 찾아 써 보세요.

주식 (1) ⬜⬜로 돈을 벌려면 주식을 (2) ⬜⬜해야 한다. 잘 알지도 못하면서 주식을 사고 저절로 주가(주식의 가격)가 오르기를 바라는 것은 감나무 밑에 누워서 홍시 떨어지기를 기다리는 것과 같다. 성실하고 부지런하게 노력해야 주식 투자도 (3) ⬜⬜할 수 있다.

4 "감나무 밑에 누워서 홍시 떨어지기를 기다린다."와 어울리는 상황에 ○표를 해 보세요.

(1) 지민이는 공부는 하지 않고 좋은 성적을 기대하고 있다.

(2) 하율이는 시험을 앞두고 밤낮으로 열심히 공부하고 있다.

(3) 준서는 시험 범위를 잘못 알고 시험을 봐서 좋은 점수를 얻지 못했다.

(　　　)　　　(　　　)　　　(　　　)

5 빈칸에 들어갈 알맞은 낱말을 **보기** 에서 골라 써 보세요.

> **보기** 영향력 투자 인식

(1) 운동선수들은 연습에 많은 시간을 [   ]한다.

(2) 유명한 연예인은 청소년에게 미치는 [   ]이 매우 크다.

(3) 이 카메라는 사람을 자동으로 [   ]해서 촬영하는 기능이 있다.

6 밑줄 친 낱말의 뜻을 **보기** 에서 골라 번호를 써 보세요.

> **보기** ① **대가**(代價): 노력이나 희생을 통하여 얻게 되는 결과.
> ② **대가**(大家): 전문 분야에서 뛰어나 권위를 인정받는 사람.

(1) 열심히 노력한 대가는 반드시 오기 마련이다. ·· (   )

(2) 파바로티는 꾸준한 노력으로 마침내 성악의 대가가 되었다. ················ (   )

7 밑줄 친 낱말과 바꾸어 쓸 수 있는 낱말을 골라 번호를 써 보세요.

(1) 사람들은 요행을 바라고 복권을 산다. ·· (   )
　　　　① 행운　　② 불행

(2) 이번 일을 계기로 삼아 더 열심히 노력해야 한다. ································· (   )
　　　　① 결과　　② 기회

8 첫 자음자를 참고하여 각 낱말과 뜻이 반대되는 낱말을 써 보세요.

(1) 오르다 ↔ ㄴ ㄹ ㄷ 　　(2) 줄어들다 ↔ ㄴ ㅇ ㄴ ㄷ

(3) 증가하다 ↔ ㄱ ㅅ ㅎ ㄷ

9 다음을 참고하여 문장에 알맞은 낱말에 ○표를 해 보세요.

> 한자음 '랴, 려, 례, 료, 류, 리'가 낱말의 첫 글자로 올 때에는, 두음 법칙에 따라 '야, 여, 예, 요, 유, 이'로 쓴다.

利

이로울 리

(1) 돈을 은행에 맡기면 은행은 그 대가로 (리자 / 이자)를 준다.

(2) (금리 / 금이)가 내려가면 사람들은 돈을 다른 곳에 투자한다.

뜻을 더해 주는 말
'뜻을 더해 주는 말'은 혼자서는 쓰이지 못하지만 다른 낱말에 붙어서 새로운 낱말을 만들어 줘요. 뜻을 더해 주는 말은 낱말의 앞이나 뒤에 붙어요.
예 • 햇- + 밤 → 햇밤　　　　　　　　 • 햇- + 곡식 → 햇곡식
　 • 잠 + -꾸러기 → 잠꾸러기　　　 • 심술 + -꾸러기 → 심술꾸러기

10 뜻을 더해 주는 말을 붙여서 낱말을 만들 때 어색한 것에 ○표를 해 보세요.

(1)

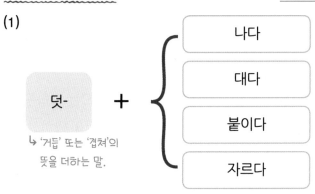

덧-

↳ '거듭' 또는 '겹쳐'의
뜻을 더하는 말.

＋

나다

대다

붙이다

자르다

(2)

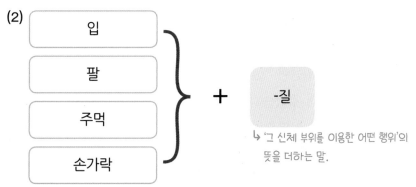

입

팔

주먹

손가락

＋

-질

↳ '그 신체 부위를 이용한 어떤 행위'의
뜻을 더하는 말.

하늘을 찌르다

아는 어휘에 ✔ 표시를 해 보고, 어휘의 뜻을 생각하며 글을 읽어 보세요.

☐ 미치다 ☐ 공중 ☐ 수포 ☐ 분분하다 ☐ 위엄 ☐ 마땅하다 ☐ 종적

🕐 **공부한 날**

월   일

아버지와 형에게 해가 ❶미칠까 두려운 홍길동은 스스로 관군에게 잡혔습니다. 조정에서는 길동이 잡혀 온다는 말을 듣고 관군을 남대문에 숨어 있게 했습니다. 이를 알아챈 길동은 한강을 건너며 '雨(비 우)' 자를 세 번 써서 ❷공중에 날렸습니다. 그러자 곧 폭우가 쏟아졌습니다. 관군이 길동에게 총을 쏘려고 했지만, 총에 물이 차서 쏠 수 없었습니다. 길동을 잡으려던 계획은 ❸수포가 되고, 길동은 축지법(도술로 땅을 줄여 먼 거리를 가깝게 만드는 방법)을 써서 도망쳤습니다. 그리고 곳곳에 다음과 같이 글을 써 붙였습니다.

'저의 평생 소원이 병조 판서(군사와 국방을 담당하는 병조의 으뜸 벼슬)이니 전하께서 저를 병조 판서에 임명해 주신다면 제가 스스로 잡히겠습니다.'

임금과 신하들은 이 일을 놓고 의견이 ❹분분하였습니다. 어떤 신하는 길동의 소원을 들어주어 빨리 문제를 해결하자고 했고, 어떤 신하는 절대로 길동의 뜻대로 해 주어서는 안 된다고 했습니다.

어느 날 길동은 자신이 거느리는 장수들에게 싸울 준비를 하게 했습니다. 순식간에 수많은 병사가 구름을 헤치고 나타나 ❺진을 만들었습니다. 병사들은 그 가운데 황금으로 단을 만들고, 길동은 그 단 위에 섰습니다. ㉠길동의 ❻위엄은 ❼하늘을 찌를 듯했습니다. 길동은 장수들에게 명령하였습니다.

"홍길동을 모함하는 간신들을 모두 잡아들여라."

명령을 받은 장수들이 조정의 신하 십여 명을 잡아 오는 모습은 병아리를 채어 오는 솔개처럼 날쌔고 빨랐습니다. 길동은 잡아 온 자들을 꿇어 앉히고 그 죄를 따졌습니다.

"너희는 조정의 해충이 되어 나라를 속이고 홍길동 장군을 해치고자 하였다. 그 죄는 죽어 ❽마땅한 것이나 불쌍히 여겨 목숨만은 살려 주겠다."

길동은 곤장을 때린 후 이들을 쫓아내고, 잔치를 벌여 고생한 병사들을 배불리 먹였습니다. 그 후에도 조정에서는 길동을 잡으라는 명령을 내렸으나 길동의 ❾종적을 찾을 수 없었습니다. 길동은 ❿신출귀몰하며 전국에서 수도로 보내는 뇌물을 빼앗아 백성들에게 곡식을 내어 주었습니다. 보통 사람은 이러한 길동의 재주를 헤아리지 못한다고 여긴 임금은 결국 길동을 불러 병조 판서의 자리에 앉혔습니다.

– 「홍길동전」 중에서

❶ **미칠까:** 영향이나 작용 등이 대상에 가해질까.

❷ **공중:** 하늘과 땅 사이의 빈 곳.

❸ **수포:** 노력이 헛되게 된 상태를 비유적으로 이르는 말.

❹ **분분하였습니다:** 소문, 의견 등이 많아 갈피를 잡을 수 없었습니다.

❺ **진:** 적에 맞서 싸우기 위해 군대를 배치한 것.

❻ **위엄:** 존경할 만한 지위와 권세가 있어 엄숙한 태도나 분위기.

❼ **하늘을 찌를:** 기세가 몹시 세찬.

❽ **마땅한:** 그렇게 하거나 되는 것이 이치로 보아 옳은.

❾ **종적:** 없어지거나 떠난 뒤에 남는 자취나 형상.

❿ **신출귀몰하며:** 그 움직임을 쉽게 알 수 없을 만큼 자유자재로 나타나고 사라지며.

1 이 이야기에 대한 내용으로 알맞은 것에 ○표, 알맞지 않은 것에 ×표를 해 보세요.

(1) 홍길동은 병조 판서에 임명해 주면 스스로 잡히겠다고 하였다. ‥‥‥‥‥‥‥‥‥‥ (○ / ×)

(2) 홍길동이 '비 우' 자를 써서 공중에 날리자 눈이 오기 시작하였다. ‥‥‥‥‥‥‥‥ (○ / ×)

(3) 홍길동은 부하들에게 싸울 준비를 시켜 임금을 잡아들이라고 하였다. ‥‥‥‥‥‥ (○ / ×)

(4) 홍길동은 전국에서 올라오는 뇌물을 빼앗아 백성들에게 나누어 주었다. ‥‥‥‥ (○ / ×)

2 ㉠과 어울리지 <u>않는</u> 홍길동의 말이나 행동에 ×표를 해 보세요.

(1)
길동은 축지법을 써서 도망쳤다.

(   )

(2)
"홍길동을 모함하는 간신들을 모두 잡아들여라."

(   )

(3)
"그 죄는 죽어 마땅한 것이나 불쌍히 여겨 목숨만은 살려 주겠다."

(   )

3 장수들이 신하들을 잡아오는 모습을 무엇에 비유했는지 써 보세요.

• 병아리를 채어 오는 ☐☐

4 한자의 뜻과 첫 자음자를 보고 '신출귀몰'의 뜻을 완성해 보세요.

神	出	鬼	沒
귀신 신	날 출	귀신 귀	잠길 몰

➡ (1) ☐ㄱ ☐ㅅ 같이 나타났다가 사라진다는 뜻으로, 그 움직임을 쉽게 알 수 없을 만큼 자유

자재로 (2) ☐ㄴ ☐ㅌ ☐ㄴ ☐ㄱ 사라짐을 비유적으로 이르는 말.

5 다음 낱말과 뜻이 알맞도록 선으로 이어 보세요.

(1) 공중 •

(2) 수포 •

(3) 미치다 •

(4) 분분하다 •

• ① 하늘과 땅 사이의 빈 곳.

• ② 영향이나 작용 등이 대상에 가해지다.

• ③ 소문, 의견 등이 많아 갈피를 잡을 수 없다.

• ④ 노력이 헛되게 된 상태를 비유적으로 이르는 말.

6 밑줄 친 낱말이 보기 와 같은 뜻으로 쓰인 것에 ○표를 해 보세요.

> 보기 조정에서는 길동을 잡으라는 명령을 내렸으나 길동의 종적을 찾을 수 없었다.

(1) 친구가 종적도 없이 사라져서 연락이 끊어졌다. ······················ ( )

(2) 세종 대왕님의 훌륭한 종적을 기리는 것은 중요하다. ················ ( )

7 '마땅하다'와 뜻이 비슷한 낱말 두 가지를 찾아 ○표를 해 보세요.

옳다

그르다

다르다

뜻밖이다

타당하다

행복하다

주어 [주인 주(主) 말씀 어(語)]
'주어'는 '문장에서 '누가', '무엇이'에 해당하는 말이에요. 동작이나 상태를 나타내는 대상인 주어에는 '이/가, 께서'가 붙어요.
예 • 새가 지저귑니다. • 아빠께서 노래를 부르십니다.

8 문장의 주어가 알맞도록 보기 에서 알맞은 말을 골라 빈칸에 써 보세요.

보기
이   가   께서

(1) 솔개 [   ] 병아리를 채어 왔다.

(2) 홍길동 [   ] 도착하자 숨어 있던 관군이 총을 쏘았다.

(3) 전하 [   ] 저를 병조 판서에 임명해 주시면 제가 스스로 잡히겠습니다.

9 짝 지어진 낱말의 관계가 보기 와 다른 것을 골라 보세요. ·······( )

보기
날씨 - 폭우

① 계절 - 겨울   ② 무기 - 총
③ 임금 - 신하   ④ 옷 - 바지

틀리기 쉬워요!

10 낱말의 뜻을 보고 문장에 알맞은 낱말에 ○표를 해 보세요.

• **해치다**: 사람의 마음이나 몸에 해를 입히다.
• **헤치다**: 앞에 걸리는 것을 좌우로 물리치다.

(1) 수많은 병사가 구름을 (해치고 / 헤치고) 나타났다.

(2) 나는 수북이 쌓인 눈을 (해치며 / 헤치며) 등교했다.

(3) 무리한 운동은 오히려 건강을 (해칠 / 헤칠) 수 있다.

스스로
붙임딱지

한자 성어

각주구검(刻 새길 각 舟 배 주 求 구할 구 劍 칼 검)

아는 어휘에 ✔ 표시를 해 보고, 어휘의 뜻을 생각하며 글을 읽어 보세요.

☐ 출세하다 ☐ 기진맥진하다 ☐ 뱃전 ☐ 요동치다 ☐ 사연 ☐ 아랑곳하다 ☐ 융통성

😊 공부한 날

월　　일

진시황이 죽고 나자 중국은 다시 여러 개의 나라로 나뉘어 끊임없이 전쟁을 벌였습니다. 이 전쟁에서 공을 세우면 누구든 장수가 되어 ❶출세할 수 있었습니다.

초나라의 한 젊은이 역시 장수가 될 꿈에 부풀어 있었습니다. 강을 건너려고 배를 탄 젊은이는 옆구리에 긴 칼을 차고 있었습니다.

"이 칼이 내가 장수가 되도록 도와줄 거야."

그러나 젊은이는 배를 타고 오래 여행해 본 적이 없었습니다. 뱃멀미로 ❷기진맥진한 젊은이는 바람을 쐬기 위해 ❸뱃전으로 나왔습니다. 그리고 옆구리에 차고 있던 칼을 잠시 풀어 둔 채 쪼그리고 앉았습니다. 그런데 그때 갑자기 큰 파도가 일어 배가 심하게 흔들렸습니다. 배가 ❹요동치자 풀어 놓았던 칼이 강물 속으로 빠져 버렸습니다. 강물 속을 들여다보던 젊은이는 서둘러 ❺품 안에서

짧은 칼을 꺼냈습니다. 그 다음, 방금 칼이 떨어진 자리를 뱃전에 표시해 두었습니다.

"배가 멈추면 이 표시를 보고 칼을 찾아야지."

배가 목적지에 도착하자 사람들은 모두 짐을 꾸려 떠났습니다. 그러나 젊은이는 자신이 표시해 놓은 뱃전에서 강물 속으로 뛰어들어 칼을 찾기 시작했습니다.

잃어버린 칼을 찾는 젊은이 주위로 구경꾼들이 몰려들었습니다. ❻사연을 들은 사람들은 젊은이를 말렸지만 젊은이는 ❼아랑곳하지 않았습니다. 이를 지켜보던 한 노인이 점잖게 타일렀습니다.

"배는 이미 칼을 빠뜨렸던 강물을 지나온 것이 아닌가? 그런데 어떻게 여기에서 칼을 찾을 수 있겠는가?"

㉠자신의 어리석음을 깨달은 젊은이는 그제야 칼을 되찾을 수 없다는 것을 알고 서둘러 그곳을 떠났습니다.

❽'각주구검'은 배에서 칼을 물속에 떨어뜨리고 그 위치를 뱃전에 표시했다가 나중에 배가 움직인 것을 생각하지 않고 칼을 찾았다는 데서 나온 말입니다. 사람들은 ❾융통성 없이 현실에 맞지 않는 낡은 생각을 고집하는 어리석음을 '각주구검'이라는 말로 표현하고 있습니다.

❶ **출세할:** 사회적으로 높은 지위에 오르거나 유명하게 될.

❷ **기진맥진한:** 힘을 모두 써서 쓰러질 것 같은 상태가 된.

❸ **뱃전:** 배의 양쪽 가장자리.

❹ **요동치자:** 심하게 흔들리거나 움직이자.

❺ **품:** 윗옷을 입었을 때 가슴과 옷 사이의 틈.

❻ **사연:** 일의 앞뒤 사정과 까닭.

❼ **아랑곳하지:** 일에 나서서 참견하거나 관심을 두지.

❽ **각주구검:** 융통성 없이 현실에 맞지 않는 낡은 생각을 고집하는 어리석음을 이르는 말.

❾ **융통성:** 그때그때의 사정과 형편을 보아 일을 처리하는 재주.

1 이 글에서 일이 일어난 차례대로 기호를 써 보세요.

> ㉮ 젊은이가 자신의 어리석음을 깨달았다.
>
> ㉯ 큰 파도가 일어 젊은이가 풀어 둔 칼이 강 속으로 빠졌다.
>
> ㉰ 젊은이가 짧은 칼을 꺼내 뱃전에 칼이 빠진 위치를 표시했다.
>
> ㉱ 목적지에 도착한 젊은이가 칼을 찾으려고 강물에 뛰어들었다.
>
> ㉲ 배를 타고 강을 건너던 젊은이가 뱃멀미가 나서 뱃전으로 나왔다.

㉲ ➜ (   ) ➜ (   ) ➜ (   ) ➜ (   )

2 ㉠이 의미하는 것은 무엇인지 골라 보세요. ──────────── (   )

① 잘못된 위치에 표시를 한 것   ② 너무 늦게 칼을 찾으러 간 것

③ 칼을 잃어버려 장수가 될 수 없는 것   ④ 뱃전에 표시한 것은 소용없는 일이었다는 것

3 한자를 뜻풀이와 알맞게 선으로 잇고, 빈칸에 알맞은 말을 써 보세요.

(1)	(2)	(3)	(4)
刻	舟	求	劍
새길 각	배 주	구할 구	칼 검

①	②	③	④
배에	표시해	칼을	찾는다

➜ '각주구검'에서 '배에 표시하는 행동'은 (5) ☐☐☐ 없이 현실에 맞지 않는 낡은

(6) ☐☐ 을 뜻한다.

4 '각주구검'과 뜻이 비슷한 한자 성어에 ○표를 해 보세요.

(1) **결초보은**(結草報恩): 죽은 뒤에라도 은혜를 잊지 않고 갚음. ─────── (   )

(2) **수주대토**(守株待兎): 한 가지 일에만 얽매여 발전을 모르는 어리석은 사람. ─── (   )

(3) **와신상담**(臥薪嘗膽): 원수를 갚거나 마음먹은 일을 이루기 위해 온갖 어려움과 괴로움을 참고
견딤. ──────────────────────── (   )

5 낱말의 뜻을 보고 빈칸에 들어갈 낱말을 써 보세요.

(1) 물살이 ☐☐ 에 부딪쳐 소리를 내며 부서졌다.
  ↳ 배의 양쪽 가장자리.

(2) 형우는 너무 답답해서 ☐☐☐ 이라고는 전혀 없다.
  ↳ 그때그때의 사정과 형편을 보아 일을 처리하는 재주.

(3) 조선 시대에는 ☐☐ 를 하려면 반드시 과거를 보아야 했다.
  ↳ 사회적으로 높은 지위에 오르거나 유명하게 됨.

6 밑줄 친 부분의 뜻으로 알맞은 것을 골라 번호를 써 보세요.

(1) 배가 심하게 요동치기 시작했다. ·································· (　　　)
  ① 심하게 흔들리거나 움직이다.
  ② 바람이나 불길, 눈보라 등이 심하게 일어나다.

(2) 그가 강물에 뛰어든 사연을 들은 사람들이 말렸지만 그는 듣지 않았다. ············ (　　　)
  ① 편지나 말의 내용.
  ② 일의 앞뒤 사정과 까닭.

7 첫 자음자를 보고 밑줄 친 부분과 뜻이 비슷한 낱말을 써 보세요.

(1) 그는 다른 사람의 의견에 관심을 가지지 않았다.　ㅇ ㄹ ㄱ ㅎ ㅈ

(2) 마라톤 선수는 심한 운동을 하여 탈진한 상태였다.　ㄱ ㅈ ㅁ ㅈ ㅎ

8 띄어쓰기를 알맞게 한 것에 ○표를 해 보세요.

(1) (그때 / 그 때) 바람이 세게 불어 배가 요동쳤다.

(2) 젊은이는 짧은 칼을 꺼냈다. (그다음 / 그 다음), 뱃전에 표시를 했다.

(3) 젊은이는 표시한 위치에서 칼을 찾았지만 (그자리 / 그 자리)에 칼은 없었다.

'그'는 다른 낱말에 붙어서 하나의 낱말이 되었을 때만 붙여 써요.

9 보기 와 낱말의 뜻을 참고하여 빈칸에 알맞은 낱말을 써 보세요.

> 보기
>
> - 꾼 { ① 어떤 일 때문에 모인 사람.
> ② 어떤 일을 즐겨 하는 사람.
> ③ 어떤 일을 전문적으로 하는 사람.

(1) 젊은이 주위로 ☐☐☐ 이 몰려들었다.
　↳ 구경하는 사람.

(2) ☐☐☐ 은 선녀의 날개옷을 몰래 숨겼다.
　↳ 땔나무를 하는 사람.

(3) ☐☐☐ 들이 모여 놓친 물고기 얘기를 나누었다.
　↳ 취미로 낚시를 가지고 고기잡이를 하는 사람.

10 다음 설명과 같이 낱말 사이에 'ㅅ'이 들어가지 <u>않는</u> 것을 골라 보세요. ·············· (　　　)

> 뜻이 있는 두 낱말을 합해서 새로운 낱말을 만들 때 뒷말의 첫소리가 된소리로 나거나 뒷말의 첫소리 'ㄴ, ㅁ' 앞에서 'ㄴ' 소리가 덧날 때, 낱말 사이에 'ㅅ'을 쓴다.
>
> 예 • 바다 + 가 → 바닷가[바다까]　　• 코 + 날 → 콧날[콘날]

① 배 + 전　　　　　　　　　② 배 + 표

③ 배 + 놀이　　　　　　　　④ 배 + 멀미

스스로
붙임딱지

전기의 시대를 연 발명가 에디슨

아는 어휘에 ✔ 표시를 해 보고, 어휘의 뜻을 생각하며 글을 읽어 보세요.

☐ 어원　☐ 언급되다　☐ 지속되다　☐ 혁신적　☐ 개량하다　☐ 기리다　☐ 소등하다

공부한 날

월　　일

　전기는 우리 생활에서 없어서는 안 될 에너지입니다. 기원전 550년경 그리스의 철학자 탈레스는 호박이라는 보석을 문지르면 가벼운 종이나 천, 실, 깃털 등을 끌어당긴다는 것을 알아냈습니다. 이것은 **❶마찰**로 인해 발생한 정전기였습니다. 그 당시 사람들은 마찰 전기를 몰랐기 때문에 호박 속에 신이 들어 있다고 여겼습니다. 호박을 뜻하는 그리스어 일렉트론은 전기 '일렉트리시티(Electricity)'의 **❷어원**이 되었습니다.

　전기가 사람들의 생활에 활발하게 이용되기 시작한 시기를 말할 때 꼭 **❸언급되는** 사람은 토마스 에디슨입니다. 에디슨이 발명한 백열전구는 지금도 흔하게 사용되고 있습니다.

▲ 에디슨

　사실 전구는 에디슨 이전에도 있었지만 일반 가정집에서 사용하기에는 너무 밝고, 전구를 설치하는 데 필요한 장비의 부피가 커서 사용하기 불편했습니다. 무엇보다 전구에 들어 있는 필라멘트의 수명이 단 몇십 분에 불과했습니다. 필라멘트는 전류가 흐르도록 백열전구 내부에 스프링처럼 꼬아 놓은 가느다란 금속선입니다. 필라멘트에 전류가 흐르면 전구에서 빛이 나옵니다. 그런데 이때 전구에서 빛만 나오는 것이 아니라 열도 같이 나옵니다. 이 때문에 뜨거워진 전구의 유리 부분을 맨손으로 만지면 화상을 입을 수 있습니다. 또, 차가운 물방울이라도 전구의 유리에 닿으면 전구가 터지면서 **❹파편**이 사방으로 튀어 위험했습니다.

　에디슨은 재료를 바꿔 가며 천여 번의 실험을 거듭했습니다. 그리고 대나무 섬유를 그을려 만든 선으로 40시간까지 **❺지속되는** 필라멘트를 개발하였습니다. 당시로는 매우 **❻혁신적인** 발명이었습니다. 이후 에디슨은 필라멘트를 다시 **❼개량해서** 전구의 수명은 훨씬 더 늘어났습니다.

　에디슨은 과학자는 아니었습니다. 하지만 그는 수없는 **❽시행착오**를 거쳐 생활에 필요한 제품, 그중에서도 전기와 관련된 제품을 많이 개발한 발명가였습니다. 에디슨은 발명할 때 수만 번의 실패를 거듭해도 포기하지 않고 끊임없이 노력했습니다. 그 결과, 에디슨은 많은 양의 전기를 모으는 축전지나 녹음된 소리를 재생하는 축음기 등 우리 생활을 편리하게 해 준 여러 가전제품을 만들었습니다. 전기의 시대를 연 에디슨이 사망하던 날, 미국 전 지역은 그를 **❾기리기** 위해 1분간 **❿소등**했습니다.

❶ **마찰**: 두 물체가 서로 닿아 비벼짐.

❷ **어원**: 어떤 말이 생겨난 근원.

❸ **언급되는**: 어떤 문제가 말하여지는.

❹ **파편**: 깨지거나 부서진 조각.

❺ **지속되는**: 어떤 상태가 오래 계속되는.

❻ **혁신적인**: 묵은 풍속, 조직, 방법 등을 완전히 바꾸어 새롭게 하는.

❼ **개량해서**: 나쁜 점을 보완하여 더 좋게 고쳐서.

❽ **시행착오**: 어떤 목표에 이르기 위해 시도와 실패를 되풀이하면서 점점 알맞은 방법을 찾는 일.

❾ **기리기**: 뛰어난 업적이나 바람직한 정신, 위대한 사람 등을 칭찬하고 기억하기.

❿ **소등했습니다**: 등불을 껐습니다.

1 **이 글의 내용으로 알맞은 것에는 ○표, 알맞지 않은 것에는 ×표를 해 보세요.**

(1) 전구를 처음 만든 사람은 에디슨이다. ———————————————————— (○ / ×)

(2) '일렉트론'은 그리스어로 '호박'이라는 뜻이다. ——————————————— (○ / ×)

(3) 에디슨은 전기의 성질을 연구하는 과학자였다. ——————————————— (○ / ×)

2 **이 글을 읽고 알 수 <u>없는</u> 내용을 골라 보세요.** ———————————— (   )

① 에디슨이 발명한 가전 제품

② 백열전구의 유리가 뜨거운 까닭

③ 에디슨이 만든 필라멘트의 재료

④ 생활 속에서 정전기를 없애는 방법

3 **다음 그림에서 필라멘트를 찾아 기호를 써 보세요.**

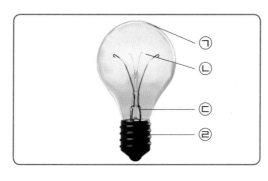

(㉠)

㉠
㉡
㉢
㉣

(   )

4 **첫 자음자를 참고하여 에디슨이 발명한 백열전구가 혁신적이라고 한 까닭을 써 보세요.**

• 당시 백열전구는 필라멘트의 (1) ［ㅅ］［ㅁ］이 몇십 분에 불과했지만, 에디슨이 발명한 전구에

들어 있는 필라멘트는 40시간까지 (2) ［ㅈ］［ㅅ］되었기 때문이다.

131

5 다음 빈칸에 들어갈 낱말을 보기 에서 골라 써 보세요.

> 보기　　　　　지속　　언급　　개량　　혁신

(1) 그 문제는 회의에서 ☐☐되지 않았다.

(2) 컴퓨터의 발명은 우리 생활을 ☐☐적으로 변화시켰다.

(3) 거센 태풍이 몰아치는 날씨가 ☐☐되어 피해가 커질 전망이다.

(4) 우리 마을은 농산물 생산을 늘리기 위해 농기구를 ☐☐하는 데 힘썼다.

6 밑줄 친 낱말과 바꾸어 쓸 수 있는 낱말을 골라 번호를 써 보세요.

(1) 전기는 우리 생활에 없어서는 안 될 에너지이다. ································ (　　　)
　　　　① 필수적인　　② 필연적인

(2) 에디슨이 발명한 백열전구는 지금도 흔하게 사용되고 있다. ··············· (　　　)
　　　　① 가끔　　② 자주

7 다음 낱말의 뜻을 보고 빈칸에 들어갈 알맞은 낱말을 써 보세요.

> • **발명**: 아직까지 없던 기술이나 물건을 새로 생각하여 만들어 냄.
> • **발견**: 미처 찾아내지 못했거나 아직 알려지지 않은 사물이나 현상, 사실 등을 찾아냄.

(1) 탐험가들은 배를 타고 새 항로를 ☐☐하였다.

(2) 에디슨은 녹음과 재생이 가능한 축음기를 ☐☐하였다.

8 밑줄 친 부분에서 띄어 써야 할 곳에 ∨표를 해 보세요.

(1) 에디슨은 천여번의 실험을 거듭했다.

(2) 과거에는 필라멘트의 수명이 단 몇십분에 불과했다.

(3) 에디슨은 발명할 때 수만번의 실패를 거듭하기도 했다.

9 다음 문장에서 맞춤법에 맞는 낱말에 ○표를 해 보세요.

(1) 뜨거운 유리를 맨손으로 만지면 { 안 / 않 } 된다.

(2) 에디슨은 포기하지 { 안고 / 않고 } 끊임없이 노력했다.

(3) 옛날에는 전구를 사용하는 것이 편하지 { 안았다 / 않았다 }.

(4) 전기는 우리 생활에 없어서는 { 안 / 않 } 되는 에너지이다.

'안' 대신 '아니', '않' 대신 '아니하'를 넣어 봐요.

10 밑줄 친 부분의 발음으로 알맞은 것을 골라 번호를 써 보세요.

(1) 전구에서는 빛과 열이 같이 나온다. ⋯⋯⋯⋯⋯⋯⋯⋯⋯⋯ (　　)
　　　① [가치]　② [가티]

(2) 굳이 그렇게 하겠다면 네 마음대로 해라. ⋯⋯⋯⋯⋯⋯ (　　)
　　　① [구디]　② [구지]

(3) 대나무의 잎은 가늘고 길며 끝이 뾰족하다. ⋯⋯⋯⋯⋯ (　　)
　　　① [끄치]　② [끄티]

(4) 이 근처에는 수박 밭이 있어서 수박값이 싸다. ⋯⋯⋯⋯ (　　)
　　　① [바치]　② [바티]

한자 어휘

'개(改)'와 '선(善)'이 들어간 말

아는 어휘에 ✓ 표시를 해 보고, 아래 활동을 하며 뜻을 익혀 보세요.

☐ 개선   ☐ 개정   ☐ 개명   ☐ 개혁   ☐ 선악   ☐ 선의   ☐ 최선   ☐ 개과천선

改
고칠 **개**

'개(改)' 자는 '고치다'나 '바꾸다'라는 뜻을 가진 글자예요. 여기에서 '바꾸다'라는 말은 고쳐서 새롭게 한다는 뜻이지요.

순서대로 써 봐요.

고칠 **개**

'개선'은 '잘못된 것이나 부족한 것, 나쁜 것 등을 고쳐 더 좋게 만듦.'이라는 뜻이에요.

● 개(改)가 들어간 낱말은 '고치다'라는 뜻을 가지고 있는 경우가 많아요.

개 정
고칠 改   바를 正

뜻 주로 문서의 내용 등을 고쳐 바르게 함.
예 책 내용을 개정해서 출간했다.

개 명
고칠 改   이름 名

뜻 이름을 고침.
예 삼촌이 개명 신청을 하셨다.

개 혁
고칠 改   가죽 革

뜻 제도나 기구 등을 새롭게 뜯어고침.
예 낡은 제도는 개혁해야 해.

화폐 개혁은 돈의 가치를 조절하는 거야.

'개(改)'와 '선(善)'을 활용한 말로 '개과천선'이라는 말이 있어요.

개	과	천	선
고칠 改	지날 過	옮길 遷	착할 善

'개과천선'은 '지난날(過)의 잘못이나 허물을 고쳐(改) 올바르고 착하게(善) 됨(遷).'을 뜻해요.

'개과자신(改過自新)'은 잘못을 고치고 스스로 새로운 사람이 되었다는 뜻으로, '개과천선'과 비슷한 말이에요.

환경 문제를 개선하기 위해 노력하자.

善
착할 선

이 한자에는 '양 양(羊)' 자가 들어 있어요. 온순한 동물인 양처럼 '착하다', '좋다', '적합하다'라는 뜻을 가지고 있어요.

善
착할 선

● 선(善)이 들어간 낱말은 '착하다'라는 뜻을 나타내는 경우가 많아요.

선 악	
착할 善 　 악할 惡	뜻 착한 것과 악한 것을 아울러 이르는 말. 예 선악을 가리다.

선 의	
착할 善 　 뜻 意	뜻 착한 마음. 좋은 뜻. 예 선의의 경쟁을 펼쳐 보자.

최 선	
가장 最 　 착할 善	뜻 가장 좋고 훌륭함. 온 정성과 힘. 예 이것이 최선의 해결 방법일까?

최선을 다해서 연습했어요!

135

1 빈칸에 들어갈 글자를 한글로 써 보세요.

[　　] + 명(名) ── 이름을 고침.

혁(革) ── 불합리한 제도나 기구 등을 새롭게 고침.

2 빈칸에 들어갈 알맞은 낱말을 보기 에서 골라 써 보세요.

보기　　　　　　　　　　개정　　　선의　　　선악

(1) 그 국회의원은 법을 [　][　]하기 위해 힘썼다.

(2) 저희에게 이렇게 [　][　]를 베풀어 주셔서 감사합니다.

3 보기 와 낱말의 뜻을 참고하여 빈칸에 알맞은 낱말을 써 보세요.

보기

善 ↔ 惡
착할 선　　악할 악

(1) [　][　] ↔ 개악
↳ 잘못된 것이나 부족한 것, 나쁜　　↳ 고치어 도리어 나빠지게 함.
　것 등을 고쳐 더 좋게 만듦.

(2) 최선 ↔ [　][　]
↳ 가장 좋고 훌륭함.　　↳ 가장 나쁨.

4 첫 자음자를 참고하여 알맞은 낱말을 써 보세요.

• 자기만 알던 욕심쟁이 스크루지는 악몽에서 깨어난 후 [ㄱ][ㄱ][ㅊ][ㅅ]하여 이웃을 돕는
착한 사람이 되었다.

5 빈칸에 알맞은 낱말을 보기 에서 골라 써 보세요.

보기   개선   개혁   선의   최선

영조의 개혁 정치
• 많은 책을 펴내 학문과 제도를 발전시킴.
• 붕당의 다툼을 막고 왕권을 튼튼히 하려고 탕평책을 실시함.
• 세금 제도를 바꾸어 세금을 줄이고 백성들의 생활을 안정시킴.

어떤 (①   ) 정치를 하셨나요?

탕평책으로 왕권을 튼튼히 하려고 (②   )을 다했지요.

탕평책은 무엇인가요?

붕당을 구별하지 않고, 능력에 따라 나랏일을 할 신하를 고루 뽑는 것입니다.

백성들을 위해서는 어떤 일을 하셨나요?

세금 제도를 (③   )했지요.

그 까닭은 무엇인가요?

백성들의 생활에 도움을 주려는 (④   ) 때문입니다.

눈의 종류를 알아보아요!

힌겨울 나뭇가지에 피어난 눈꽃은 정말 아름다워요. 소복소복 눈이 쌓이면 친구들과 눈싸움을 하거나 눈사람을 만들며 즐거운 시간을 보낼 수 있어요. 눈의 종류를 표현한 여러 가지 낱말을 알아볼까요?

- **가랑눈:** 조금씩 잘게 내리는 눈.
- **눈꽃:** 나뭇가지 등에 ☐이 핀 것처럼 엉킨 눈.
- **눈보라:** 바람에 불리어 휘몰아쳐 날리는 눈.
- **도둑눈:** 밤사이에 사람들이 모르게 내린 눈.
- **만년설:** 아주 추운 지방이나 높은 산지에 언제나 녹지 않고 쌓여 있는 눈.
- **묵은눈:** 쌓인 눈이 오랫동안 녹지 않고 얼음처럼 된 것.
- **☐☐눈:** 발등까지 빠질 정도로 비교적 많이 내린 눈.
- **봄눈:** ☐철에 오는 눈. 춘설.
- **싸라기눈:** 빗방울이 갑자기 찬 바람을 만나 얼어 떨어지는 쌀알 같은 눈.
- **진눈깨비:** 비가 섞여 내리는 눈.
- **☐눈:** 그해 겨울이 시작된 후 처음으로 내리는 눈.
- **폭설:** 갑자기 많이 내리는 눈.
- **함박눈:** 굵고 탐스럽게 내리는 눈.

와, 첫눈이 내린다!

함박눈이라 더 예쁜걸?

내일 아침엔 발등눈이 되어 있겠어.

꽃 / 묵은 / 봄봄 / 첫 : 답정

7주 어휘 미리보기

뜻을 알고 있는 낱말에 V표 해 보세요.
알고 있는 낱말은 글에서 어떻게 쓰였는지 확인하고,
모르는 낱말은 글을 읽으며 재미있게 익혀 보아요.

	배울 내용	배울 낱말		공부한 날
Day 31	속담 **모난 돌이 정 맞는다**	☐ 통제하다 ☐ 신임 ☐ 편애하다 ☐ 꾀하다	☐ 진압하다 ☐ 평탄하다 ☐ 견제하다 ☐ 두각	월 일
Day 32	관용어 **침이 마르다**	☐ 염려 ☐ 천연덕스레 ☐ 어수룩하다 ☐ 다시없다	☐ 어련히 ☐ 본시 ☐ 설혹 ☐ 암팡스레	월 일
Day 33	한자 성어 **지록위마(指鹿爲馬)**	☐ 보필하다 ☐ 권력 ☐ 야심 ☐ 흐지부지	☐ 어질다 ☐ 비위 ☐ 가려내다 ☐ 농락하다	월 일
Day 34	교과 어휘 – 사회 **다양한 문화를 존중해요**	☐ 익살스럽다 ☐ 추임새 ☐ 총칭하다 ☐ 심경	☐ 능청스럽다 ☐ 향신료 ☐ 왜곡하다 ☐ 잦아지다	월 일
Day 35	한자 어휘 **'필(必)'과 '요(要)'가 들어간 말**	☐ 필요 ☐ 필승 ☐ 중요 ☐ 요점	☐ 필수 ☐ 하필 ☐ 요구 ☐ 필수 요소	월 일

속담

모난 돌이 정 맞는다

아는 어휘에 ✔ 표시를 해 보고, 어휘의 뜻을 생각하며 글을 읽어 보세요.

☐ 통제하다 ☐ 진압하다 ☐ 신임 ☐ 편애하다 ☐ 견제하다 ☐ 꾀하다 ☐ 두각

🕐 공부한 날

월 　 일

강원도 춘천에 있는 남이섬은 우리나라의 대표적인 관광지 중 하나입니다. 드라마 촬영지로 유명해지면서 외국인 관광객도 많이 찾는 곳입니다. 그런데 이 섬은 왜 남이섬이라고 불리게 되었을까요? 남이섬 북쪽 언덕에는 돌무더기가 있는데, 이것이 남이 장군의 묘라는 이야기가 전해지면서 남이섬이 되었다고 합니다.

남이는 조선 전기에 살았던 인물로, 10대 때 무관(군사 일을 맡아 보는 관리)을 뽑는 시험에 합격했습니다. 어린 나이에 무관이 된 남이는 북방 세력을 ❶통제하는 장군으로 활약했습니다. 남이는 지방 호족이 일으킨 반란을 ❷진압하고, 북방의 여진족을 무찌르는 공을 세웠습니다. 이렇게 공을 세운 남이는 당시 왕이었던 세조의 ❸신임을 얻었습니다.

남이는 왕궁을 지키는 일까지 맡아 빠르게 높은 벼슬에 올랐습니다. 그러나 남이의 삶이 계속 ❹평탄하기만 한 것은 아니었습니다. 궁에서 열린 연회에서 술에 취해 세조에게 다른 신하를 ❺편애한다고 불평했다가 감옥에 갇힌 적도 있었습니다. 남이는 27세에 병조 판서의 자리에 올랐지만 다른 신하들의 반대로 금세 물러나야 했습니다. ❻엎친 데 덮친 격으로, 남이는 역모로 고발당하기까지 했습니다. 세조가 죽고 예종이 왕위에 오르자 남이를 ❼견제하던 신하들이 남이를 모함한 것입니다. 결국 남이는 반역을 ❽꾀했다는 죄로 처형되고 말았습니다.

무술 실력이 뛰어났지만 젊은 나이에 죽은 남이의 이야기는 "❾모난 돌이 정 맞는다."라는 속담과 연결됩니다. '정'은 돌에 구멍을 뚫거나 돌을 쪼아서 다듬을 때 쓰는 쇠로 만든 기구를 말합니다. 돌에 튀어나온 부분이 있으면 정으로 다듬어 없앤다는 말로, ❿두각을 나타내는 사람이 남에게 미움을 받게 된다는 뜻으로 쓰입니다. 모난 돌이 정을 맞는 것처럼 남이는 뛰어난 능력으로 왕의 사랑을 받았지만 다른 신하들의 미움을 샀고, 끝내는 죽임을 당했습니다. 이와 비슷한 속담으로 "나무도 쓸 만한 것이 먼저 베인다.", "곧은 나무 쉬 꺾인다."가 있습니다. 두 속담은 능력 있는 사람이 일찍 죽음을 비유적으로 이르는 말이니, 남이의 삶과 닮아 있다고 할 수 있습니다.

❶ 통제하는: 어떤 방침이나 목적에 따라 행위를 하지 못하게 막는.

❷ 진압하고: 강제로 억눌러 진정시키고.

❸ 신임: 믿고 일을 맡김. 또는 그 믿음.

❹ 평탄하기만: 일이 순조롭게 되어 나가는 데가 있기만.

❺ 편애한다고: 어느 한 사람이나 한쪽만을 치우치게 사랑한다고.

❻ 엎친 데 덮친: 어렵거나 나쁜 일이 겹치어 일어난.

❼ 견제하던: 상대편이 지나치게 세력을 펴거나 자유롭게 행동하지 못하게 억누르던.

❽ 꾀했다는: 어떤 일을 이루려고 뜻을 두거나 힘을 썼다는.

❾ 모난 돌이 정 맞는다: 두각을 나타내는 사람이 남에게 미움을 받게 된다는 말.

❿ 두각: 짐승의 머리에 있는 뿔. 뛰어난 학식이나 재능을 비유적으로 이르는 말.

1 이 글의 내용으로 알맞은 것에 ○표, 알맞지 않은 것에 ×표를 해 보세요.

(1) 세조 때 다른 민족의 침입과 호족의 반란이 있었다. ⸻⸻⸻⸻ (○ / ×)

(2) 남이 장군은 남몰래 반역을 꾀했다가 들켜서 처형당했다. ⸻⸻⸻ (○ / ×)

(3) 남이 장군이 높은 벼슬에 오르자 불만을 말한 신하들이 감옥에 갇혔다. ⸻⸻⸻ (○ / ×)

2 글을 읽고 짐작한 내용을 잘못 말한 사람의 이름을 써 보세요.

> **예린**: 남이 장군은 결국 권력 다툼으로 희생되었군.
>
> **소라**: 남이 장군은 주변 사람들에게 언제나 좋은 평가를 받았구나.
>
> **진수**: 남이 장군은 어지러운 국가 상황을 안정시키는 데 큰 역할을 했군.
>
> **명철**: 남이 장군은 하지도 않은 일 때문에 죽임을 당해서 많이 억울했을 것 같아.

(   )

3 보기 에서 알맞은 낱말을 골라 남이 장군의 삶을 정리해 보세요.

보기	벼슬 무관 역모 진압

10대 때 (1) ☐☐ 을 뽑는 시험에 합격했다.

↓

반란군을 (2) ☐☐ 하는 데 공을 세워 세조의 신임을 얻었다.

↓

어린 나이에 빠르게 높은 (3) ☐☐ 에 올랐다.

↓

(4) ☐☐ 로 고발당하여 반역 죄로 처형되었다.

141

4 다음 낱말과 뜻이 알맞도록 선으로 이어 보세요.

(1) 견제 •

(2) 모함 •

(3) 신임 •

• ① 믿고 일을 맡김. 또는 그 믿음.

• ② 나쁜 꾀로 남을 어려운 처지에 빠지게 함.

• ③ 상대편이 지나치게 세력을 펴거나 자유롭게 행동하지 못하게 억누름.

5 빈칸에 들어갈 알맞은 낱말을 보기 에서 골라 써 보세요.

보기	두각	편애	진압

(1) 할아버지께서는 동생만 ☐☐하신다.

(2) 그는 싸우지도 않고 반란을 ☐☐하는 공을 세웠다.

(3) 진구는 축구에 이어서 농구와 야구에서도 ☐☐을 나타냈다.

6 "모난 돌이 정 맞는다."라는 속담을 알맞게 사용한 사람의 이름을 써 보세요.

은주: 모난 돌이 정 맞는 법이라고 수영을 잘한다고 자랑을 늘어놓던 현수가 꼴찌를 했지 뭐야.

영아: 모난 돌이 정 맞는다고 미경이는 전학 오자마자 전교 일 등을 차지해 아이들의 시샘을 받았어.

재헌: 모난 돌이 정 맞는다더니, 노래를 잘하는 연재는 쉬지 않고 연습해서 이번 노래자랑에서 일 등을 했대.

( )

7 밑줄 친 낱말의 종류가 나머지와 <u>다른</u> 하나를 골라 보세요. ············· (   )

① 남이는 북방의 여진족을 <u>무찔렀다</u>.

② 남이는 <u>어린</u> 나이에 무관이 되었다.

③ 왕에게 불평한 남이는 감옥에 <u>갇혔다</u>.

④ 남이섬은 외국인 관광객이 많이 <u>찾는</u> 곳이다.

이어 주는 말

이어 주는 말은 두 개의 문장을 나란히 이어서 쓸 때 사용하는 말이에요. 앞뒤 문장이 어떤 내용으로 이어지는지에 따라 써야 하는 이어 주는 말의 종류가 달라요.

그리고	내용이 비슷한 문장	그러나	내용이 반대되는 문장
그래서	원인 + 결과	왜냐하면	결과 + 원인

8 빈칸에 들어갈 알맞은 이어 주는 말을 보기 에서 찾아 써 보세요.

> **보기**   그래서   그러나   그리고   왜냐하면

(1) 남이는 북방 세력을 통제하는 데 큰 공을 세웠다. [   ] 남이는 세조의 신임을 얻었다.

(2) 남이는 어린 나이에 높은 벼슬에 올랐다. [   ] 남이는 다른 신하들의 모함을 받아 처형되었다.

틀리기 쉬워요!

9 다음 문장에 알맞은 낱말을 골라 ○표를 해 보세요.

(1) 약을 먹은 효과가 (금새 / 금세) 나타났다.

(2) 어젯밤 강풍에 가로수의 나뭇가지들이 많이 (꺽였다 / 꺾였다).

(3) 집에 불이 나서 재산도 잃고 가족도 잃었으니 그야말로 (업친 / 엎친) 데 덮친 격이다.

관용어

침이 마르다

아는 어휘에 ✔ 표시를 해 보고, 어휘의 뜻을 생각하며 글을 읽어 보세요.

☐ 염려 ☐ 천연덕스레 ☐ 본시 ☐ 어수룩하다 ☐ 설혹 ☐ 다시없다 ☐ 암팡스레

🕐 **공부한 날**

월   일

우리가 이 동리에 들어온 것은 삼 년 가까이 되어 오지만 여태껏 가무잡잡한 점순이의 얼굴이 이렇게까지 홍당무처럼 새빨개진 법이 없었다. 게다 눈에 독을 올리고 한참 나를 요렇게 쏘아보더니 나중에는 눈물까지 어리는 것이 아니냐. 그리고 바구니를 다시 집어 들더니 이를 꼭 악물고는 엎어질 듯 자빠질 듯 논둑으로 쌩하게 달아나는 것이다.

어쩌다 동네 어른이, / "너 얼른 시집가야지?" / 하고 웃으면

"❶염려 마세유. 갈 때 되면 ❷어련히 갈라구……."

이렇게 ❸천연덕스레 받는 점순이었다. ❹본시 부끄럼을 타는 계집애도 아니거니와 또 한 분하다고 눈에 눈물을 보일 ❺어수룩한 성격도 아니다. 분하면 차라리 내 등허리를 바구니로 한번 매섭게 후려치고 달아날지언정.

그런데 고약한 그 꼴을 하고 가더니 그 뒤로는 나를 보면 잡아먹으려고 기를 ❻복복 쓰는 것이다. ❼설혹 주는 감자를 안 받아먹는 것이 실례라 하면 주면 그냥 주었지 "느 집엔 이거 없지."는 다 뭐냐. 그렇잖아도 저희는 마름(땅 주인을 대신하여 농지를 관리하는 사람)이고 우리는 그 밑에서 땅을 ❽부치므로 일상 굽신거린다. 우리가 이 마을에 처음 들어와 집이 없어서 곤란하게 지낼 때 집터를 빌리고 그 위에 집을 또 짓도록 마련해 준 것도 점순네의 ❾호의였다. 그리고 우리 어머니 아버지도 농사 때 양식이 모자라면 점순네한테 가서 부지런히 꾸어다 먹으면서 인품 그런 집은 ❿다시없으리라고 ⓫침이 마르도록 칭찬하곤 하는 것이다. 그러면서도 열일곱씩이나 된 것들이 수군수군하고 붙어 다니면 동리의 소문이 사납다고 주의를 시켜 준 것도 어머니였다. 왜냐하면 내가 점순이하고 일을 저질렀다가는 점순네가 노할 것이고, 그러면 우리는 땅도 떨어지고 집도 내쫓기고 하지 않으면 안 되는 까닭이었다.

그런데 이놈의 계집애가 까닭 없이 기를 복복 쓰며 나를 말려 죽이려고 드는 것이다.

눈물을 흘리고 간 담날 저녁나절이었다. 나무를 한 짐 잔뜩 지고 산을 내려오려니까 어디서 닭이 죽는 소리를 친다. 이거 뉘 집에서 닭을 잡나, 하고 점순네 울 뒤로 돌아오다가 나는 고만 두 눈이 뚱그레졌다. 점순이가 저희 집 봉당(마루를 깔지 않은 흙바닥으로 된 방)에 홀로 걸터앉았는데 이게 치마 앞에다 우리 씨암탉을 꼭 붙들어 놓고는,

"이놈의 닭! 죽어라, 죽어라."

요렇게 ⓬암팡스레 패주는 것이 아닌가. 그것도 대가리나 치면 모른다마는 아주 알도 못 낳으라고 그 볼기짝께를 주먹으로 콕콕 쥐어박는 것이다.

– 김유정, 「동백꽃」 중에서

❶ **염려**: 앞일에 대하여 여러 가지로 마음을 써서 걱정함.

❷ **어련히**: 따로 걱정하지 아니하여도 잘될 것이 명백하거나 뚜렷하게.

❸ **천연덕스레**: 생긴 그대로 조금도 거짓이나 꾸밈이 없고 자연스러운 느낌이 있게.

❹ **본시**: 처음 또는 근본부터.

❺ **어수룩한**: 겉모습이나 말, 행동이 치밀하지 못하여 순진하고 어설픈 데가 있다.

❻ **복복**: 귀찮을 만큼 번거로이.

❼ **설혹**: 가정해서 말하여.

❽ **부치므로**: 논밭을 이용하여 농사를 지으므로.

❾ **호의**: 친절한 마음씨. 또는 좋게 생각하여 주는 마음.

❿ **다시없으리라고**: 그보다 더 나은 것이 없으리라고.

⓫ **침이 마르도록**: 다른 사람이나 물건에 대하여 거듭해서 말하도록.

⓬ **암팡스레**: 몸은 작아도 야무지고 다부진 면이 있게.

1 이 글의 내용으로 알맞은 것에 ○표, 알맞지 않은 것에 ×표를 해 보세요.

(1) '나'와 점순이는 둘 다 17세이다. ⋯⋯⋯⋯⋯⋯⋯⋯⋯⋯⋯⋯⋯⋯⋯⋯⋯⋯⋯⋯ (○ / ×)

(2) '나'는 점순네 땅을 빌려 농사짓는 마름의 아들이다. ⋯⋯⋯⋯⋯⋯⋯⋯⋯ (○ / ×)

(3) '나'는 점순이 얼굴이 빨개지는 모습을 3년 동안 자주 보았다. ⋯⋯⋯⋯ (○ / ×)

2 글을 읽고 사건이 일어난 차례대로 기호를 써 보세요.

> ㉮ 나는 점순이가 준 감자를 받아먹지 않고 거절하였다.
>
> ㉯ 나의 가족은 이 마을로 이사 와 점순네에게 집터를 빌려 집을 지었다.
>
> ㉰ 점순이가 우리 씨암탉을 붙들어 놓고는 볼기짝께를 콕콕 쥐어박았다.
>
> ㉱ 얼굴이 홍당무처럼 새빨개진 점순이는 나를 쏘아보더니 논둑으로 달아났다.

(   ) ➡ (   ) ➡ (   ) ➡ (   )

3 알맞은 말에 ○표를 하여 다음 대화를 완성해 보세요.

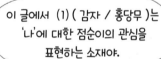

이 글에서 (1) (감자 / 홍당무)는 '나'에 대한 점순이의 관심을 표현하는 소재야.

'나'는 점순이가 하는 행동이 무슨 뜻인지 알아차리지 못하는 것으로 보아 (2) (맹랑한 / 어수룩한) 성격이야.

4 '침이 마르다'를 알맞게 사용하지 <u>못한</u> 사람은 누구인지 이름을 써 보세요.

> **혜진**: 너무 배고파서 침이 마르도록 밥을 먹었지 뭐야.
>
> **지윤**: 윤정이는 새로 산 자전거 자랑에 아주 침이 마르더라.

(   )

5 다음 낱말과 뜻이 알맞도록 선으로 이어 보세요.

(1) 본시 •

(2) 복복 •

(3) 설혹 •

(4) 홀로 •

• ① 자기 혼자서만.

• ② 가정해서 말하여.

• ③ 귀찮을 만큼 번거로이.

• ④ 처음부터 또는 근본부터.

6 다음 문장에 어울리는 낱말에 ○표를 해 보세요.

(1) 할머니께서 베풀어 주신 (마름 / 호의)에 감사 인사를 드렸다.

(2) 미나가 너무 (암팡스레 / 천연덕스레) 거짓말을 해서 모두 속고 말았다.

(3) 관객들은 배우의 연기가 뛰어나다고 침이 (고이도록 / 마르도록) 칭찬을 했다.

(4) 나는 점순이가 우리 집 닭을 붙들고 패는 모습을 보고 눈이 (높아졌다 / 뚱그레졌다).

7 '부치다'가 보기 의 뜻으로 쓰인 문장에 ○표를 해 보세요.

> 보기 **부치다**: 논밭을 이용하여 농사를 짓다.

(1) 윤수가 그 일을 하기에는 힘에 부친다. ·· (   )

(2) 아버지는 늘 아들에게 용돈과 학비를 부치셨다. ····························· (   )

(3) 할아버지는 부쳐 먹을 땅이 한 평도 없는 처지를 슬퍼하셨다. ········· (   )

146

8 다음 문장에 알맞은 표현에 ○표를 해 보세요.

(1) 선생님께서는 천천히 가라고 $\left\{\begin{array}{l} 주위 \\ 주의 \end{array}\right\}$를 주셨다.

(2) 우리 이모께서는 쌍둥이를 $\left\{\begin{array}{l} 낫고 \\ 낳고 \end{array}\right\}$ 정말 기뻐하셨다.

(3) 옆집은 사위가 온다고 $\left\{\begin{array}{l} 씨암닭 \\ 씨암탉 \end{array}\right\}$을 잡느라 소란을 피웠다.

7주차
Day 32
정답과 해설 34쪽

9 밑줄 친 부분에서 띄어 써야 할 곳에 ∨표를 해 보세요.

(1) 점순이는 까닭없이 나를 말려 죽이려고 들었다.
(2) 점순이는 엎어질듯자빠질듯 논둑으로 달아났다.
(3) 점순이는 닭이 알도 못낳으라고 볼기짝께를 쥐어박았다.

> **복합어**[겹칠 복(複) 합할 합(合) 말씀 어(語)]
> '사과나무', '검붉다'처럼 뜻이 있는 두 낱말을 합한 낱말과 '맨주먹', '햇밤', '덧신'처럼 뜻을 더해 주는 말과 뜻이 있는 낱말을 합한 낱말을 복합어라고 해요.

10 보기 와 같이 복합어를 낱말의 짜임에 따라 나눈 것으로 알맞지 <u>않은</u> 것을 골라 보세요. ( )

보기	눈물 = 눈 + 물	들어오다 = 들어+오다

① 논 + 둑
② 등 + 허리
③ 다시 + 없다
④ 잡 + 아먹다

😊 맞은 개수 _____ /10개   **147**

한자 성어

지록위마(指 가리킬 지 鹿 사슴 록 爲 할 위 馬 말 마)

아는 어휘에 ✔ 표시를 해 보고, 어휘의 뜻을 생각하며 글을 읽어 보세요.

☐ 보필하다　☐ 어질다　☐ 비위　☐ 야심　☐ 가려내다　☐ 흐지부지　☐ 농락하다

공부한 날

월　　일

---

❶ **보필하던**: 윗사람의 일을 돕던.

❷ **어질고**: 마음이 너그럽고 착하며 슬기롭고 덕이 높고.

❸ **간신**: 자기의 이익을 위하여 나쁜 꾀를 부리는 등 마음이 바르지 않은 신하.

❹ **권력**: 남을 복종시키거나 지배할 수 있는 사회적인 권리와 힘.

❺ **비위**: 어떤 것을 좋아하거나 싫어하는 성미. 또는 그러한 기분.

❻ **야심**: 무엇을 이루어 보겠다고 마음속에 품고 있는 욕망이나 소망.

❼ **가려낼**: 여럿 가운데서 일정한 것을 골라낼.

❽ **흐지부지**: 확실하게 하지 못하고 흐리멍덩하게 넘어가거나 넘기는 모양.

❾ **농락하여**: 남을 교묘한 꾀로 휘어잡아서 제 마음대로 놀리거나 이용하여.

❿ **지록위마**: 윗사람을 농락하여 권세를 마음대로 함을 이르는 말.

　진나라에 시황제를 ❶보필하던 조고라는 신하가 있었습니다. 시황제가 병에 걸려 죽자, 조고는 권력을 차지하려고 계략을 꾸몄습니다. 황제의 유언을 거짓으로 꾸며 진시황의 큰아들 부소를 자결하게 하고, 둘째 아들 호해를 황제 자리에 앉혔습니다. ❷어질고 백성을 위하던 부소보다 어리석은 호해가 다루기 쉬웠기 때문이었습니다.

　호해는 황제가 되어서도 나랏일에는 관심이 없고 잔치를 벌이는 일에만 열중했습니다.

　"나는 정치를 잘 모르겠소. 모두 그대가 뜻대로 하시오."

　"폐하의 뜻을 받들겠습니다."

　❸간신 조고는 호해를 위하는 척하면서 모든 ❹권력을 차지했습니다. 또한, 자신과 뜻이 맞지 않는 신하들을 모두 내쫓고 ❺비위를 맞추는 사람들만 주변에 남겼습니다.

　조고는 진나라에서 가장 높은 벼슬인 승상에 올랐지만 이에 만족하지 못하고 더 큰 ❻야심을 가졌습니다. 조고는 황제 자리까지 넘보며 신하들 중 자기편이 될 사람이 누구일지 ❼가려낼 꾀를 생각해 냈습니다.

　어느 날, 조고는 호해 앞에 사슴을 데려와서 이렇게 말했습니다.

　"폐하께 드릴 말을 가져왔습니다."

　"이것이 어찌 말이오? 승상의 농담이 지나치구려. 그대들이 보기엔 어떻소?"

　조고가 사슴을 말이라고 우기자 호해는 웃으며 다른 신하들에게 물었습니다. 신하들은 모두 조고의 눈치를 살피며 대답을 피

하거나 말이라고 대답하였습니다. 사슴을 사슴이라고 말하는 자는 얼마 되지 않았습니다. 호해는 정말 자신이 말을 사슴으로 잘못 보고 있는 건 아닌지, 자신의 눈을 의심할 지경이었습니다. 그러나 조고의 말에 반대할 용기도 없었습니다.

　결국 호해는 "신기하게 생겼구나. 대체 저것이 사슴이오, 말이오?"라고 하며 조고의 거짓말을 ❽흐지부지 넘겨 버렸습니다. 황제인 호해까지 조고의 눈치를 살피자, 조고는 아무 거리낌 없이 사슴을 사슴이라고 말한 신하들을 모두 없애 버렸습니다. 이제 조고의 권력은 더욱 강해져 황제와 다를 바 없이 되었습니다.

　이후 사슴을 가리켜 말이라고 한다는 뜻으로, 윗사람을 ❾농락하여 권세를 휘두르는 것을 '❿지록위마(指鹿爲馬)'라고 일컫게 되었습니다.

1 이 글의 내용으로 알맞은 것에 ○표, 알맞지 않은 것에 ×표를 해 보세요.

(1) 시황제는 부소보다 호해가 황제가 되기를 원했다. ──────────────── (○ / ×)

(2) 조고는 자신과 뜻이 맞는 사람들만 주변에 두었다. ──────────────── (○ / ×)

(3) 호해와 신하들은 사슴을 처음 보아서 무슨 동물인지 몰랐다. ────────── (○ / ×)

2 이 글에 대한 자신의 생각이나 느낌을 알맞게 말하지 <u>못한</u> 사람의 이름을 써 보세요.

조고가 호해를 황제로 만든 것은 결국 자기 마음대로 조종해 나라의 권력을 차지하기 위해서였어.

지영

조고는 신하들에게 사슴과 말도 구별하지 못하는 어리석은 황제의 모습을 보여 주어 자신이 황제보다 낫다는 것을 알리려고 했군.

윤철

신하들이 사슴을 말이라고 하자 호해가 혼란스러워하는 것을 보니 가짜 뉴스도 여러 사람이 진짜라고 말하면 사실이라고 믿을 것 같아.

현정

(   )

3 다음 한자와 뜻풀이가 알맞도록 선으로 잇고, 첫 자음자를 참고하여 빈칸을 채워 보세요.

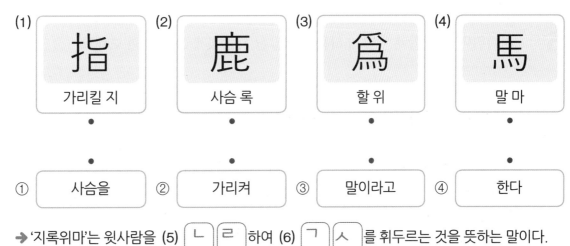

(1) 指
가리킬 지

(2) 鹿
사슴 록

(3) 爲
할 위

(4) 馬
말 마

① 사슴을

② 가리켜

③ 말이라고

④ 한다

➜ '지록위마'는 윗사람을 (5) ㄴㄹ 하여 (6) ㄱㅅ 를 휘두르는 것을 뜻하는 말이다.

149

4 다음 낱말과 뜻이 알맞도록 선으로 이어 보세요.

(1) 보필하다 •

(2) 농락하다 •

(3) 가려내다 •

• ① 윗사람의 일을 돕다.

• ② 여럿 가운데서 일정한 것을 골라내다.

• ③ 남을 교묘한 꾀로 속여 제 마음대로 놀리거나 이용하다.

5 밑줄 친 부분과 바꾸어 쓸 수 있는 말을 골라 번호를 써 보세요.

(1) 조고는 황제 자리를 넘보며 꾀를 생각해 냈다. ·························· (   )
　　　　　　① 얕보며　　② 탐내며

(2) 조고는 자신의 비위를 맞추는 사람들만 주변에 남겼다. ·········· (   )
　　　　　　① 조건　　② 기분

(3) 진시황의 큰아들 부소는 어질고 백성을 위하던 사람이었다. ···· (   )
　　　　　　① 슬기롭고　　② 어리석고

(4) 조고는 승상이 된 것에 만족하지 못하고 더 큰 야심을 가졌다. ·· (   )
　　　　　　① 원망　　② 욕망

6 '지록위마'를 상황에 알맞게 사용하여 말한 사람에게 ○표를 해 보세요.

유정: 줄넘기를 하면 재미있을 뿐만 아니라 몸도 건강하게 할 수 있으니 지록위마가 아니겠니?	혜나: 장군이 태양을 보고 달이라고 하면, 부하들은 달이 밝다며 맞장구를 쳐 주니 지록위마라고 할 만하네.	민율: 달리는 말에 채찍질하듯이 자신의 실력에 만족하지 않고 계속 노력하는구나. 이런 것이 바로 지록위마지.
( )	( )	( )

7 밑줄 친 낱말을 맞춤법에 맞게 고쳐 써 보세요.

(1) 호해는 황제가 <u>되서도</u> 나랏일에 관심이 없었다. ➔ (   )

(2) 조고는 승상이 <u>됬지만</u> 만족하지 못하고 더 큰 야심을 품었다. ➔ (   )

(3) 신하들 중에서 사슴을 사슴이라고 말하는 사람은 얼마 <u>돼지</u> 않았다. ➔ (   )

8 낱말의 뜻을 보고 문장에 어울리는 낱말을 골라 ○표를 해 보세요.

> • **벌이다**: ① 일을 계획하여 시작하거나 펼쳐 놓다. ② 전쟁이나 말다툼 등을 하다.
> • **벌리다**: ① 둘 사이를 넓히거나 멀게 하다. ② 껍질 등을 열어 젖혀서 속의 것을 드러내다.

(1) 밤송이를 (벌이고 / 벌리고) 알밤을 꺼냈다.

(2) 온 동네 사람들이 모여 잔치를 (벌였다 / 벌렸다).

(3) 만나기만 하면 입씨름을 (벌이는 / 벌리는) 분들이다.

9 다음 중 알맞은 표현에 ○표를 해 보세요.

(1) 호해는 { 나라일 / 나랏일 }에 관심이 없었다.

(2) { 위사람 / 윗사람 }을 농락하여 권세를 휘두르는 일을 '지록위마'라고 한다.

'웃어른' vs '윗어른' 결과는?

나이나 지위가 높은 어른을 뜻하는 낱말은 '웃어른'이 알맞은 표현이지만 '윗어른'이라고 잘못 쓰기도 해요. 위, 아래가 구분되는 낱말에는 '윗'을 쓰고, 그렇지 않은 경우에는 '웃'을 써요.

• {웃어른(○) / 윗어른(×)} 말씀은 잘 새겨들어야 한다.
• 아랫사람은 {웃사람(×) / 윗사람(○)}에게 대들면 안 된다.

다양한 문화를 존중해요

아는 어휘에 ✔ 표시를 해 보고, 어휘의 뜻을 생각하며 글을 읽어 보세요.

☐ 익살스럽다 　☐ 능청스럽다 　☐ 추임새 　☐ 총칭하다 　☐ 왜곡하다 　☐ 심경

공부한 날

월　　일

「카레」라는 대중가요를 들어 본 적이 있나요? 우리가 즐겨 먹는 음식인 카레를 소재로 만든 신나고 재미있는 노래입니다. 이 노래를 부른 가수는 ❶익살스러운 옷을 입고 ❷능청스럽게 공연하는 모습으로도 유명합니다.

그런데 이 노래가 ❸도마 위에 오른 적이 있습니다. 이 노래에는 '타지마할', '나마스테', '샨티', '소고기는 넣지 않아' 등의 가사가 포함되어 있습니다. '타지마할'은 인도의 대표적인 건축물이고, '나마스테'는 인도의 인사말, '샨티'는 인도에서 마음의 평화를 가리키는 말입니다. '소고기는 넣지 않아'는 소를 신성하게 여겨 소고기를 먹지 않는 인도의 문화를 나타낸 것입니다. 이 가사들은 원래 의미와는 관련성이 없으며 단지 흥을 돋우는 ❹추임새로 쓰였습니다. 우리나라로 치면 외국인이 냉면에 관한 노래를 만들면서 '경복궁'이나 '만수무강', '새해 복 많이 받으세요'라는 말을 가사에 넣은 셈입니다.

또한, 노래에 등장하는 카레가 인도 음식이 아니라는 것도 지적을 받았습니다. 카레, 즉 '커리'는 마늘, 고추, 후추 등과 같은 ❺향신료를 가리킵니다. 다시 말해서 '커리'는 특정한 음식이 아니라 '커리'가 들어간 음식들을 ❻총칭하는 것입니다. 인도의 네티즌들은 카레를 인도의 전통 음식으로 표현한 것은 인도 문화를 ❼왜곡한 것이라며 불편한 ❽심경을 드러냈습니다. 이에 이 노래를 부른 가수는 가사의 뜻을 제대로 알아보지 않은 것을 사과하며 인도의 문화와 전통을 깎아내리려는 의도는 없었다고 덧붙였습니다.

이 일은 ❾지구촌 시대를 살아가는 우리에게 생각할 거리를 던져 줍니다. 교통과 통신이 발달하여 지구를 한 마을처럼 여기게 되었고, 세계 여러 나라의 교류도 활발해졌습니다. 그리고 그만큼 다른 나라의 문화를 접할 일도 ❿잦아졌습니다. 지구촌의 다양한 문화는 어느 것이 더 좋고 옳은 것이며, 또 어떤 것이 더 나쁘거나 틀린 것이라는 평가를 내릴 수 없습니다.

각각의 문화는 고유한 가치를 지니고 있으므로 우리는 서로의 문화를 존중해야 합니다. 다른 문화에 대한 존중은 그 문화를 바르게 아는 것에서 출발한다고 할 수 있습니다. 그러므로 다른 문화를 접할 때, 그 문화에 대해 배우고 이해하려는 자세가 필요합니다.

---

❶ **익살스러운**: 남을 웃기려고 일부러 우스운 말이나 행동을 하는 데가 있는.

❷ **능청스럽게**: 속으로 엉큼한 마음을 숨기고 겉으로 천연스럽게 행동하는 데가 있게.

❸ **도마 위에 오른**: 어떤 사물이 비판의 대상이 된.

❹ **추임새**: 판소리에서 고수가 흥을 돋우기 위하여 창의 사이사이에 넣는 소리.

❺ **향신료**: 음식에 맵거나 향기로운 맛을 더하는 조미료.

❻ **총칭하는**: 전부를 한데 모아 두루 일컫는.

❼ **왜곡한**: 사실과 다르게 해석하거나 사실에서 멀어지게 한.

❽ **심경**: 마음의 상태.

❾ **지구촌**: 지구 전체를 한 마을처럼 여겨 이르는 말.

❿ **잦아졌습니다**: 어떤 일이나 행동 등이 자주 있게 되었습니다.

1 이 글의 내용으로 알맞은 것에 ○표를 해 보세요.

(1) 카레는 인도의 전통 음식이다. ································· (   )

(2) 지구촌의 문화는 가치가 있는 것도 있고 없는 것도 있다. ··············· (   )

(3) 다른 문화에 대한 존중은 그 문화를 바르게 아는 것에서 출발한다. ········· (   )

2 서로 관계있는 것끼리 선으로 이어 보세요.

(1) 타지마할 •

(2) 나마스테 •

(3) 샨티 •

• ① 인도의 인사말.

• ② 인도의 대표적 건축물.

• ③ 인도에서 마음의 평화를 가리키는 말.

3 다음에서 설명하는 낱말이 무엇인지 써 보세요.

- 지구 전체를 한 마을처럼 여겨 이르는 말로, 한자로 '地球村'이라고 쓴다.
- 교통과 통신의 발달로 여러 나라의 교류가 활발해지면서 생겨난 말이다.

(   )

4 빈칸에 알맞은 말을 넣어 글쓴이의 생각을 정리해 보세요.

- 세계 여러 나라의 다양한 문화는 고유한 (1) ☐☐ 를 지니고 있으므로 우리는 서로 다른

문화를 (2) ☐☐ 하고 이해하는 자세를 가져야 한다.

5 다음 낱말과 뜻이 알맞도록 선으로 이어 보세요.

(1) 총칭하다 •

(2) 익살스럽다 •

(3) 능청스럽다 •

• ① 전부를 한데 모아 두루 일컫다.

• ② 다른 사람을 웃기려고 일부러 우스운 말이나 행동을 하는 데가 있다.

• ③ 속으로 엉큼한 마음을 숨기고 겉으로 천연스럽게 행동하는 데가 있다.

유의어 [무리 유(類) 옳을 의(義) 말씀 어(語)]
뜻이 서로 비슷한 말을 '유의어'라고 해요. 소리는 다르지만 뜻이 비슷한 낱말들을 가리켜 유의 관계에 있다고 하지요.
⟨예⟩ • 어린이 - 아이　　　　　• 마을 - 동네　　　　　• 책방 - 서점

6 밑줄 친 낱말의 <u>유의어</u>를 골라 보세요. ────────────── (　　　)

> 그 가사는 원래 의미와는 <u>관련성</u> 없이 사용되었다.

① 연관성　　　　② 연속성　　　　③ 보편성　　　　④ 특수성

7 밑줄 친 관용어의 뜻으로 알맞은 것에 ○표를 해 보세요.

> 「카레」라는 대중가요가 <u>도마 위에 오른</u> 적이 있었다.

(1) 성미가 급하여 참고 기다리지 못하다. ──────────────── (　　　)
(2) 주제넘게 아무 일에나 끼어들고 참견하다. ─────────────── (　　　)
(3) 민망할 정도로 아니꼬워 차마 볼 수 없게 되다. ─────────── (　　　)
(4) 사람들의 입에 오르내리면서 비판의 대상이 되다. ────────── (　　　)

8 '향신료'에 포함되는 낱말을 모두 골라 ○표를 해 보세요.

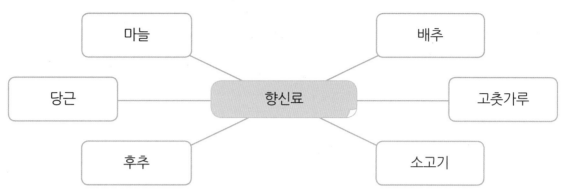

마늘

배추

당근

향신료

고춧가루

후추

소고기

7주차
Day 34

정답과 해설 35쪽

9 밑줄 친 낱말을 맞춤법에 맞게 고쳐 써 보세요.

(1) 한눈팔지 말고 자신의 역할을 재대로 해야 한다.

➜ ☐ ☐ ☐

(2) 일본이 역사적 사실을 외곡하는 것을 바로잡아야 한다.

➜ ☐ ☐ ☐ ☐

(3) 최근 폭우나 지진과 같은 자연재해가 발생하는 일이 잣아졌다.

➜ ☐ ☐ ☐ ☐

 틀리기 쉬워요!

10 다음 문장에서 밑줄 친 부분을 소리 나는 대로 써 보세요.

(1) 인도 음식은 다양한 향신료를 넣어서 만든다.

➜ [   ]

(2) 가수는 가사의 뜻을 제대로 알아보지 않은 것을 사과했다.

➜ [   ]

(3) 지구촌의 다양한 문화는 어느 것이 더 좋고 옳은 것인지 평가할 수 없다.

➜ [   ]

스스로
붙임딱지

'필(必)'과 '요(要)'가 들어간 말

 공부한 날 　월　일

아는 어휘에 ✓ 표시를 해 보고, 아래 활동을 하며 어휘를 익혀 보세요.

☐ 필요　☐ 필수　☐ 필승　☐ 하필　☐ 중요　☐ 요구　☐ 요점　☐ 필수 요소

必

반드시 **필**

'필(必)' 자는 '반드시'나 '틀림없이'라는 뜻이에요. 心(마음 심) 자와 비슷해 보이지만 '심장'이나 '마음'과는 관련이 없는 글자예요.

순서대로 써 봐요.

반드시 **필**

'필요'는 '반드시 요구되는 바가 있음.'을 뜻해요.

● 필(必)이 들어간 낱말은 '반드시'라는 뜻을 가지고 있는 경우가 많아요.

필 수

반드시 **必**　모름지기 **須**

뜻 꼭 있어야 하거나 해야 함.

예 그 식품에는 필수 영양소가 들어 있다.

필 승

반드시 **必**　이길 **勝**

뜻 반드시 이김.

예 선수들은 결승전에서 필승을 다짐했다.

하 필

어찌 **何**　반드시 **必**

뜻 다른 방법으로 하지 않고 어찌하여 꼭.

예 하필 오늘같이 더운 날 대청소를 할 게 뭐야.

하필 오늘 수영장이 쉬다니…….

정기 휴일

'必'과 '要'를 활용한 말로 '필수 요소'라는 말이 있어요.

필	수	요	소
반드시 **必**	모름지기 **須**	중요할 **要**	바탕 **素**

'필수 요소'는 '꼭 있어야 할 중요한 성분이나 조건.'이라는 뜻이에요.

의식주, 즉 옷, 음식, 집은 사람이 생활하려면 꼭 있어야 하는 필수 요소예요.

도움이 필요하면 언제든지 나를 불러 줘.

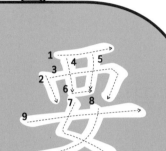

要
중요할 **요**

여자가 손을 허리에 대고 서 있는 모양을 나타낸 글자예요. 몸에서 허리가 중요한 부분이어서 '중요하다', '요약하다'라는 뜻으로 넓어졌어요.

要
중요할 **요**

●요(要)가 들어간 낱말은 '중요하다'라는 뜻을 가지고 있는 경우가 많아요.

너에게 중요한 임무를 줄게.

중 무거울 重	**요** 중요할 要	뜻 귀중하고 꼭 필요함. 예 중요한 부분에 밑줄을 그어 보세요.
요 중요할 要	**구** 구할 求	뜻 필요하거나 받아야 할 것을 달라고 청함. 예 마녀는 인어 공주에게 목소리를 달라고 요구했다.
요 중요할 要	**점** 점 點	뜻 가장 중요하고 중심이 되는 사실이나 관점. 예 할 말이 많겠지만 요점만 말해.

1 다음 낱말에 공통으로 쓰인 '필'의 뜻은 무엇인지 골라 보세요. ·········· ( )

필수	필승	필연적	생필품

① 굳세게   ② 반드시   ③ 힘차다   ④ 중요하다

2 한자의 뜻을 보고, 빈칸에 들어갈 낱말의 뜻을 짐작하여 써 보세요.

必 要
반드시 필 중요할 요
↳ 반드시 있어야 함.

↔

不 必 要
아닐 불 반드시 필 중요할 요
↳ ☐☐하지 않음.

3 첫 자음자와 낱말의 뜻을 보고 빈칸에 들어갈 알맞은 낱말을 써 보세요.

(1) 나는 ㅎㅍ 오른손을 다쳐서 글씨를 쓸 수가 없다.
　　　↳ 다른 방법으로 하지 않고 어찌하여 꼭.

(2) 나는 동생과 함께 엄마께 용돈 인상을 ㅇㄱ하였다.
　　　　　　　　　　　　　　↳ 필요하거나 받아야 할 것을 달라고 청함.

(3) 나영이는 글의 ㅇㅈ을 빨리 파악하기 위해 각 문단의 첫째 줄만 훑어 읽었다.
　　　　　　↳ 가장 중요하고 중심이 되는 사실이나 관점.

4 빈칸에 공통으로 들어갈 글자를 골라 보세요. ················ ( )

- **중**☐: 귀중하고 꼭 필요함.
- ☐**약**: 말이나 글에서 중요한 것을 골라 짧게 만듦.

① 사   ② 요   ③ 전   ④ 회

5 가로, 세로 열쇠를 보고 십자말풀이를 완성해 보세요.

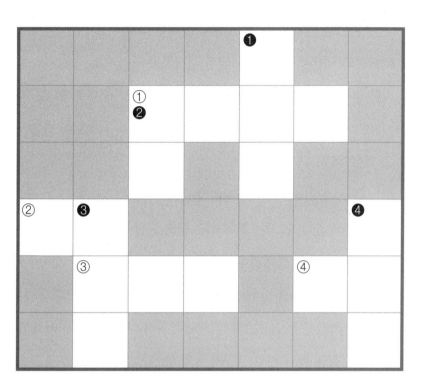

🔑 가로 열쇠

① 꼭 있어야 하거나 하여야 할 중요한 성분이나 조건.

② 다른 방도를 취하지 아니하고 어찌하여 꼭.

③ 얻으려고 청하는 사람. ⓒⒼⓏ

④ 가장 중요하고 중심이 되는 사실이나 관점. 예 ○○을 정리하다.

🔑 세로 열쇠

❶ 귀중하고 요긴한 땅이나 곳. 또는 중요한 지역. ⓏⓄⓏ

❷ 사물의 관련이나 일의 결과가 반드시 그렇게 될 수밖에 없음. 빤 우연

❸ 반드시 요구되는 성질. 예 대화의 ⓟⓄⓈ을 느낀다.

❹ 상점이 많이 늘어선 거리. ⓈⓏⒼ

스스로
붙임딱지

하루 시간을 나타내는 낱말을 알아보아요!

하루 24시간은 반으로 나누어 오전과 오후로 구분할 수 있어요. '오전'은 자정(밤 열두 시)부터 낮 열두 시까지, '오후'는 정오(낮 열두 시)부터 밤 열두 시까지를 가리켜요.

'☐☐'은 먼동이 트려 할 무렵을 가리키는 말이에요. 새벽 중에서도 아직 어둑한 새벽은 '어둑새벽'이나 '어슴새벽'이라고 해요. 날이 막 밝을 무렵, 즉 아침이 시작되는 때를 '갓밝이'라고 하고, 해가 막 솟아오르면 그 때를 '해돋이'라고 해요.

'아침'은 날이 새면서 오전 반나절쯤까지의 동안을 뜻해요. '나절'은 ☐의 절반쯤 되는 동안을 말하므로, 아침은 낮의 반의 반 정도 되는 것이지요. 정오를 전후한 낮의 한가운데를 '한낮'이라고 하고, 한낮부터 해가 저물 때까지의 시간 중에서 앞부분을 '낮결'이라고 해요.

해가 질 무렵부터 밤이 되기까지의 사이를 가리키는 '☐☐'은 해가 서쪽으로 넘어가는 때인 '해거름'부터 시작해요. 해가 막 넘어가는 때인 '해넘이'를 지나 해가 진 뒤 어스레한 상태가 되면 이것을 '땅거미'라고 해요. 잠자리에 들기 전의 그다지 늦지 않은 밤은 '밤저녁'이라고 하고 ☐이 더 깊어지면 '한밤'이라고 해요.

▲ 아침

▲ 낮

▲ 저녁

▲ 밤

8주 어휘 미리보기

뜻을 알고 있는 낱말에 V표 해 보세요.
알고 있는 낱말은 글에서 어떻게 쓰였는지 확인하고,
모르는 낱말은 글을 읽으며 재미있게 익혀 보아요.

	배울 내용	배울 낱말	공부한 날
Day 36	속담 콩 심은 데 콩 나고 팥 심은 데 팥 난다	☐ 향상되다 ☐ 저하되다 ☐ 허약해지다 ☐ 할애하다 ☐ 통계 ☐ 추세 ☐ 확보하다 ☐ 육성하다	월 / 일
Day 37	관용어 고개를 돌리다	☐ 데면데면하다 ☐ 영문 ☐ 무작정 ☐ 난감해하다 ☐ 외면하다 ☐ 곤란하다 ☐ 변호하다 ☐ 서슴다	월 / 일
Day 38	한자 성어 순망치한(脣亡齒寒)	☐ 공생하다 ☐ 밀접하다 ☐ 맥락 ☐ 회유하다 ☐ 꾐 ☐ 정복하다 ☐ 핑계 ☐ 구실	월 / 일
Day 39	교과 어휘 - 과학 대나무를 먹는 대왕판다	☐ 주식 ☐ 분류되다 ☐ 유전자 ☐ 감칠맛 ☐ 맞아떨어지다 ☐ 함유되다 ☐ 추정하다 ☐ 효과적	월 / 일
Day 40	한자 어휘 '약(約)'과 '속(束)'이 들어간 말	☐ 약속 ☐ 선약 ☐ 약혼 ☐ 절약 ☐ 단속 ☐ 속박 ☐ 결속 ☐ 속수무책	월 / 일

속담

콩 심은 데 콩 나고 팥 심은 데 팥 난다

아는 어휘에 ✔ 표시를 해 보고, 어휘의 뜻을 생각하며 글을 읽어 보세요.

☐ 향상되다 ☐ 저하되다 ☐ 할애하다 ☐ 통계 ☐ 추세 ☐ 확보하다 ☐ 육성하다

🕐 **공부한 날**

월   일

● **향상되지만**: 실력, 수준, 기술 등이 나아지지만.

❷ **저하되었습니다**: 정도와 수준, 능률 등이 떨어져 낮아졌습니다.

❸ **허약해진**: 힘이나 기운이 없고 약해진.

❹ **할애하고**: 소중한 시간, 돈, 공간 등을 아깝게 여기지 않고 선뜻 내어 주고.

❺ **통계**: 어떤 현상을 종합적으로 한눈에 알아보기 쉽게 일정한 체계에 따라 숫자로 나타냄.

❻ **추세**: 어떤 현상이 일정한 방향으로 나아가는 경향.

❼ **확보해**: 확실히 보증하거나 가지고 있어.

❽ **콩 심은 데 콩 나고 팥 심은 데 팥 난다**: 모든 일은 원인에 걸맞은 결과가 나타나는 것임을 비유적으로 이르는 말.

❾ **육성할**: 길러 자라게 할.

우리나라 초등학생의 체격은 커졌지만, 체력은 갈수록 떨어지고 있습니다. 체격은 키나 몸무게 등으로 나타나고, 체력은 50m 달리기, 오래달리기 등으로 측정할 수 있습니다. 일반적으로 체격이 좋아지면 체력도 ❶향상되지만, 우리나라 학생들은 오히려 체력이 ❷저하되었습니다. 초등학생의 체격과 체력 변화를 조사한 자료에 따르면 2009년 학생들은 9년 전보다 키가 약 2cm 커졌고, 몸무게는 약 3kg 늘어났습니다. 반면, 오래달리기 기록은 6분 22초에서 6분 43초로 21초가 느려졌습니다. 이처럼 학생들의 체격이 좋아졌음에도 체력이 ❸허약해진 까닭은 무엇일까요?

첫째, 초등학생들의 학습 시간이 늘어나면서 운동 시간이 줄어들었기 때문입니다. 우리나라 초등학생들은 수업을 마친 후에도 오랜 시간을 사교육에 ❹할애하고 있습니다. 학원에 다니거나 과외를 받는 등 사교육에 참여하는 시간이 늘면서 야외 활동을 하는 시간이 줄어들었고, 이는 학생들의 체력 감소에 영향을 미쳤습니다.

둘째, 초등학생들의 놀이 문화가 실내 놀이 중심으로 바뀌었습니다. 요즘 초등학생들은 바깥에서 노는 대신 게임을 하거나 누리 소통망을 이용하며 여가 시간을 보냅니다. 이렇게 야외보다 실내에서 주로 활동하면 활동량이 떨어지고 체력이 약해집니다.

셋째, 초등학생들이 사용할 수 있는 교내 체육 시설의 크기도 감소하였습니다. 학교 수가 꾸준히 증가했지만 학생들이 마음껏 뛰어놀 수 있는 운동장이나 체육관 등 체육 시설은 오히려 면적이 줄어들고 있습니다. 교육부 ❺통계에 따르면 초등학생 1인당 체육 시설 면적은 1995년에 가장 넓었다가 이후로는 점차 줄어드는 ❻추세입니다. 체육 시설 면적이 줄면 학생들이 활동하는 범위가 좁아질 수밖에 없고, 결국 체력이 떨어지는 결과를 낳게 됩니다.

초등학생들의 체력을 길러 주려면 초등학생들이 운동할 수 있는 환경을 먼저 마련해 주어야 합니다. 운동할 수 있는 시간을 ❼확보해, 학습 시간과 균형을 맞추고 다양한 실외 놀이 문화를 만들어 가도록 도와주어야 합니다. 또한, 교내 체육 시설 공간을 넓혀 초등학생이 활동하는 범위를 늘려 주는 것이 좋습니다. "콩 심은 데 콩 나고 팥 심은 데 팥 난다."라는 말이 있듯이 초등학생들의 체력 향상을 위해 꾸준한 노력을 기울여야만 건강한 청소년을 ❾육성할 수 있을 것입니다.

1 이 글의 내용으로 알맞은 것에는 ○표, 알맞지 않은 것에는 ×표를 해 보세요.

(1) 2000년보다 2009년의 초등학생이 오래달리기를 더 잘한다. —————— (○ / ×)

(2) 요즘 초등학생들은 게임을 하거나 누리 소통망을 이용하며 시간을 보낸다. ————— (○ / ×)

(3) 학교 운동장이나 체육관의 크기가 줄면 학생들이 활동하는 범위가 줄어든다. ——— (○ / ×)

2 이 글의 문단별 중심 내용을 정리한 것입니다. 빈칸에 들어갈 알맞은 말을 글에서 찾아 써 보세요.

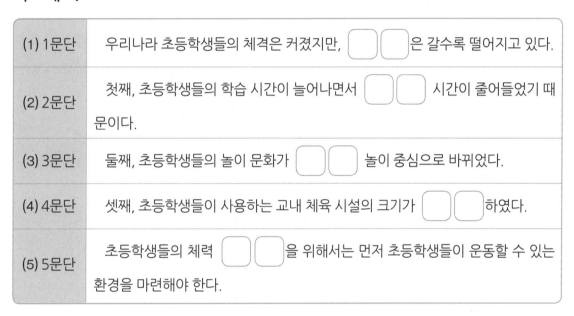

(1) 1문단	우리나라 초등학생들의 체격은 커졌지만, ☐☐은 갈수록 떨어지고 있다.
(2) 2문단	첫째, 초등학생들의 학습 시간이 늘어나면서 ☐☐ 시간이 줄어들었기 때문이다.
(3) 3문단	둘째, 초등학생들의 놀이 문화가 ☐☐ 놀이 중심으로 바뀌었다.
(4) 4문단	셋째, 초등학생들이 사용하는 교내 체육 시설의 크기가 ☐☐하였다.
(5) 5문단	초등학생들의 체력 ☐☐을 위해서는 먼저 초등학생들이 운동할 수 있는 환경을 마련해야 한다.

3 다음 속담과 이 글의 중심 생각을 원인과 결과로 나누어 선으로 이어 보세요.

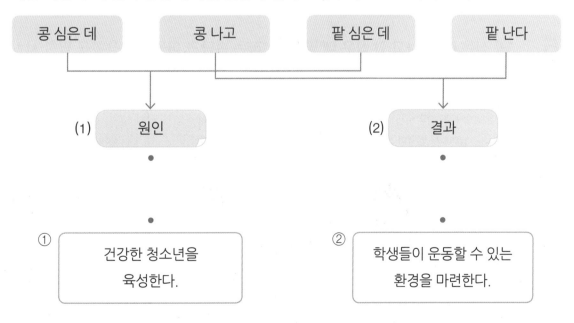

| 콩 심은 데 | 콩 나고 | 팥 심은 데 | 팥 난다 |

(1) 원인   (2) 결과

①
건강한 청소년을
육성한다.

②
학생들이 운동할 수 있는
환경을 마련한다.

4 다음 낱말과 뜻이 비슷한 낱말을 찾아 선으로 이어 보세요.

(1) 육성하다 •

(2) 저하되다 •

(3) 향상되다 •

• ① 낮아지다

• ② 나아지다

• ③ 기르다

5 낱말의 뜻을 보고 빈칸에 들어갈 알맞은 말을 써 보세요.

(1) 벌써 열 명 정도의 인원을 ☐☐하였다.

↳ 확실히 보증하거나 가지고 있음.

(2) 그는 수집한 데이터를 가지고 ☐☐를 냈다.

↳ 어떤 현상을 종합적으로 한눈에 알아보기 쉽게 일정한 체계에 따라 숫자로 나타냄.

(3) 어린이 비만이 계속해서 증가하는 ☐☐이다.

↳ 어떤 현상이 일정한 방향으로 나아가는 경향.

6 "콩 심은 데 콩 나고 팥 심은 데 팥 난다."라는 속담과 어울리는 상황을 말한 사람의 이름을 써 보세요.

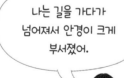

나는 길을 가다가 넘어져서 안경이 크게 부서졌어.

아람

나는 열심히 공부해 수학 시험에서 좋은 성적을 받았어.

성진

나는 어릴 적 생각은 잊어버리고 동생이 종이접기를 못 한다고 놀렸어.

수지

( )

7 짝 지어진 낱말의 관계가 나머지와 <u>다른</u> 것에 ×표를 해 보세요.

(1) 실내 - 실외

( )

(2) 마련하다 - 갖추다

( )

(3) 증가하다 - 감소하다

( )

8 밑줄 친 낱말을 소리 나는 대로 써 보세요.

앞글자 받침이 뒷글자 첫소리로 옮겨 소리가 나요!

(1) 초등학생의 <u>체격은</u> 10년 전보다 커졌다.
→ [   ]

(2) 요즘 학생들은 사교육에 오랜 시간을 <u>할애한다.</u>
→ [   ]

(3) 학생들의 <u>놀이</u> 문화가 실내 놀이 중심으로 바뀌었다.
→ [   ]

틀리기 쉬워요!

9 보기 에서 알맞은 낱말을 골라 문장에 어울리도록 낱말의 형태를 바꾸어 써 보세요.

| 보기 | 늘이다   늘리다 |

(1) 교내 체육 시설 면적을 [ ][ ][ ] 한다.

(2) 바지가 짧아서 바짓단을 [ ][ ][ ] 한다.

'늘이다' vs '늘리다' 차이는?

'늘이다'와 '늘리다'를 혼동하여 사용하는 경우가 많아요. '늘이다'는 '길이'를 길어지게 하는 것이고, '늘리다'는 '넓이', '부피' 등을 커지게 한다는 뜻이니 헷갈리지 않도록 주의해요!

• 우리는 사무실을 {늘여(×) / 늘려(○)} 이사 갔다.
• 아이는 고무줄을 잡아당겨 길게 {늘였다(○) / 늘렸다(×)}.

맞은 개수 _____ /9개

스스로 붙임딱지

관용어

고개를 돌리다

아는 어휘에 ✔ 표시를 해 보고, 어휘의 뜻을 생각하며 글을 읽어 보세요.

☐ 데면데면하다 ☐ 영문 ☐ 무작정 ☐ 난감하다 ☐ 변호하다 ☐ 호의 ☐ 서슴다

🕐 **공부한 날**

　　　　월　　　일

옛날, 어느 나라에 한 남자가 있었습니다. 그에게는 세 명의 친구가 있었습니다. 부자인 첫 번째 친구는 늘 친절하고 다정했고, 두 번째 친구는 첫 번째 친구만큼 친하지는 않았지만 가족까지 알고 지내던 사이였습니다. 세 번째 친구는 친구이긴 하지만 ❶데면데면한 사이였습니다.

어느 날, 왕이 남자에게 신하를 보내 당장 궁으로 오라고 하였습니다. 갑작스런 왕의 부름에 남자는 자신이 무엇을 잘못한 것은 아닌지 두려워졌습니다. 그래서 친구들에게 궁에 함께 가 달라고 부탁하기로 했습니다. 그는 먼저 첫 번째 친구를 찾아갔습니다.

"왕께서 나를 급히 찾으신다는데 무슨 일인지 알 수가 없네. 자네가 같이 가 주겠나?"

"자네도 알다시피 난 늘 바쁘다네. 게다가 ❷영문도 모른 채 ❸무작정 같이 갈 수는 없지."

남자가 간절히 부탁했지만, 첫 번째 친구는 냉정하게 말하며 ❹고개를 돌렸습니다.

실망한 남자는 두 번째 친구를 찾아갔습니다. 그러나 두 번째 친구도 ❺난감해하며 그의 부탁을 ❻외면했습니다.

"그래, 자네와 함께 가 주지. 하지만 나도 겁이 나니 나는 궁 앞까지만 가겠네."

크게 실망한 남자는 마지막으로 별 기대 없이 세 번째 친구를 찾아갔습니다. 세 번째 친구는 남자의 말을 듣고 그를 따뜻하게 위로해 주었습니다.

"나와 함께 가세. 나는 자네가 얼마나 좋은 사람인지 잘 알고 있네. 자네가 억울하거나 ❼곤란한 일을 당하지 않도록 내가 ❽변호해 줄 테니 걱정하지 말게나."

세 번째 친구는 남자가 궁에 들어갈 때 ❾동행하여 주었습니다. 남자는 예상하지 못했던 세 번째 친구의 호의에 매우 감동하였습니다.

이 이야기에 나오는 첫 번째 친구는 '돈', 두 번째 친구는 '가족', 세 번째 친구는 '선행'을 의미합니다. 남자가 갑자기 궁으로 들어가야 하는 것은 삶의 ❿종착지, 즉 '죽음'으로 가야 하는 것을 뜻합니다. 사람들은 '돈'을 최고로 여겨 그것을 위해서라면 무슨 일이든 ⓫서슴지 않지만, 죽을 때는 가지고 갈 수 없습니다. '가족'은 무덤 앞까지는 따라가 주지만 죽음을 함께할 수는 없습니다. 사람이 죽어서도 가져갈 수 있는 것, 세상을 떠난 뒤에도 그 사람과 함께 남는 것은 바로 '선행'입니다.

－『탈무드』 중에서

❶ **데면데면한:** 대하는 태도가 친근하지 않고 무관심한 듯한.

❷ **영문:** 일이 돌아가는 형편이나 그 까닭.

❸ **무작정:** 얼마라든지 혹은 어떻게 하리라고 미리 정한 것이 없이.

❹ **고개를 돌렸습니다:** 어떤 사람, 일, 상황 등을 외면했습니다.

❺ **난감해하며:** 이렇게 하기도 저렇게 하기도 어려워 처지가 매우 딱해하며.

❻ **외면했습니다:** 마주치기를 원치 않아서 피하거나 얼굴을 돌렸습니다.

❼ **곤란한:** 사정이 몹시 딱하고 어려운.

❽ **변호해:** 남의 이익을 위해 변명하고 감싸서 도와주어.

❾ **동행하여:** 같이 길을 가.

❿ **종착지:** 마지막으로 도착하는 곳.

⓫ **서슴지:** 결단을 내리지 못하고 머뭇거리며 망설이지.

1 이 이야기의 내용으로 알맞지 <u>않은</u> 것에 ×표를 해 보세요.

(1) 남자는 왕이 부르자 잘못한 일이 있을까 두려워졌다. ⎯⎯⎯⎯⎯⎯⎯⎯ (　　　)

(2) 첫 번째 친구는 함께 갈 수 없다고 남자의 부탁을 거절하였다. ⎯⎯⎯ (　　　)

(3) 두 번째 친구는 겁이 나서 궁 앞까지만 같이 가 준다고 하였다. ⎯⎯ (　　　)

(4) 세 번째 친구는 남자의 부탁에 매우 화를 내며 남자의 잘못을 꾸짖었다. ⎯ (　　　)

2 이야기 속 세 친구가 가리키는 것과 그 의미를 정리했습니다. 빈칸에 들어갈 알맞은 낱말을 글에서 찾아 써 보세요.

	가리키는 것	의미
첫 번째 친구	(1)	사람들이 최고로 여기지만 죽을 때 가지고 갈 수 없다.
두 번째 친구	가족	(2) 　　 앞까지는 따라가 주지만 죽음을 함께할 수 없다.
세 번째 친구	(3)	죽어서도 가져갈 수 있고, 세상을 떠난 뒤에도 그 사람과 함께 남는다.

3 세 친구가 한 말 중 '고개를 돌리다'와 관련 <u>없는</u> 것에 ×표를 해 보세요.

(1)
"자네도 알다시피 난 늘 바쁘다네. 게다가 영문도 모른 채 무작정 같이 갈 수는 없지." (　　　)

(2)
"그래, 자네와 함께 가 주지. 하지만 나도 겁이 나니 나는 궁 앞까지만 가겠네." (　　　)

(3)
"나와 함께 가세. 나는 자네가 얼마나 좋은 사람인지 잘 알고 있네. 내가 변호해 줄 테니 걱정하지 말게나." (　　　)

4 다음 낱말과 뜻이 알맞도록 선으로 이어 보세요.

(1) 외면하다 •　　• ① 대하는 태도가 친근하지 않고 무관심한 듯하다.

(2) 난감하다 •　　• ② 마주치기를 원치 않아서 피하거나 얼굴을 돌리다.

(3) 데면데면하다 •　　• ③ 이렇게 하기도 저렇게 하기도 어려워 처지가 딱하다.

5 밑줄 친 낱말과 바꾸어 쓸 수 있는 낱말을 골라 번호를 써 보세요.

(1) 그가 나를 찾아온 영문도 모른 채 만났다. ──────────── (　　)
　　　　　　　① 결과　　② 까닭

(2) 저에게 호의를 베풀어 주셔서 매우 감사합니다. ──────────── (　　)
　　　　　① 선의　　② 악의

6 '변호하다'의 뜻과 관련 없는 낱말에 ×표를 해 보세요.

(1) 감싸다　　(2) 도와주다　　(3) 변명하다　　(4) 비난하다

(　　)　　　　(　　)　　　　(　　)　　　　(　　)

7 빈칸에 들어갈 알맞은 낱말을 보기 에서 골라 써 보세요.

보기	동행　　위로　　부탁

(1) 시험에 떨어진 친구를 ☐☐하였다.

(2) 친구와 우연히 만나 큰길까지 ☐☐하였다.

8 **밑줄 친 낱말을 맞춤법에 맞게 고쳐 써 보세요.**

(1) 자네도 <u>알다싶이</u> 나는 항상 바쁘다네. ➜ (   )

(2) <u>곤난한</u> 상황에서 좋은 생각이 머리에 떠올랐다. ➜ (   )

(3) 그 사람은 귀찮은 일에 나서기를 <u>서슴치</u> 않는다. ➜ (   )

9 **보기 와 같이 높임을 나타내는 말과 서술어가 어울리도록 문장을 고쳐 써 보세요.**

> 보기   왕께서 나를 급히 <u>찾는다는데</u> 무슨 일인지 알 수가 없다.
>
>   ➜ 찾으신다는데

(1) 할머니께서 <u>자는</u> 동안 나는 빨래를 했다.

       ➜ (   )

(2) 아버지께서는 어려운 질문에도 척척 답을 <u>했다.</u>

                ➜ (   )

틀리기 쉬워요!

10 **다음 문장에 알맞은 표현에 ○표를 해 보세요.**

(1) 집에 (가던지 / 가든지) 학교에 (가던지 / 가든지) 해라.

(2) 현주는 꿈에 (그리던 / 그리든) 어린 시절을 떠올려 보았다.

(3) 축구 시합에 (오던 말던 / 오든 말든) 네 마음대로 정해도 좋다.

(4) 예전에는 그렇게 (착했던 / 착했든) 지원이가 왜 저렇게 됐을까?

'-던' vs '-든' 차이는?

'-던'과 '-든'을 헷갈리는 경우가 많아요. '-던'은 지나간 일을 나타낼 때 쓰고, '-든'은 선택을 나타낼 때 쓰는 말이니 틀리지 않도록 주의해요!

- **형이 게임에 {참여하거던(×) / 참여하거든(○)} 말해 줘.**
- **어제 {읽던(○) / 읽든(×)} 책을 마저 읽느라 밤을 꼬박 새웠다.**

스스로
붙임딱지

순망치한(脣 입술 순 亡 망할 망 齒 이 치 寒 찰 한)

아는 어휘에 ✔ 표시를 해 보고, 어휘의 뜻을 생각하며 글을 읽어 보세요.

☐ 공생하다 ☐ 밀접하다 ☐ 맥락 ☐ 회유하다 ☐ 정복하다 ☐ 핑계 ☐ 구실

🕐 공부한 날

월 일

생물들은 대부분 서로 먹고 먹히는 관계에 놓여 있지만, 서로 도와 가며 살아가는 생물들도 있습니다. 그 대표적인 예가 말미잘과 흰동가리입니다. 흰동가리는 자신을 잡아먹으려는 물고기를 피해 말미잘 속으로 숨습니다. 흰동가리를 따라가던 물고기는 말미잘의 독에 쏘여 말미잘의 밥이 됩니다. 이처럼 흰동가리는 말미잘이 없으면 다른 물고기에게 잡아먹히고, 말미잘은 흰동가리가 없으면 먹이를 쉽게 구할 수 없습니다.

바닷속에서 ❶공생하는 흰동가리와 말미잘같이 서로 ❷밀접한 관계를 나타내는 말이 있습니다. 바로, 입술이 없으면 이가 시리다는 뜻인 '❸순망치한'입니다. 이를 보호하는 입술이 없으면 이가 그대로 밖으로 드러나서 이가 시리고 쉽게 상합니다. 한자 성어 순망치한은 이와 같은 ❹맥락에서 나온 말입니다.

진나라는 괵나라를 공격할 준비를 하면서 우나라를 지나도록 허락해 달라고 했습니다. 우나라는 진나라와 괵나라 사이에 위치해 군대가 우나라를 거치지 않고 괵나라로 가려면 길을 멀리 돌아서 가야 했기

때문입니다. 우나라의 충신 궁지기는 고민하는 왕에게 말했습니다.

"괵나라는 우나라의 껍질과 같은 나라입니다. 괵나라가 망하면 그다음 차례는 우나라가 될 것입니다. 수레 ❺살과 수레바퀴는 서로 의지하고, 입술이 없으면 이가 시리다는 것은 우나라와 괵나라의 관계를 말하는 것입니다."

그러나 우나라 왕은 옥과 말을 보내며 ❻회유하는 진나라의 ❼꾐에 넘어가서 길을 내어 주었습니다. 그리고 진나라는 괵나라를 ❽정복한 뒤 우나라까지 정복해 버렸습니다.

우리나라에도 이와 비슷한 사건이 있었습니다. 일본을 통일한 도요토미 히데요시가 명나라를 치러 갈 테니 조선의 길을 빌려 달라고 한 것입니다. 일본이 명나라 정복을 위해 길을 빌린다는 ❾핑계로 우리나라를 정복하려 할 것을 안 조선은 당연히 이를 거절했습니다. 하지만 일본은 요청을 거절했다는 ❿구실로 조선을 침략합니다. 이렇게 해서 일어난 것이 임진왜란입니다.

❶ **공생하는**: 서로 도우며 함께 사는.

❷ **밀접한**: 아주 가깝게 맞닿아 있는.

❸ **순망치한**: 입술이 없으면 이가 시리다는 뜻으로, 서로 이해관계가 밀접한 사이에 어느 한쪽이 망하면 다른 한쪽도 그 영향을 받아 온전하기 어려움을 이르는 말.

❹ **맥락**: 사물 등이 서로 이어져 있는 관계나 연관.

❺ **살**: 창문이나 연, 부채, 바퀴 등의 뼈대가 되는 부분.

❻ **회유하는**: 어루만지고 잘 달래어 시키는 말을 듣도록 하는.

❼ **꾐**: 어떠한 일을 할 기분이 생기도록 남을 꾀어 속이거나 부추기는 일.

❽ **정복한**: 남의 나라나 다른 민족 등을 정벌하여 복종시킨.

❾ **핑계**: 내키지 아니하는 사태를 피하거나 사실을 감추려고 방패막이가 되는 다른 일을 내세움.

❿ **구실**: 핑계를 삼을 만한 재료.

1 흰동가리와 말미잘은 서로에게 어떻게 도움이 되는지 써 보세요.

(1) 흰동가리는 자신을 잡아먹으려는 물고기를 피해 ☐☐☐ 속으로 숨는다.

(2) 흰동가리를 잡아먹으려고 따라가던 물고기는 말미잘의 ☐ 에 쏘여 말미잘의 밥이 된다.

2 이 글의 내용으로 알맞은 것에 ○표, 알맞지 않은 것에 ×표를 해 보세요.

(1) 진나라는 괵나라를 정벌하려고 우나라에 길을 빌려 달라고 하였다. ──────── (○ / ×)

(2) 우나라의 궁지기는 진나라에 길을 빌려주어서는 안 된다고 말했다. ──────── (○ / ×)

(3) 우나라의 임금은 궁지기에게 설득당해서 진나라에 길을 빌려주지 않았다. ──────── (○ / ×)

정답과 해설 37쪽

3 이와 잇몸의 관계로 묶을 수 있는 나라끼리 선으로 이어 보세요.

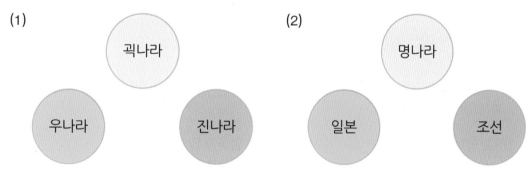

(1) 괵나라 우나라 진나라

(2) 명나라 일본 조선

4 '순망치한'의 한자와 뜻 풀이를 선으로 알맞게 이어 보세요.

(1) 唇 입술 순

(2) 亡 망할 망

(3) 齒 이 치

(4) 寒 찰 한

① 입술이

② 없으면

③ 이가

④ 시리다

171

5 낱말의 뜻을 살펴보고 빈칸에 알맞은 낱말을 써 보세요.

(1) 앞 문단과 뒤 문단의 ☐☐이 잘 이어지지 않는다.
↳ 사물 등이 서로 이어져 있는 관계나 연관.

(2) 우리는 다른 사람과 ☐☐하기 위해서 노력해야 한다.
↳ 서로 도우며 함께 삶.

(3) 문수는 친구의 ☐에 넘어가 학원을 빠지고 피시방에 갔다.
↳ 어떠한 일을 할 기분이 생기도록 남을 꾀어 속이거나 부추기는 일.

6 밑줄 친 부분과 뜻이 비슷한 낱말을 골라 번호를 써 보세요.

(1) 우리가 탄 비행기는 일본을 거쳐 미국으로 갔다. ⋯⋯⋯⋯⋯⋯⋯⋯ (   )
　　　　　　　① 걸려　　② 지나

(2) 우리는 전쟁이 일어날 위험이 사라지기를 바라고 있다. ⋯⋯⋯⋯⋯ (   )
　　　　　　　① 발생할　　② 정복할

(3) 부모님께서 아무리 회유해도 동생은 울음을 멈추지 않았다. ⋯⋯⋯ (   )
　　　　　　　① 얽히고설켜도　　② 어르고 달래도

7 짝 지어진 낱말의 관계가 보기 와 다른 하나를 골라 보세요. ⋯⋯⋯⋯⋯ (   )

보기	속 - 안

① 구실 - 핑계 　　　　　　　② 침략 - 침입

③ 먹다 - 먹히다 　　　　　　④ 밀접하다 - 가깝다

8 밑줄 친 부분의 뜻으로 알맞은 것에 ○표를 해 보세요.

> 우나라와 괵나라는 수레 살과 수레바퀴 같은 관계이다.

(1) 나이를 세는 단위. ·· (   )

(2) 창문이나 연, 부채, 바퀴 등의 뼈대가 되는 부분. ····························· (   )

(3) 사람이나 동물의 뼈를 싸서 몸을 이루는 부드러운 부분. ··········· (   )

9 보기 를 참고하여 밑줄 친 부분을 소리 나는 대로 써 보세요.

> 보기   일본은 조선을 침략하였다.
> → [침냑]

(1) 열심히 훈련해서 담력을 기르자.
　　　　→ [   ]

(2) 금리가 높아지면 은행에 돈을 맡기는 사람이 늘어난다.
　　　　→ [   ]

받침 'ㅁ' 뒤에
오는 'ㄹ'은 [ㄴ]으로
소리 나요!

틀리기 쉬워요!

10 띄어쓰기를 알맞게 한 것에 ○표를 해 보세요.

(1) 일본은 조선에 명나라를 치러 (갈테니 / 갈 테니) 길을 빌려 달라고 하였다.

(2) 우나라를 거치지 않고 괵나라로 가려면 길을 빙 돌아서 가야 (했기때문 / 했기 때문)이다.

11 보기 와 같이 두 개의 낱말을 합해서 만든 낱말이 아닌 것을 골라 보세요. ········ (   )

> 보기   　　　　　　수레 + 바퀴 = 수레바퀴

① 의자　　　　　　② 책가방　　　　　　③ 바늘방석　　　　　④ 사과나무

맞은 개수 _____ /11개

173

스스로
붙임딱지

Day 39

대나무를 먹는 대왕판다

아는 어휘에 ✔ 표시를 해 보고, 어휘의 뜻을 생각하며 글을 읽어 보세요.

☐ 주식　☐ 분류되다　☐ 감칠맛　☐ 함유되다　☐ 추정하다　☐ 효과적　☐ 섭취하다

공부한 날

월　　　일

'판다'는 '대나무를 먹는 동물'이라는 뜻입니다. 만화 영화 「쿵푸 팬더」에는 두 종류의 판다가 등장합니다. 크기가 작고 너구리와 비슷하게 생긴 '레서판다', 몸집이 크고 곰처럼 생긴 '대왕판다'입니다. 외모가 전혀 다른 이 두 동물의 공통점은 육식 동물이지만 대나무를 ❶주식으로 한다는 것입니다. 그중에서도 '판다'라는 이름으로 우리에게 더 친숙한 것은 눈에 검은 무늬가 진하게 그려진 대왕판다입니다.

대왕판다가 육식을 하는 동물로 ❷분류된 까닭은 대왕판다의 ❸소화 기관이나 이빨 구조 등이 육식 동물과 같기 때문입니다. 그러나 대왕판다는 주로 대나무를 먹고, 다른 채소나 과일을 먹기도 합니다. 대왕판다가 가끔 다른 동물을 무는 일도 있지만 육식을 했던 습성이 남아 있는 것이지, 육식을 하려는 것은 아닙니다. 그렇다면 대왕판다는 어떻게 해서 식물만 먹게 되었을까요?

학자들은 대왕판다가 가진 맛과 관련된 ❹유전자 중에서 ❺감칠맛을 담당하는 유전자가 약 420만 년 전부터 멈춰 버렸다는 것을 발견했습니다. 이 시기는 대왕판다가 육식을 포기하고 대나무를 선택한 시기와 ❻맞아떨어진다고 합니다. 감칠맛은 주로 단백질에 ❼함유된 글루탐산

▲ 대왕판다

이라는 성분이 결정합니다. 유전자가 제 기능을 하지 않아서 감칠맛을 느끼지 못하게 된 대왕판다는 자연스럽게 육류에 관심이 적어졌을 것이라고 ❽추정합니다. 고기를 먹지 않는 대왕판다는 대나무를 먹기 쉽게 발가락도 7개로 진화했습니다. 사람의 엄지와 비슷한 가짜 엄지로 대나무를 잡고 야무지게 줄기와 잎을 먹습니다.

그런데 육식 동물과 비슷한 대왕판다의 소화 기관은 주된 먹이인 대나무에 들어 있는 섬유질을 ❾효과적으로 소화시키지 못합니다. 그러므로 대왕판다가 큰 몸집을 유지하려면 매우 많은 양의 대나무를, 오랜 시간 동안 ❿섭취해야 합니다. 대왕판다는 하루에 약 10~12시간 동안, 평균 12.5kg의 대나무를 먹는다고 알려져 있습니다. 동물원에 있는 대왕판다가 온종일 대나무만 먹고 있는 것은 게을러서가 아니라 살아남기 위해서랍니다. 대왕판다의 똥은 초록색이고 냄새도 심하지 않은데, 이것은 대나무에 있는 영양소가 흡수되지 못하고 그대로 나오기 때문이라고 합니다.

---

❶ **주식**: 밥이나 빵과 같이 끼니에 주로 먹는 음식.

❷ **분류된**: 종류에 따라서 갈라진.

❸ **소화**: 섭취한 음식물을 분해하여 영양분을 흡수하기 쉬운 형태로 변화시키는 일.

❹ **유전자**: 생물체의 세포를 구성하고 유지하는 데 필요한 정보가 담겨 있으며 생식으로 자손에게 전해지는 요소.

❺ **감칠맛**: 음식물이 입에 당기는 맛.

❻ **맞아떨어진다고**: 어떤 기준에 꼭 맞아 남거나 모자람이 없어진다고.

❼ **함유된**: 물질에 어떤 성분이 포함되어 있는.

❽ **추정합니다**: 미루어 생각하여 판정합니다.

❾ **효과적으로**: 어떤 목적을 지닌 행동에 의하여 보람이나 좋은 결과가 드러나도록.

❿ **섭취해야**: 생물체가 양분 등을 몸속에 빨아들여야.

1 이 글을 읽고 알 수 있는 내용이 <u>아닌</u> 것을 골라 보세요. ·················· (   )

① 판다의 뜻

② 대왕판다가 주로 사는 지역

③ 대왕판다의 똥이 초록색인 까닭

④ 대왕판다가 하루에 먹는 대나무의 양

2 이 글의 내용을 다음과 같이 정리하였을 때 빈칸에 들어갈 낱말을 써 보세요.

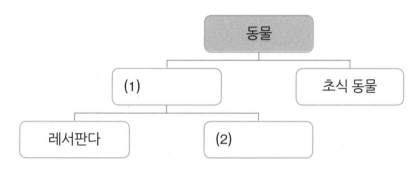

동물 — (1) — 레서판다 / (2) — 초식 동물

3 대왕판다가 대나무를 많이 먹는 까닭은 무엇인지 빈칸에 알맞은 말을 써 보세요.

• 대나무를 (1) ☐☐ 시키지 못하는 대왕판다는 큰 (2) ☐☐ 을 유지하려고 많은 양의 대나무를 오랜 시간 동안 먹는다.

4 대왕판다가 육식을 포기하게 된 까닭을 알맞게 말한 사람에게 ○표를 해 보세요.

윤후: 대왕판다는 감칠맛을 느끼는 유전자가 기능을 멈추어서 육류의 맛을 잘 느끼지 못하게 되자 육류 대신 대나무를 먹게 된 거야.	정민: 대왕판다는 몸집이 너무 커서 육류만으로는 배를 채우기 어려워서 육류 대신 주변에서 쉽게 구할 수 있는 대나무를 먹게 된 거야.
( )	( )

5 다음 낱말과 뜻이 알맞도록 선으로 이어 보세요.

(1) 분류 •

(2) 소화 •

(3) 감칠맛 •

• ① 종류에 따라서 가름.

• ② 음식물이 입에 당기는 맛.

• ③ 섭취한 음식물을 분해하여 영양분을 흡수하기 쉬운 형태로 변화시키는 일.

6 밑줄 친 낱말과 같은 뜻으로 쓰인 것에 ○표를 해 보세요.

대왕판다의 주식은 대나무이다.

(1) 그는 우리 회사의 주식을 반 이상이나 소유하였다. ··· (   )
(2) 이 섬마을에는 굴과 바지락이 주식이라고 할 만하다. ·· (   )

7 빈칸에 들어갈 알맞은 말을 보기 에서 골라 써 보세요.

| 보기 | 함유 | 섭취 | 효과 |

(1) 귤에는 비타민이 많이 [ ][ ]되어 있다.

(2) 음식을 골고루 [ ][ ]하는 것이 건강에 좋다.

(3) 좋다는 약은 모두 먹었으나 별 [ ][ ]가 없었다.

8 '추정하다'의 뜻과 관련 없는 낱말에 ×표를 해 보세요.

(1) 쫓다   (2) 미루다   (3) 생각하다   (4) 판정하다

(   )   (   )   (   )   (   )

9 보기 와 같이 발음되는 낱말이 <u>아닌</u> 것을 골라 보세요. ·········· (   )

| 보기 | 무늬 ➜ [무니] |

① 희망   ② 의사
③ 띄어쓰기   ④ 하늬바람

10 **다음 문장에 알맞은 표현에 ○표를 해 보세요.**

(1) 대왕판다는 (어떻게 / 어떡해) 대나무를 먹을까?

(2) 세상에서 대나무가 가장 좋은 걸 (어떻게 / 어떡해).

(3) 춥다고 꿈쩍도 안 하고 집에만 있으면 (어떻게 / 어떡해)?

(4) (어떻게 / 어떡해) 고기 대신 풀만 먹고 살 수 있는지 모르겠다.

'어떻게'를 '어떡해' 대신 쓰거나 '어떡해'를 '어떻게'와 같이 쓰지 않도록 주의해요.

11 보기 와 같이 밑줄 친 부분을 문장에 맞게 바꾸어 써 보세요.

| 보기 | 대왕판다가 대나무를 <u>먹는다.</u>
➜ 대왕판다에게 대나무를 <u>먹인다.</u>
➜ 대왕판다에게 대나무를 <u>먹게 한다.</u> |

(1) 물이 <u>끓는다.</u>

   ➜ 영주가 물을 ① (   ).

   ➜ 영주가 물을 ② (   ).

(2) 쇠가 자석에 <u>붙는다.</u>

   ➜ 민영이가 쇠를 자석에 ① (   ).

   ➜ 민영이가 쇠를 자석에 ② (   ).

스스로
붙임딱지

한자 어휘

'약(約)'과 '속(束)'이 들어간 말

공부한 날   월   일

아는 어휘에 ✔ 표시를 해 보고, 아래 활동을 하며 어휘를 익혀 보세요.

☐ 약속 ☐ 선약 ☐ 약혼 ☐ 절약 ☐ 단속 ☐ 속박 ☐ 결속 ☐ 속수무책

約
맺을 약

'약(約)' 자는 실타래를 묶어 놓은 모습을 그린 '糸(실 사)' 자를 응용해 '묶다'라는 뜻을 표현한 글자예요. '묶다', '맺다', '약속하다', '줄이다' 등의 뜻을 나타내지요.

순서대로 써 봐요.

約
맺을 약

'약속'은 '다른 사람과 앞으로의 일을 어떻게 할 것인가를 미리 정하여 둠.'이라는 뜻이에요.

● 약(約)이 들어간 낱말은 '맺다'라는 뜻을 가지고 있는 경우가 많아요.

선 약
먼저 先   맺을 約

뜻 먼저 약속함.

예 중요한 선약 때문에 모임에 가지 못했다.

약 혼
맺을 約   혼인할 婚

뜻 혼인하기로 약속함.

예 두 분의 약혼을 축하합니다.

절 약
마디 節   맺을 約

뜻 함부로 쓰지 않고 꼭 필요한 데에만 써서 아낌.

예 환경 보호를 위해 에너지 절약을 해야 해.

에너지 절약은 환경을 보호하는 일이야!

'속(束)'을 활용한 말로 '속수무책'이라는 말이 있어요.

속	수	무	책
묶을 束	손 手	없을 無	꾀 策

'속수무책'은 '손(手)을 묶은(束) 것처럼 어찌할 도리(策)가 없어(無) 꼼짝 못 함'을 뜻해요.

'속수무책'은 곤란한 상황을 맞닥뜨렸으나 헤쳐 나갈 방법이 없는 상황을 나타내는 말이에요. 줄여서 '속수'라고도 해요.

사람은 약속을 잘 지켜야 해.

묶을 속

이 한자는 나뭇단을 감아서 묶어 놓은 모습을 본떠서 만든 글자예요. '묶다', '동여매다', '결박하다'라는 뜻이 있어요.

束
묶을 속

정답과 해설 38쪽

● 속(束)이 들어간 낱말은 '묶다'라는 뜻을 나타내는 경우가 많아요.

여행할 때는 가방을 잘 단속해야 해.

단속
둥글 團 | 묶을 束

뜻 주의를 기울여 다잡거나 보살핌.
예 집 안팎의 단속을 끝내고 잠자리에 들었다.

속박
묶을 束 | 묶을 縛

뜻 어떤 행동을 하거나 권리를 자유롭게 행사하지 못하도록 강제로 막음.
예 속박에서 벗어나다.

결속
맺을 結 | 묶을 束

뜻 뜻이 같은 사람들끼리 서로 단결함.
예 승리를 위해 우리 팀의 결속을 다져야 해.

179

1 한자의 뜻과 소리를 보고 낱말의 뜻을 써 보세요.

約 婚

맺을 약　　혼인할 혼

→ '약혼'은 '[　][　]하기로 약속함.'이라는 뜻이다.

2 다음 낱말과 뜻이 알맞도록 선으로 이어 보세요.

(1) 선약 •

(2) 속박 •

(3) 절약 •

• ① 먼저 약속함. 또는 그런 약속.

• ② 함부로 쓰지 않고 꼭 필요한 데에만 써서 아낌.

• ③ 어떤 행동을 하거나 권리를 자유롭게 행사하지 못하도록 강제로 막음.

3 다음 [　] 안에 공통으로 들어갈 한자를 골라 보세요. ⸺⸺⸺⸺⸺ (　　　)

단(團) + [　] ── 주의를 기울여 다잡거나 보살핌.

결(結) + [　] ── 뜻이 같은 사람들끼리 서로 단결함.

① 束(묶을 속)　　② 開(열 개)　　③ 善(착할 선)　　④ 先(먼저 선)

4 빈칸에 들어갈 알맞은 말을 써 보세요.

• 나는 도둑이 가방을 훔쳐 도망가는 모습을 [　][　][　][　]으로 바라보고만 있었다.

5 '약'과 '속'이 들어가는 낱말들이 길에 놓여 있어요. 오늘 배운 한자 '約'과 '束'이 들어가는 낱말을 골라 길을 찾아보세요.

맛을 나타내는 낱말을 알아보아요!

▲ 달다

- 달짝지근하다: 약간 달콤한 맛이 있다.
- 달콤하다: 감칠맛이 있게 달다.
- 들큼하다: 맛깔스럽지 않게 조금 달다.

▲ 짜다

- 간간하다: 입맛 당기게 약간 짠 듯하다.
- 짭조름하다: 조금 짠맛이 있다.
- 찝찌레하다: 감칠맛이 없게 조금 짜다.

▲ 쓰다

- 씁쓸하다: 조금 쓰다.
- 쌉싸래하다: 조금 쓴 맛이 있는 듯하다.
- 검쓰다: 맛이 비위에 거슬리도록 몹시 거세고 쓰다.

▲ 시다

- 새콤하다: 조금 신 맛이 있다.
- 시금털털하다: 맛이나 냄새 등이 조금 시면서 도 떫다.
- 시큼하다: 맛이나 냄새 등이 조금 시다.

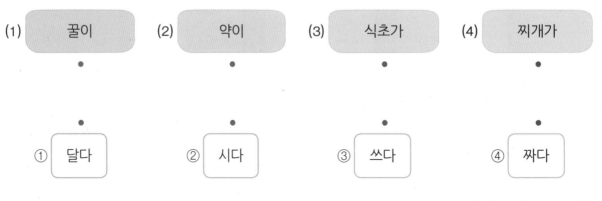

(1) 꿀이	(2) 약이	(3) 식초가	(4) 찌개가
① 달다	② 시다	③ 쓰다	④ 짜다

이 책에 쓰인 글 출처

Day	제목	지은이	출처	쪽수
02	마당을 나온 암탉	황선미	『마당을 나온 암탉』, 사계절	12쪽
08	사막을 같이 가는 벗	양귀자	『삶의 묘약』, 샘터사	38쪽
12	고무신	오영수 (오태호 엮음)	『오영수 단편집』, 지식을 만드는 지식	56쪽
14	옳고 그름 가려 벌 내리는 정의의 수호자 '해태'	이곤	『한국 환상 동물 도감』, 봄나무	64쪽
16	방학 숙제	박상률	『봄바람』, 사계절	74쪽
32	동백꽃	김유정	『조광』	144쪽

이 책에 쓰인 사진 출처

Day	제목	출처	쪽수
06	간의	위키미디어 커먼스 (https://commons.wikimedia.org/)	31쪽
06	자격루	위키미디어 커먼스 (https://commons.wikimedia.org/)	31쪽
06	혼천의	위키미디어 커먼스 (https://commons.wikimedia.org/)	31쪽
06	앙부일구	위키미디어 커먼스 (https://commons.wikimedia.org/)	31쪽

스스로 붙임딱지

일일학습을 마친 후, 스스로 붙임딱지를 골라 본문에 붙여 보세요.

- 스스로 문제를 끝까지 풀고
  오답 확인까지 마쳐 뿌듯할 때! →

- 지문에서 새로 알게 된 점이
  있어 보람찰 때! →

- 내용에서 모르는 점을
  스스로 알려고 노력하였을 때! →

- 열심히 풀었지만 풀면서
  어려움을 느꼈을 때! →

여기에 붙여요!

어휘력 쑥쑥 자람판

1 어휘력과 독해력을 키우는 하루 15분 공부 습관,
  "어휘력 자신감"과 함께 오늘부터 시작해 보세요!

2 일일학습을 마친 후, 오답까지 확인하면
  "어휘력 자람판"에 붙임딱지를 하나 붙여 주세요!

3 스스로 Day40까지 채운 후
  어휘력과 독해력이 쑥쑥 자란 나를 발견해 보세요.

자람판은 뒷장에 있어요!

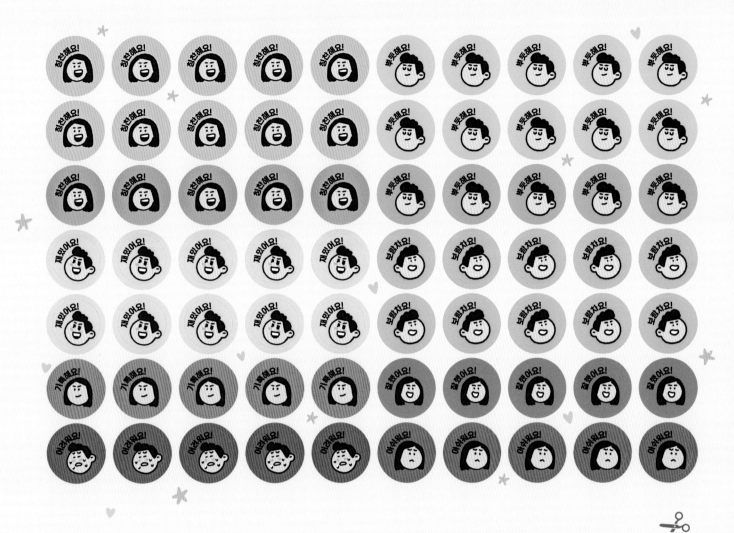

글이 술술~
자신감이
쑥쑥~

어휘력 자신감

6단계

주간 테스트 + 정답과 해설

지학사

초등 국어

6
단계

주간
테스트

1 **밑줄 친 부분과 바꾸어 쓸 수 있는 말에 ○표 하세요.**

(1) 어머니께 용돈을 <u>허투루</u> 쓴다고 혼났다.

(열심히 / 아무렇게나)

(2) 아기에게 우유를 먹이자 울음소리가 <u>멎었다</u>.

(멈췄다 / 커졌다)

2 **다음 중 맞춤법이 알맞은 문장은 어느 것인가요?** ⋯⋯⋯⋯⋯⋯⋯⋯ (   )

① 어머니는 동생과 싸우는 나를 나무래셨다.

② 나는 오래동안 망설인 끝에 드디어 결심했다.

③ 누나가 한 음식은 맛이 없어서 도저이 못 먹겠다.

④ 정훈이는 며칠을 굶은 사람처럼 밥상에 달려들었다.

3 **밑줄 친 표현이 문장과 어울리는 <u>않는</u> 것은 무엇인가요?** ⋯⋯⋯⋯⋯ (   )

① 경찰은 범인에게 <u>저항하라고</u> 설득했다.

② 나는 친구와의 약속을 지키려고 <u>입을 다물고</u> 있었다.

③ 나는 잊기를 잘하여 "<u>까마귀 고기를 먹었나</u>."라는 말을 자주 듣는다.

④ 경아는 <u>편견</u>에 사로잡혀 자신과 생각이 다른 사람과는 대화도 하지 않았다.

4 **빈칸에 공통으로 들어갈 한자는 무엇인가요?** ⋯⋯⋯⋯⋯⋯⋯⋯⋯⋯ (   )

> • ◯◯**相從**: 같은 무리끼리 서로 사귐.
>
> • **肉**◯: 사람이 먹을 수 있는 소, 돼지, 닭 등의 고기 종류.

① 座   ② 類   ③ 種   ④ 鳥

5 띄어쓰기가 알맞은 문장은 어느 것인가요? ··· (   )

① 더이상 아무 말도 하지 마.

② 비가 내리면 야외 공연을 할수 없다.

③ 이것을 먼저 하고 그것은 나중에 하자.

④ 첫번째 연주가 끝나자 관객들이 박수를 쳤다.

6 글의 내용에 알맞은 낱말에 ○표 하세요.

> 고려 말 장군이었던 최영은 '황금 보기를 돌같이 하라.'라는 (1) (속담 / 좌우명)으로 유명한 인물이다. 원래 이 말은 최영의 아버지가 돌아가시면서 남긴 말이라고 하는데 최영은 이 (2) (문구 / 이치)를 써서 곁에 두고 항상 마음에 (3) (새겼다 / 아랑곳했다)고 한다.

7 빈칸에 공통으로 들어갈 낱말의 기본형은 무엇인가요? ····························· (   )

> • 옷걸이에 많은 옷이 [   ] 있다.
>
> • 창문을 열고 잤더니 감기에 [   ].
>
> • 친구를 섭섭하게 대한 일이 마음에 [   ].

① 들다   ② 많다   ③ 걸리다   ④ 놓이다

8 뜻이 반대되는 낱말끼리 짝 지어지지 <u>않은</u> 것은 무엇인가요? ················ (   )

① 무효 - 유효   ② 겸손함 - 오만함

③ 드물다 - 흔하다   ④ 경계하다 - 조심하다

1 빈칸에 공통으로 들어갈 알맞은 낱말을 쓰세요.

> • 수호는 화가 나서 친구의 손을 ◯ 뿌리쳤다.
>
> • 세종 대왕이 한글을 만든 것은 우리 역사에 ◯을 긋는 사건이었다.

(   )

2 밑줄 친 낱말과 바꾸어 쓸 수 있는 낱말은 무엇인가요? ⋯⋯⋯⋯⋯ (   )

> 친구를 만나자 잊고 있던 고향 마을이 눈앞에 <u>선연히</u> 떠올랐다.

① 우연히   ② 절실히   ③ 생생하게   ④ 아득하게

3 다음 중 맞춤법이 알맞은 문장은 어느 것인가요? ⋯⋯⋯⋯⋯⋯ (   )

① 전통 한과는 꿀로서 단맛을 낼 때가 많다.

② 나무꾼은 깊은 숲을 헤매다가 곰을 만났다.

③ 눈 깜짝할 사이에 무대 배경이 바닷가로 바꼈다.

④ 나는 피부색이 다른 외국인들 사이에서 낯설음을 느꼈다.

4 밑줄 친 글자의 뜻이 알맞게 짝 지어진 것은 무엇인가요? ⋯⋯⋯⋯ (   )

① <u>광</u>야(廣野) - 넓다   ② <u>충</u>고(忠告) - 고하다

③ <u>광</u>역시(廣域市) - 빛나다   ④ <u>망</u>망대해(茫茫大海) - 바다

5 빈칸에 들어갈 속담으로 알맞은 것은 무엇인가요? .... (　　)

> 　조선 후기 실학자 홍대용은 조선의 권세 있는 가문에서 태어나 " [　　　　] "라는 말과의 거리가 먼 인물이다. 홍대용은 마음만 먹으면 출세할 수 있었지만 태양과 별을 연구하는 데 에만 전념했다.

① 누워서 떡 먹기　　　　　　　　② 말이 씨가 된다.
③ 땅 짚고 헤엄치기　　　　　　　　④ 개천에서 용 난다.

6 띄어쓰기가 알맞은 문장은 어느 것인가요? .... (　　)

① 나는 언니의 행동을 눈여겨보았다.
② 이 세상에 고정 불변하는 언어는 없다.
③ 준성이는 하루 만에 그림 세점을 완성했다.
④ 은효는 일주일 간 나에게 전화를 걸지 않았다.

7 밑줄 친 표현이 문장과 어울리지 <u>않는</u> 것은 무엇인가요? .... (　　)

① 방송국에서 <u>발굴한</u> 가수가 인기를 얻고 있다.
② 내 성공의 <u>이면</u>에는 엄청난 노력이 숨어 있다.
③ 만지면 안 된다는 <u>고백</u>을 무시하고 손을 댔다.
④ 조선 시대에 왕은 <u>절대적인</u> 권력을 가진 사람이었다.

1 밑줄 친 낱말의 뜻으로 알맞은 것은 무엇인가요? .... ( )

> 일 년 동안 <u>함빡</u> 정이 들었는데 헤어지려니 아쉽다.

① 매우 짧은 시간.
② 슬며시 힘을 주는 모양.
③ 정도 이상으로 차이가 나게.
④ 분량이 차고도 남도록 넉넉하게.

2 다음 중 맞춤법이 알맞은 문장은 어느 것인가요? .... ( )

① 나는 벽에 기대앉은 체로 잠이 들었다.
② 시간이 늦었으니 오늘은 나 먼저 들어갈게.
③ 간절히 기도했지만 나의 바램은 이루어지지 않았다.
④ 맑은 가을 하늘, 햇님이 방긋 웃으며 고운 얼굴을 드러냈다.

3 밑줄 친 표현이 문장과 어울리지 <u>않는</u> 것은 무엇인가요? .... ( )

① 동생은 <u>억실억실한</u> 목소리로 나에게 비밀을 속삭였다.
② 이 절에서 발견된 불상은 박물관으로 옮겨져 <u>보존되고</u> 있다.
③ 요즘 날씨가 오락가락해서 사람들의 옷차림이 <u>각양각색</u>이다.
④ 30년 만에 어머니를 만난 아들은 <u>목멘</u> 소리로 어머니를 불렀다.

4 '격식 격(格)' 자가 쓰이지 <u>않은</u> 낱말은 어느 것인가요? .... ( )

① 성격 　　　② 엄격 　　　③ 자격 　　　④ 충격

5 밑줄 친 낱말과 바꾸어 쓸 수 있는 낱말은 무엇인가요? ·········· (　　)

> 의견이 <u>대립하면서</u> 그들은 사이가 점점 멀어졌다.

① 뒤집다　　　　② 싸우다　　　　③ 반대되다　　　　④ 비슷하다

6 빈칸에 들어갈 낱말로 알맞지 <u>않은</u> 것은 무엇인가요? ·········· (　　)

> 　오늘은 가족 여행을 가려고 아침 일찍 일어났다. 아버지께서는 기차 시간에 늦지 않게 준비하라며 [　　　　], 어머니께서는 거울 앞에서 [　　　　]를 가다듬으셨다. 내가 준비를 마치고 나왔을 때, [　　　　]이 넘치는 나의 옷을 본 언니는 눈이 [　　　　].

① 개성　　　　② 옷걸이　　　　③ 재촉하셨고　　　　④ 동그래졌다

7 밑줄 친 낱말의 발음이 알맞은 것은 무엇인가요? ·········· (　　)

① 남을 험담하는 일은 <u>옳지</u> 않다.
　　　　[올지]

② 아버지 손은 <u>넓적하고</u> 두툼하다.
　　　　[널쩌카고]

③ 동생은 연극에서 할아버지 <u>역할</u>을 맡았다.
　　　　[여깔]

④ 정체를 알 수 없는 사람들이 은행을 <u>습격했다</u>.
　　　　[습껴캐따]

4주차 | 주간 테스트

정답과 해설 39쪽

1 **다음 중 맞춤법이 알맞지 <u>않은</u> 문장은 어느 것인가요?** ·············· (   )

① 나는 운동을 별로 좋아하지 않는다.

② 말이 없던 소희가 웬일로 불쑥 입을 열었다.

③ 누렇게 바란 벽지를 뜯어내고 새로 도배를 했다.

④ 윤지는 며칠 밤을 뜬눈으로 새우며 고민한 끝에 결심을 하였다.

2 **낱말의 뜻이 알맞지 <u>않은</u> 것은 무엇인가요?** ·············· (   )

① **수록하다**: 뜻이 높고 훌륭하다.

② **차마**: 부끄럽거나 안타까워서 감히.

③ **소복하다**: 쌓이거나 담긴 물건이 볼록하게 많다.

④ **난데없이**: 갑자기 불쑥 나타나 어디서 왔는지 알 수 없게.

3 **고쳐 쓸 부분이 <u>없는</u> 문장은 어느 것인가요?** ·············· (   )

① 햇빛에 살이 검게 탔다.

② 성규는 좋은 기회를 번번히 놓쳤다.

③ 이 일은 오늘까지 반듯이 끝내야 한다.

④ 아이들은 벽에서 새어 나오는 소리에 귀를 기울였다.

4 **빈칸에 공통으로 들어갈 낱말을 쓰세요.**

> • 지혜는 [   ]을 향해 두 팔을 쭉 펴며 기지개를 켰다.
>
> • [   ]은 스스로 돕는 자를 돕는다고, 목표를 이루려면 피나는 노력을 해야 한다.

(   )

8 어휘력 자신감 6단계

5 관용어가 알맞게 쓰인 문장은 어느 것인가요? .... (　　)

① 화려한 불꽃이 밤하늘에 수를 놓았다.

② 나는 민준이가 한 말의 의미를 깨닫고 무릎을 꿇렸다.

③ 이 만화책은 정말 재미가 있어서 시간 가는 줄 알고 읽었다.

④ 준호에게 열쇠를 맡긴 것이 실수였으나 이미 얼어버린 물이었다.

6 '말씀 설(說)' 자가 쓰이지 <u>않은</u> 낱말은 어느 것인가요? .... (　　)

① 연설　　　　　② 폭설　　　　　③ 설명서　　　　　④ 구전 설화

7 밑줄 친 낱말과 같은 짜임으로 만들어진 낱말은 어느 것인가요? .... (　　)

> 건강을 유지하려면 운동을 해서 <u>군살</u>을 빼야 한다.

① 나무판　　　　　② 뒷부분　　　　　③ 잎자루　　　　　④ 심부름꾼

8 밑줄 친 낱말과 뜻이 반대인 낱말끼리 짝 지어진 것은 무엇인가요? .... (　　)

① 어디선가 <u>정체불명</u>의 소리가 들려왔다. - 미지

② 그 운동은 키가 작은 사람이 <u>불리하다.</u> - 유리하다

③ 창틈으로 <u>희미한</u> 불빛이 새어 나오고 있었다. - 흐릿하다

④ 재평이는 시험이 끝나기만을 <u>간절하게</u> 바랐다. - 절실하게

1 빈칸에 들어갈 알맞은 말을 보기 에서 골라 쓰세요.

> **보기**　　　　　　정전벽력　　　혁신적　　　자초지종

(1) 어찌 된 일인지 나에게 [　　　　　]을 이야기해 봐라.

(2) 할머니께서 다치시다니, 이게 무슨 [　　　　　] 같은 소리냐?

(3) 에디슨이 만든 전구는 당시로서는 아주 [　　　　　]인 발명이었다.

2 짝 지어진 낱말의 관계가 보기 와 같은 것은 무엇인가요? ·············· (　　　)

> **보기**　　　　　　　　　　인위적 - 자연적

① 연유 - 까닭　　　　　　　　　② 알다 - 모르다
③ 밀다 - 두드리다　　　　　　　④ 가전제품 - 냉장고

3 밑줄 친 낱말을 알맞게 고쳐 쓴 것은 무엇인가요? ·············· (　　　)

> 나는 아버지와 얼굴이 <u>틀리다</u>.

① 맞다　　　　② 다르다　　　　③ 아니다　　　　④ 이상하다

4 낱말의 발음이 알맞지 <u>않은</u> 것은 무엇인가요? ·············· (　　　)

① 업적[업쩍]　　　　　　　　　② 협상[협쌍]
③ 장학금[장학끔]　　　　　　　④ 약속하다[약소카다]

5   밑줄 친 '찍다'의 뜻이 보기 와 같은 것은 무엇인가요? ·····························(   )

> 보기   나는 이번 선거에서 2번 후보를 <u>찍었다</u>.

① 회장으로 <u>찍을</u> 사람이 없다.
② 문장의 끝에는 마침표를 <u>찍는다</u>.
③ 모르는 문제는 <u>찍어서</u> 답을 하였다.
④ 나는 떡을 꿀에 <u>찍어</u> 먹는 것을 좋아한다.

6   '시치미를 떼다'를 잘못 활용한 사람의 이름을 쓰세요.

> **지윤**: 시치미 떼듯이 조금씩 저축한 돈이 이렇게 많이 모였네? 꼭 필요할 때 사용해야지.
> **아영**: 동생이 장난감을 망가뜨리고도 자기가 안 했다는 거야. 정말 시치미 떼기 선수라니까.
> **현진**: 엄마 생신날 깜짝 파티를 하려고 가족 모두 엄마 생신을 모르고 있는 것처럼 시치미를 떼고 있었어.

(   )

7   '물건'이라는 뜻이 있는 한자가 쓰인 낱말은 무엇인가요? ·····························(   )

① 무례(無禮)   ② 상점(商店)
③ 한반도(韓半島)   ④ 일회용품(一回用品)

8   다음 중 고쳐 써야 하는 문장은 어느 것인가요? ·····························(   )

① 호수가에 나룻배가 한 척 매여 있다.
② 두꺼비 한 마리가 연못가에 앉아 있었다.
③ 빗물이 창에 부딪혀 유리를 타고 흘러내린다.
④ 증기 기관의 발명은 영국 산업 혁명의 발판이 되었다.

1 빈칸에 공통으로 들어갈 뜻을 더해 주는 말은 무엇인가요? ·············· (   )

> • 구멍 난 옷에 다른 천을 ◯대어서 꿰맸다.
>
> • 우리는 벽에다 새 도배지를 ◯붙여 발랐다.

① 군   ② 덧   ③ 맨   ④ 햇

2 다음과 같은 뜻을 가진 한자 성어는 무엇인가요? ···················· (   )

> 　배에서 칼을 물속에 떨어뜨리고 그 위치를 뱃전에 표시하였다가 나중에 배가 움직인 것을 생각하지 않고 칼을 찾았다는 데서 유래한 말로, 융통성 없이 현실에 맞지 않는 낡은 생각을 고집하는 어리석음을 뜻한다.

① 각주구검   ② 개과천선   ③ 시행착오   ④ 신출귀몰

3 낱말의 뜻이 알맞지 <u>않은</u> 것은 무엇인가요? ···················· (   )

① **사연**: 일의 앞뒤 사정과 까닭.
② **파편**: 깨어지거나 부서진 조각.
③ **대가**: 장사나 사업 등의 기본이 되는 돈.
④ **종적**: 없어지거나 떠난 뒤에 남는 자취나 형상.

4 단일어가 <u>아닌</u> 낱말은 어느 것인가요? ···················· (   )

① 마찰   ② 뱃전   ③ 솔개   ④ 요행

5 고쳐 쓸 부분이 <u>없는</u> 문장은 어느 것인가요? ·· (   )

① 리자가 높아져서 은행에 돈을 맡겼다.

② 우리 동네에는 같이 놀 만한 친구께서 없다.

③ 전기는 우리 생활에서 없어서는 않 될 에너지이다.

④ 정은이는 내 기분은 아랑곳하지 않고 말을 계속했다.

6 낱말의 뜻을 살펴보고 빈칸에 들어갈 알맞은 말을 기본형으로 쓰세요.

> • **선의**(善意): 좋은 뜻.
>
> • **최선**(最善): 가장 좋고 훌륭함.
>
> • **개선**(改善): 잘못된 것이나 부족한 것, 나쁜 것 등을 고쳐 더 [   ] 만듦.

(   )

7 밑줄 친 낱말과 뜻이 비슷한 낱말은 무엇인가요? ······················· (   )

> 무더운 날씨가 <u>지속되었다</u>.

① 지나다   ② 계속되다   ③ 제한되다   ④ 늦추어지다

8 띄어쓰기가 알맞은 것은 어느 것인가요? ·································· (   )

① 그날∨천여∨명이∨광장에∨모였다.

② 그날∨천∨여∨명이∨광장에∨모였다.

③ 그∨날∨천여∨명이∨광장에∨모였다.

④ 그∨날∨천∨여∨명이∨광장에∨모였다.

1 밑줄 친 표현이 자연스러운 문장은 어느 것인가요? ·············· (   )

① 서준이는 <u>어리숙하게</u> 거짓말을 잘한다.

② 그는 늘 남을 모함하는 <u>충신</u> 같은 사람이다.

③ 임금이 <u>어질고</u> 반듯하니 백성들이 살기가 좋다.

④ 이번에도 사고가 나다니, 은수도 삶이 참 <u>평탄하구나</u>.

2 짝 지어진 낱말의 관계가 보기 와 <u>다른</u> 것은 무엇인가요? ·············· (   )

> **보기**　　　　　　　　　　　잦아지다 - 드물어지다

① 호의 - 악의　　　　　　　　　② 죽다 - 살다

③ 합격 - 불합격　　　　　　　　④ 인품 - 사람됨

3 낱말을 뜻이 있는 두 부분으로 알맞게 나눈 것은 무엇인가요? ·············· (   )

① 바 + 구니　　　　　　　　　② 대중 + 가요

③ 돌무 + 더기　　　　　　　　④ 쥐 + 어박다

4 관용어의 뜻을 보고 빈칸에 공통으로 들어갈 알맞은 낱말을 쓰세요.

> ・ 〇 **발라 놓다**: 자기 소유임을 표시하다.
>
> ・〇**을 흘리다**: 음식 따위를 몹시 먹고 싶어 하다.
>
> ・〇**이 마르다**: 다른 사람이나 물건에 대하여 거듭해서 말하다.

(　　　　)

5 밑줄 친 글자에 쓰인 한자는 무엇인가요? ·································· (　　　)

> 하필 오늘같이 중요한 날에 비가 내리다니…….

① 必　　　　　② 何　　　　　③ 要　　　　　④ 重

6 ㉠~㉣을 알맞게 고쳐 쓴 것은 무엇인가요? ····························· (　　　)

> 그렇게 ㉠주위를 줬는데 ㉡금새 사고를 치다니, 선배가 ㉢되서도 ㉣제데로 하는 게 없구나.

① ㉠: 주이　　　　　　　　　② ㉡: 금세
③ ㉢: 돼어서도　　　　　　　④ ㉣: 재데로

7 'ㅎ' 받침의 발음이 나머지와 다른 하나는 무엇인가요? ················ (　　　)

① 차에 설탕을 듬뿍 넣었다.
② 창고에 덫을 놓아 쥐를 잡았다.
③ 오늘은 달구경 가기 좋은 날이다.
④ 철새는 알을 낳기 위해 남쪽으로 갔다.

8 띄어쓰기가 알맞은 문장은 어느 것인가요? ····························· (　　　)

① 나의 갑작스러운 고백에 장원이의 두 눈이 똥그레졌다.
② 엎친데 덮친다고, 사회 시험에 수학 시험까지 보게 되었다.
③ 현규가 수업 시간에 자주 자리를 비우는 행동이 도마위에 올랐다.
④ 모난 돌이 정맞는다더니, 일 등만 하던 민재는 친구들의 미움을 샀다.

1 밑줄 친 낱말과 뜻이 비슷한 관용어는 무엇인가요? .... (   )

> 석이는 연주의 부탁을 차갑게 <u>외면하였다</u>.

① 손을 빌리다
② 고개를 돌리다
③ 하늘이 노랗다
④ 불 보듯 뻔하다

2 보기 의 낱말에 쓰인 '약(約)'의 뜻은 무엇인가요? .... (   )

> 보기   약속(約束)   선약(先約)   약혼(約婚)

① 맺다
② 붙다
③ 약하다
④ 다스리다

3 호응이 알맞은 문장은 어느 것인가요? .... (   )

① 선생님께 연필을 드렸다.
② 내가 너와 함께 가 주실게.
③ 학생들이 숙제를 안 해 오셨다.
④ 내 동생은 하루 종일 과자를 드신다.

4 띄어쓰기가 알맞은 문장은 어느 것인가요? .... (   )

① 늦잠을 잤기때문에 지각을 하였다.
② 내가 먼저 갈 테니 너는 나중에 와.
③ 콩심은 데 콩나고 팥심은 데 팥난다.
④ 나는 영문도 모른채 주희를 따라갔다.

5 빈칸에 들어갈 낱말로 알맞은 것은 무엇인가요? ·· (   )

> 우리나라 인구가 계속 감소하는 [   ]를 보이고 있다.

① 가짜   ② 소화   ③ 추세   ④ 회유

6 복합어가 아닌 낱말은 어느 것인가요? ·· (   )

① 마음껏   ② 바닷속   ③ 말미잘   ④ 대왕판다

7 보기 와 같이 발음되는 낱말은 무엇인가요? ·· (   )

> 보기 앞에 오는 글자의 받침이 뒤에 오는 글자의 첫소리로 옮겨 소리 난다.
> 예 짙은 안개로 한 치 앞이[아피] 보이지 않았다.

① 무늬   ② 침략   ③ 무작정   ④ 함유되다

8 밑줄 친 표현이 자연스러운 문장은 어느 것인가요? ······························· (   )

① 유현이는 운동 부족으로 체력이 향상되었다.
② 글을 읽는 것은 글을 쓰는 것과 밀접한 관련이 있다.
③ 수빈이와 난희는 날마다 만날 정도로 데면데면한 사이이다.
④ 우리는 주장이 서로 맞아떨어져서 회의를 끝내지 못하고 있다.

어휘력 자신감

초등 국어

6 단계

정답과 해설

1 (1) × (2) ○ (3) ○
2 (1) ②, ④ (2) ①, ③
3 (1) 먹이 (2) 효성   4 재이

독해력을 키우는 어휘와 어법

5 (1) ② (2) ① (3) ③
6 (1) 효성 (2) 위협 (3) 고분
7 (1) 흉 (2) 길조
8 (1) 알맹이 (2) 나무랐다 (3) 날아가는
9 (1) ② ○ (2) ② ○
10 (1) ① (2) ② (3) ①

1 (1) 까마귀를 부정적으로 보는 시각도 있으나 옛날에는 까마귀를 길조로 여겼습니다.

2 견우와 직녀를 위해 다리를 만든 이야기나 고구려 고분 벽화에 까마귀가 그려진 것을 통해 옛날에는 까마귀를 길조로 여겼다는 사실을 알 수 있습니다.

3 '반포지효'는 까마귀 새끼가 자라서 늙은 어미에게 먹이를 물어다 주는 효라는 뜻으로, 자식이 자란 후에 어버이의 은혜를 갚는 효성을 이르는 말입니다.

4 "까마귀 고기를 먹었나."라는 속담은 잘 잊어버리는 사람을 나무라는 말이므로, 이와 관련된 이야기를 한 것은 재이입니다.

독해력을 키우는 어휘와 어법

5 '습성'은 '같은 종류의 동물에서 공통되는 생활 방식이나 행동 양식.'을 뜻하고, '편견'은 '공정하지 못하고 한쪽으로 치우친 생각.'을 뜻합니다. '후손'은 '자신의 세대에서 여러 세대가 지난 뒤의 자녀를 통틀어 이르는 말.'입니다.

6 (1) '효성'은 '마음을 다하여 부모를 섬기는 정성.'을 뜻하고, (2) '위협'은 '힘으로 으르고 협박함.'이라는 뜻입니다. (3) '고분'은 '옛날에 만들어진 무덤.'을 뜻합니다.

7 '길하다'와 '흉하다'는 뜻이 서로 반대되는 낱말입니다. 이 두 낱말의 관계를 살펴보면, 좋은 일을 가져온다고 여기는 새를 가리키는 '길조'가 '흉조'와 뜻이 반대되는 낱말이라는 것을 알 수 있습니다.

8 '알맹이', '나무라다'가 알맞은 표기입니다. '날아가다'는 '날다'와 '가다'를 합해서 만든 낱말입니다. '날다'는 '날고', '날아', '날았다'와 같이 형태가 바뀌기 때문에 '날라가다'는 잘못된 표기입니다.

9 '다리'와 '차다'는 글자는 같지만 뜻이 다른 '동형어'입니다. (1) ①의 '다리'는 '다리에 쥐가 났다.'와 같은 문장에 쓸 수 있습니다. (2) ①의 '차다'는 '물이 너무 차서 이가 시렸다.'와 같이 쓸 수 있습니다.

10 받침 'ㄺ'은 낱말의 끝이나 자음 앞에서 [ㄱ]으로 발음하지만 'ㄱ' 앞에서만 [ㄹ]로 발음합니다.

---

1 ㉡
2 (1) 존경 (2) 고백 (3) 사냥
3 (1) ① (2) ②

독해력을 키우는 어휘와 어법

4 (1) ② (2) ① (3) ③
5 (1) 허투루 (2) 야생
6 (1) ○
7 (1) ○
8 (1) 안 갔다 (2) 안 다쳤다 (3) 안 떠올랐다
9 (1) 도저히 (2) 영원히 (3) 속속들이
10 (1) 출 줄 (2) 것 같아 (3) 그럴 수

1 ㉠, ㉢, ㉣은 이 글의 내용과 일치하지만 ㉡은 이 글과 다른 내용입니다. 잎싹은 청둥오리에게 알에 대한 비밀을 솔직하게 털어놓을 생각이었으나 청둥오리와의 대화를 통해서 그것이 중요하지 않은 일임을 깨달았고 결국 고백하지 않았습니다.

2 청둥오리에게 비밀을 털어놓으려던 잎싹은 그것이 중요하지 않음을 알았습니다. 청둥오리는 족제비가 사냥하기 전에 내일은 알이 깼으면 좋겠다는 말을 남기며 멀어졌습니다.

3 잎싹은 처음부터 지금까지 돌봐 준 친구를 속여 왔던 것에 미안한 마음이 들어 사실대로 고백하려고 했습니다. 글의 마지막에 지쳤다고 말하며 찔레 덤불에서 멀어지는 청둥오리를 보며 불안해하는 잎싹의 모습이 나타나 있습니다.

독해력을 키우는 어휘와 어법

4 (1) '돋다'는 '살갗에 어떤 것이 우툴두툴하게 내밀다.'라는 뜻입니다. (2) '멎다'는 '사물의 움직임이나 동작이 그치다.'라는 뜻이고, (3) '고백하다'는 '마음속에 생각하고 있는 것이나 감추어 둔 것을 숨김없이 말하다.'라는 뜻입니다.

6 (1)~(3) 모두 '입'과 관련된 관용어의 뜻을 설명하고 있습니다. (2)는 '입을 씻다', (3)은 '입을 막다'의 뜻입니다.

7 앞에 '예수님'이라는 낱말이 있으므로 밑줄 친 '탄생'은 '사람이 태어남'을 뜻합니다.

8 '않다'는 '어떤 행동을 안 하다.'라는 뜻으로, 형태가 바뀌는 말 뒤에 붙어서 부정의 뜻을 나타냅니다. '안'을 낱말 앞에 쓰면 '않다'가 붙은 문장을 짧게 표현할 수 있습니다. (1)은 '가다'의 앞에 '안'을 붙여 '안 갔다'로, (2)는 '다치다' 앞에 '안'을 붙여 '안 다쳤다'로, (3)은 '떠오르다' 앞에 '안'을 붙여 '안 떠올랐다'로 바꾸어 쓸 수 있습니다.

9 '도저히', '영원히', '속속들이'가 알맞은 표현입니다.

10 '줄', '것', '수'는 혼자서는 쓸 수 없는 낱말입니다. 이 낱말들은 앞에 오는 다른 낱말과 함께 써야 하고, 쓸 때에는 띄어 써야 합니다.

1 ③

2 ㉠

3 (1) ○

4 새기다

독해력을 키우는 어휘와 어법

5 (1) ③ (2) ② (3) ①

6 (1) 경계 (2) 명심 (3) 겸손

7 (4) ○

8 (1) 잘난 체 (2) 한쪽 (3) 책 중에서

9 (1) 가르쳐 (2) 가리키고 (3) 가르치고

10 (1) 어떻게 (2) 낡은 (3) 기울어져

1 공자의 제자가 몇 명이었는지는 글에서 알 수 없습니다.

2 나폴레옹과 율곡 이이는 좌우명을 만들고 실천한 인물입니다. 제자들은 공자가 기울어진 술독에 물을 채우라고 한 까닭을 알지 못했습니다.

3 공자는 요술 술독을 신기해하는 제자들을 보면서 '공부를 다 했다고 겸손함을 잊고 잘난 체하면 넘어질 수 있으니 명심하라.'라고 이야기했습니다. 즉, 공자는 학문이 깊을수록 잘난 체하지 말고 더욱 열심히 해야 한다는 말을 하고 있습니다.

4 '좌우명'에 쓰인 '명'은 '새기다'라는 뜻입니다.

독해력을 키우는 어휘와 어법

5 (1) '사당'은 옛 위인에 대한 제사를 지내거나 조상의 나무패를 모셔 두는 집을 뜻하고, (2) '이치'는 도리에 맞는 원리, 근본이 되는 목적 등을 뜻하고, (3) '좌우명'은 가르침으로 삼는 말이나 문구를 뜻합니다.

6 (1) '경계하다'는 '옳지 않은 일이나 잘못된 일들을 하지 않도록 타일러서 주의하다.'라는 뜻입니다. (2) '명심하다'는 '잊지 않도록 마음에 깊이 새겨 두다.'를 뜻합니다. (3) '겸손하다'는 '남을 존중하고 자기를 내세우지 않는 태도가 있다.'라는 뜻입니다.

7 보기 의 '새기다'는 '잊지 않도록 마음속에 깊이 기억하다.'라는 뜻으로 쓰였습니다. (1)은 '글씨나 형상을 파다.'라는 뜻으로 쓰였고, (2)와 (3)은 '적거나 인쇄하다.'라는 뜻으로 쓰였습니다.

8 (1) 꾸며 주는 말 '잘난'은 뒤에 오는 말과 띄어 씁니다. (2) '한쪽'은 '어느 하나의 편이나 방향.'이라는 뜻의 낱말입니다. (3) '책'과 '중'은 각각의 낱말이므로 띄어 씁니다.

9 '가르치다'는 모르는 것을 알려 줄 때 쓰는 낱말입니다. 방향이나 대상을 집어서 말하는 '가리키다'와 헷갈리거나 '가르키다', '알으키다'로 잘못 쓰지 않도록 주의합니다.

10 형태가 바뀌는 낱말은 소리 나는 대로 쓰면 어떤 낱말인지 파악하기 어렵기 때문에 원래의 형태가 드러나게 써야 합니다.

1 (1) ○ (2) × (3) ○

2 (1) 독재 (2) 조작 (3) 시위 (4) 주권

3 우영

독해력을 키우는 어휘와 어법

4 (1) ① (2) ② (3) ③

5 (1) 동원 (2) 진압 (3) 방해 (4) 저항

6 정의

7 (1) ② (2) ②

8 (1) 첫∨번째 (2) 더∨이상은 (3) 하고∨싶어서

9 (1) 며칠 (2) 오랫동안 (3) 맞서고

1 (2) 4.19 혁명은 이승만 대통령의 독재 정치를 끝내려고 일어난 시위입니다.

2 이승만의 독재 정치와 부정 선거에 분노한 시민들이 시위를 통해 주권을 되찾은 것이 4.19 혁명입니다.

3 '주권'은 국가의 의사나 정책을 최종적으로 결정하는 권력입니다. 대한민국의 주권은 국민에게 있습니다. 영수가 말한 내용은 '독재 정치'의 뜻입니다.

독해력을 키우는 어휘와 어법

4 '이념'은 '이상적인 것으로 여겨지는 생각이나 의견.', '주권'은 '국가의 의사를 최종적으로 결정하는 권력'을 뜻합니다. '혁명'의 뜻은 '국가나 사회의 제도와 조직 등을 새롭게 고치는 일.'입니다.

6 '정의'와 '불의'는 뜻이 서로 반대되는 낱말입니다. '불의'의 '불' 자는 '아니다', '못하다'라는 뜻이 있는 글자입니다. 일부 한자에 '불(不)' 자를 붙이면 뜻이 반대되는 낱말을 만들 수 있습니다.

7 '일어나다'와 '찍다'는 하나의 낱말이 두 개 이상의 관련된 뜻을 가지는 '다의어'입니다. 다의어는 문맥에 따라 뜻하는 내용이 조금씩 다르기 때문에 낱말의 앞뒤 내용을 살펴 알맞은 뜻을 찾습니다. (1)의 '일어나다'는 '발생하다'와 비슷한 뜻이며, '아침에 일찍 일어났다.'와 같이 써야 ①의 뜻이 됩니다. (2)의 '찍다'는 '뽑다'와 비슷한 뜻이며, '사진을 찍다'와 같이 써야 ①의 뜻이 됩니다.

8 낱말과 낱말 사이는 띄어 씁니다. (1) '첫'은 '맨 처음의.'라는 뜻을 가진 낱말이고, '번째'는 '차례나 횟수를 나타내는 말.'입니다. (2) '더'는 '계속하여. 또는 그 위에 보태어.', '이상'은 ' 수량이나 정도가 일정한 기준보다 더 많거나 나음.'이라는 뜻의 낱말입니다. (3) '하다'와 '싶다'는 각각의 낱말이므로 띄어 씁니다.

9 (1) '며칠'은 소리 나는 대로 써야 알맞습니다. (2) 낱말 사이에 'ㅅ'이 있는 '오랫동안'이 알맞은 표현입니다. (3) '서로 굽히지 아니하고 마주 겨루어 버티다.'라는 뜻의 '맞서다'는 'ㅈ' 받침을 씁니다.

1 ③

2 (1) 어종   (2) 멸종

3 (1) 유사   (2) 종자

4 류

5 해설 참조

---

1 '종류'는 '사물의 부분을 나누는 갈래.'를 뜻하는 낱말입니다. '어종'은 물고기의 종류를, '직종'은 직업의 종류를, '업종'은 '직업이나 영업의 종류'를 뜻하므로, 여기에 쓰인 '종'은 '종류'라는 뜻입니다.

2 (1) '어종'은 물고기의 종류를 뜻하는 낱말이고, (2) '멸종'은 '씨가 없어짐'을 뜻하는 낱말로 생물의 한 종류가 없어지는 것을 말합니다.

3 (1) '서로 비슷함.'이라는 뜻의 낱말은 '유사'입니다. (2) '식물에서 나온 씨 또는 씨앗.'을 뜻하는 낱말은 '종자'입니다.

4 '몸에 깃털과 날개가 있고 날 수 있으며 다리가 둘인 동물.'은 '조류', '주로 몸이 비늘로 덮여 있으며, 물속에 살면서 지느러미로 헤엄을 치고 아가미로 숨을 쉬는 동물.'은 '어류'입니다. 두 낱말에 공통으로 들어가는 '류(類)'는 '무리'를 뜻하는 한자입니다. '류'는 낱말의 첫 글자에서만 '유'라고 쓰므로 답을 '유'라고 쓰지 않도록 주의합니다.

5 '종(種)'과 '류(類)'가 들어가는 낱말을 글자판에서 찾아서 뜻을 한 번 더 익혀 봅니다.

백	점	송	울	평	창	구
인	사	어	부	행	유	례
종	착	지	동	유	가	역
타	악	도	상	작	우	리
명	기	종	아	리	세	업
운	최	고	동	종	어	종
멸	종	좌	석	섬	유	류

1 (1) 2   (2) 3   (3) 1   (4) 4

2 (1) 노비   (2) 천문   (3) 전념

3 (1) ○   (3) ○

4 (1) ②   (2) ①

독해력을 키우는 어휘와 어법

5 (1) 전념   (2) 공중   (3) 극복

6 ③   7 정원

8 (1) 로서   (2) 로써   (3) 로서

9 (1) 쐬면   (2) 꾀면

10 (1) ①   (2) ③   (3) ②

---

1 관청에서 일하는 노비였던 장영실은 상의원에 들어가 궁중 기술자로 일했습니다. 명으로 유학을 다녀온 장영실은 여러 기구를 발명했고, 그 공로를 인정받아 종3품 대호군이라는 벼슬에 올랐습니다.

3 장영실이 달과 별의 움직임을 관측하기 위해 만든 천문 기구는 간의와 혼천의입니다.

4 '개천'은 '어려운 환경'을, '용'은 '훌륭한 인물'을 뜻합니다.

독해력을 키우는 어휘와 어법

6 '꿈도 못 꾸다'는 전혀 생각도 하지 못했다는 뜻입니다. ①은 '숨을 돌리다', ②는 '발 디딜 틈이 없다', ④는 '머리를 싸매다'라는 관용어의 뜻입니다.

7 '개천에서 용 난다'는 어려운 환경에서 훌륭한 인물이 나온다는 말입니다. 세종은 훌륭한 인물이지만 왕의 아들이었으므로, '개천'의 의미와 어울리지 않는 인물입니다.

8 (1) '궁중 기술자'는 직업을 나타내는 말이므로, 지위나 신분 또는 자격을 나타내는 '-로서'가 알맞습니다. (2) 대화는 갈등을 풀어 주는 수단이 되므로, 대화 뒤에는 어떤 물건의 재료나 원료, 수단이나 도구를 나타내는 '-로써'가 어울립니다. (3) '선배'는 경험이나 지위 등이 더 앞선 사람을 가리키므로 '-로서'가 알맞습니다.

9 준말은 낱말의 일부분이 줄어든 것입니다. (1) '쏘이다'의 준말은 '쐬다'로, '얼굴이나 몸에 바람이나 햇빛 등을 직접 받다.'라는 뜻입니다. (2) '꼬이다'는 '그럴듯한 말이나 행동으로 다른 사람을 속이거나 부추겨서 자기가 바라는 대로 하게 하다.'라는 뜻으로, 준말인 '꾀다'로도 쓸 수 있습니다.

10 (1) '전념한'은 오직 한 가지 일에만 마음을 쓴다는 뜻으로, 한 가지 일에만 집중한다는 뜻의 '몰두한'과 바꾸어 쓸 수 있습니다. (2) 널리 알려지지 않거나 뛰어난 것을 찾아낸다는 뜻의 '발굴해'는 '찾기 어려운 사람이나 사물을 찾아서 드러내다.'라는 뜻의 '찾아내'로 바꿀 수 있습니다. (3) '극복하고'는 나쁜 조건이나 힘든 일 등을 이겨 낸다는 뜻이므로, '이겨 내고'로도 쓸 수 있습니다.

1 (1) 아낙네   (2) 파리   (3) 왼쪽
2 세호
3 ㉢

독해력을 키우는 어휘와 어법

4 (1) ②   (2) ③   (3) ①   (4) ④
5 (3) ×
6 (1) ○
7 (1) 켤레   (2) 점   (3) 다발
8 ④
9 (1) 그려진 지   (2) 안녕하신지   (3) 떠난 지

2 글쓴이는 세계적인 학자들이 고흐의 그림을 두고 논쟁을 벌인 것을 통해 그림에는 정답이 없으며 자신만의 해석이 중요하다고 말하고 있습니다. 따라서 글쓴이의 생각을 알맞게 파악한 친구는 세호입니다.

3 '획을 긋다'는 '어떤 범위나 시기를 분명하게 구분 짓다.'라는 뜻으로, 이를 가장 올바르게 활용한 문장은 ㉢입니다. ㉠은 '뛰어난'이라는 뜻으로 쓰였고, ㉡은 늘 있어서 특별하지 않은 일상적인 일이므로, '획을 긋다'의 뜻과 어울리지 않는 문장입니다.

독해력을 키우는 어휘와 어법

4 (1) '이면'은 '겉으로 나타나거나 눈에 보이지 않는 부분.'을 뜻합니다. (2) '고되다'는 '하는 일이 힘에 겨워 몹시 피곤할 정도로 힘들다.'라는 뜻을 가지고 있습니다. (3) '강인하다'는 '억세고 질기다.'라는 뜻입니다. (4) '배회하다'의 뜻은 '아무 목적도 없이 어떤 곳을 중심으로 어슬렁거리며 이리저리 돌아다니다.'입니다.

5 '단정하다'는 '딱 잘라서 판단하고 결정하다.'라는 뜻입니다. '망설이다'는 '이리저리 생각만 하고 태도를 결정하지 못하다.'라는 뜻이므로 '단정하다'의 뜻과 관련 없는 낱말입니다.

6 '빛을 보다'는 그동안 알려지지 않거나 노력했던 일이나 물건 등이 세상에 알려지고 인정받는 일을 뜻합니다. (2)는 '뒤끝을 보다', (3)은 '물로 보다'라는 관용어의 뜻입니다.

7 (1) 신발, 양말, 장갑 등 짝이 되는 두 개를 한 벌로 셀 때는 수를 세는 말 다음에 '켤레'를 씁니다. (2) 그림이나 옷 등을 셀 때는 '점'을 씁니다. (3) 꽃이나 채소, 돈 등의 묶음을 셀 때는 '다발'을 씁니다.

8 '등장하다'는 '중요한 일이나 분야에서 새로운 사물이나 인물, 현상이 세상에 처음으로 나타나다.'라는 뜻으로, '나타나다'와 바꾸어 쓸 수 있습니다.

9 (1), (3)의 '지'는 '그려진 다음', '떠난 다음'과 같이 시간을 나타내므로, 앞에 오는 말과 띄어 써야 합니다. 반면 (2)의 '지'는 아버님과 어머님의 안부가 궁금한 의문을 나타내므로 붙여 써야 합니다.

1 (3) ○
2 (1) 신학기   (2) 소외감
3 (1) ②   (2) ①   4 (3) ○

독해력을 키우는 어휘와 어법

5 (1) 절실히   (2) 동지애   (3) 탐색
6 (1) 황폐   (2) 시기   (3) 소외감
7 (1) ㉢   (2) ㉠   (3) ㉡   (4) ㉣
8 (1) 헤매는   (2) 빼앗고   (3) 속살거리는데
9 (1) 만듦   (2) 베풂   (3) 이끎   (4) 힘듦
10 (1) 따님   (2) 화살   (3) 다달이   (4) 바느질

1 글쓴이는 신학기에 친구들과 뿔뿔이 헤어져 외로움을 겪었던 자신의 학창 시절 경험을 통해 인생을 살아갈 때는 영혼을 함께 나눌 진정한 친구가 필요하다고 말하고 있습니다.

3 글쓴이는 인생을 바다를 건너는 항해에, 인생에 닥치는 고난을 파도에 빗대어 표현하였습니다.

4 글쓴이는 망망대해를 헤매는 듯한 인생은 신학기의 외로움을 극복하는 일과 비교할 수 없을 만큼 두렵고 힘들다고 했습니다. 그러나 친구와 같이 있는 시간에는 세상도 한번 살아 볼 만하다는 용기가 솟는다고 하였습니다.

독해력을 키우는 어휘와 어법

5 (1) '매우 급하고 필요하게.'라는 뜻의 낱말은 '절실히'입니다. (2) '목적과 뜻을 같이하는 사람끼리의 사랑.'을 '동지애'라고 합니다. (3) '드러나지 않은 사물이나 현상 등을 찾아내거나 밝히기 위해 살피어 찾음.'을 '탐색'이라고 합니다.

6 (1)에는 정신이나 생활 등을 거칠고 메말라 가게 만든다는 뜻의 '황폐'가 알맞습니다. (2)에는 싫어하거나 미워한다는 뜻을 나타내는 '시기'가 어울립니다. (3)은 친구를 사귀지 못해 느끼는 감정을 표현한 문장이므로, '남에게 따돌림을 당하여 멀어진 듯한 느낌.'이라는 뜻의 '소외감'이 알맞습니다.

7 (1)의 '먹다'는 '어떤 마음이나 감정을 품다.'라는 뜻이며, (2)는 '운동 경기에서 점수를 잃었다.'라는 뜻입니다. (3)은 '어떤 나이가 되거나 나이를 더한다.'라는 뜻으로 쓰였습니다. 또, (4)의 '먹다'는 음식을 배 속에 들여보내는 것을 뜻합니다.

8 (1) '헤매다'에서 형태가 바뀌지 않는 부분은 '헤매'이므로 '헤매이는'은 틀린 표현입니다. (2) '빼앗다'에서 받침 'ㅅ'을 'ㅆ'으로 쓰지 않도록 주의합니다. (3) 뒤에 오는 내용과 상관되는 상황을 미리 말할 때에는 '-는데'를 써야 합니다.

9 형태가 바뀌는 말에서 형태가 바뀌지 않는 부분에 'ㅁ'을 붙이면 이름을 나타내는 말처럼 쓸 수 있습니다. 이때 받침 'ㄹ'을 살려 'ㄻ'으로 써야 합니다.

10 '따님', '화살', '다달이', '바느질'은 앞말에 있는 'ㄹ' 받침이 발음되지 않으므로 받침을 쓰지 않습니다.

1 (1) 지구, 지구 (2) 태양, 태양

2 (3) ○

3 (1) 천동설 (2) 지구 (3) 망원경 (4) 지동설

독해력을 키우는 어휘와 어법

4 (1) ① (2) ③ (3) ②

5 (1) 생전 (2) 대신 (3) 출간

6 (2) ○

7 (1) 쉬었다 (2) 멈췄던 (3) 바뀌었다 (4) 내세웠다

8 (1) 1500년간 (2) 부산 간
   (3) 세대 간 (4) 한 달간

9 (1) 나는 차를 닦았다.
   (2) 차가 주차장에 있었다.

---

1 천동설은 태양을 비롯한 모든 별이 지구를 중심으로 돌고 있다고 생각하는 주장이고, 지동설은 지구를 비롯한 모든 별이 태양을 중심으로 돌고 있다고 생각하는 주장입니다.

2 당시 유럽 사회는 천동설을 당연하게 여겨서 이를 의심하거나 다른 주장을 내세우면 큰 벌을 받을 위험이 있었기 때문입니다.

3 코페르니쿠스가 처음으로 지동설을 주장하였고 이후 갈릴레이는 이를 과학적으로 증명했습니다.

독해력을 키우는 어휘와 어법

4 (3) '고정불변하다'에서 '고정'은 '한번 정한 대로 변경하지 않음.'을 뜻합니다.

5 (1)은 할머니께서 살아 계실 때 자주 찾아가지 않은 것을 후회한다는 내용이므로, 빈칸에는 '생전'이 알맞습니다. (2)는 미래에는 로봇이 인간이 하던 집안일을 맡는다는 내용이므로, 빈칸에는 '대신'이 어울립니다. (3)은 드라마 속 인물이 쓴 책이 실제 책으로 만들어졌다는 내용이므로, '출간'이 알맞습니다.

6 주어진 문장에서 밑줄 친 '통하다'는 '내적으로 관계가 있어 연계되다.'라는 뜻으로 쓰였습니다. 따라서 이와 같은 뜻의 한자 성어로 알맞은 것은 '일맥상통'입니다.

7 '멈추었던'은 '멈췄던'과 같이 줄여 쓸 수 있습니다. '쉬었다', '바뀌었다', '내세웠다'를 '셨다', '바꼈다', '내세었다'와 같이 줄여 쓰지 않도록 주의합니다.

8 (1), (4)처럼 '간'이 기간을 나타내는 '동안'의 뜻으로 쓰일 때는 시간을 나타내는 말과 '간'을 붙여 써야 합니다. 반면 (2), (3)처럼 '간'이 한 대상에서 다른 대상까지의 거리나 관계를 나타낼 때는 띄어 써야 합니다.

9 두 문장에 공통으로 들어가는 낱말을 찾아 문장을 두 개로 나누어 봅니다. 주어진 문장에는 '차'가 공통으로 들어 있으므로 '차'가 들어간 문장을 두 가지 씁니다.

---

1 ③

2 ⓒ

3 (1) ② (2) ①

4 (1) 고백 (2) 충고

5 ① 경고문 ② 고백 ③ 광장 ④ 광고 ⑤ 충고

---

1 '광야'는 '텅 비고 넓은 들.', '광장'은 '넓은 마당', '광고'는 '널리 알림.', '광역시'는 '넓은 도시'를 뜻합니다. 이 낱말들에서 '광'은 '넓다'라는 뜻으로 쓰였습니다.

2 '광야'는 '넓을 광(廣)'과 '들 야(野)'가 쓰인 낱말로, '텅 비고 아득히 넓은 들'을 뜻합니다.

3 (1) '고백'은 '마음속에 생각하고 있는 것이나 감추어 둔 것을 사실대로 숨김없이 말함.'이라는 뜻을 가지고 있습니다. (2) '경고문'은 '어떤 일에 대해 조심하거나 삼가라고 주의를 주는 글.'입니다.

4 주어진 문장은 꽃병을 깨뜨린 일을 어머니께 밝히라고 사촌 언니가 타일렀다는 내용입니다. 따라서 (1)에는 숨긴 사실을 솔직하게 모두 다 말한다는 뜻의 '고백'이, (2)에는 남의 허물이나 잘못을 진심으로 타이른다는 뜻의 '충고'가 알맞습니다.

5 제비는 행복한 왕자 동상 앞에서 '경고문'을 발견했고, 행복한 왕자는 제비에게 자신이 불행한 왕자라는 사실을 고백했습니다. 아이들은 광장에서 행진하는 모습을 구경하고 있습니다. 행진의 주인공은 광고에 나온 얼음 공주였습니다. 엄마는 아이스크림을 열 개 먹겠다는 아이에게 아이스크림을 많이 먹으면 배탈이 난다고 충고했습니다.

• 고백(告 고할 고 白 흰 백): 마음속에 생각하고 있는 것이나 감추어 둔 것을 사실대로 숨김없이 말함.

• 광고(廣 넓을 광 告 고할 고): 세상에 널리 알림. 또는 그런 일.

• 광장(廣 넓을 광 場 마당 장): 많은 사람이 모일 수 있게 거리에 만들어 놓은 넓은 빈터.

• 충고(忠 충성 충 告 고할 고): 남의 결함이나 잘못을 진심으로 타이름.

• 경고문(警 깨우칠 경 告 고할 고 文글월 문): 어떤 일에 대해 조심하거나 삼가라고 주의를 주는 글.

1 ④

2 ㉮ → ㉰ → ㉯ → ㉱

3 (1) ②   (2) ①   **4** (1) ○

> **독해력을 키우는** 어휘와 어법

5 (1) ②   (2) ③   (3) ①

6 (1) 대립   (2) 습격   (3) 해산

7 ①

8 (1) 드러났다   (2) 받아들이지

     (3) 잠갔다   (4) 바람

9 (1) ○

10 (1) [동물]   (2) [뱅미]   (3) [장문]   (4) [형명]

---

1 이 글에 프랑스 혁명이 일어났을 때 주변 국가가 어떤 반응을 보였는지는 나타나지 않았습니다.

2 삼부회가 열렸으나 서로의 의견이 대립되자 평민 대표들은 따로 국민 의회를 만들었습니다. 루이 16세가 국민 의회를 해산하려고 하자 시민들이 바스티유 감옥을 습격했고, 그로부터 한 달 뒤 국민 의회는 인권 선언을 발표합니다. 굶주림에 지친 시민들이 베르사유 궁전을 점령했고 프랑스 혁명 결과 공화정이 시작되었습니다.

4 ㉠은 한 번 한 말은 순식간에 멀리 퍼지므로 말조심을 하라는 뜻으로 쓰입니다.

> **독해력을 키우는** 어휘와 어법

6 (1) '대립'은 '의견이나 처지, 속성 등이 서로 반대되거나 맞지 않음.'을 뜻하고 (2) '습격'은 '갑자기 상대편을 덮쳐 침.'을 뜻하며 (3) '해산'은 '모였던 사람들이 흩어짐. 또는 흩어지게 함.'을 뜻합니다.

7 '세금을 내다'와 '세금을 걷다'는 뜻이 반대되는 표현입니다. '내다'와 바꾸어 쓸 수 있는 낱말은 '바치다'나 '납부하다'입니다. '분노하다'와 '화가 나다'는 뜻이 비슷한 표현이므로 바꾸어 쓸 수 있습니다. '인정하다'는 '어떤 것이 확실하다고 여기거나 받아들이다.'라는 뜻입니다.

8 (1) '알려지지 않은 사실이 널리 밝혀지다.'라는 뜻의 '드러나다'는 소리 나는 대로 씁니다. (2) '다른 사람의 요구, 성의, 말 등을 들어주다.'라는 뜻의 '받아들이다'는 소리 나는 대로 쓰지 않습니다. (3) '잠갔다'의 기본형은 '잠그다'이며 '잠구다'로 쓰지 않도록 주의합니다. (4) '어떤 일이 이루어지기를 기다리는 간절한 마음.'은 '바램'이 아니라 '바람'입니다.

9 '뿐'은 이름을 나타내는 말과는 붙여 쓰고, 형태가 바뀌는 말 뒤에서는 띄어 씁니다. (2)는 '했을 뿐이다', (3)은 '있을 뿐이지', (4)는 '학교뿐만'과 같이 쓰는 것이 알맞습니다.

10 받침 'ㄱ'이 [ㅇ]으로 소리 나므로 [동물], [뱅미], [장문], [형명]과 같이 발음해야 합니다.

---

1 (1) ○   (2) ×   (3) ○

2 ④

3 (1) 재촉   (2) 가위   (3) 얼빠진

4 (2) ○

> **독해력을 키우는** 어휘와 어법

5 (1) ③   (2) ①   (3) ②

6 (1) 헛기침   (2) 옷맵시   (3) 색싯감 / 신붓감

7 (1) ②   (2) ①

8 (1) ②   (2) ①   (3) ①

9 (1) ① 지그시   ② 지긋이

     (2) ① 채   ② 체

10 (1) 갈게   (2) 살꼬   (3) 할게요

---

1 (2) 이 글에 제시된 내용만으로는 엿장수에 대한 남이의 마음을 정확하게 알 수 없으며 남이는 엿장수에 대한 자신의 마음을 표현하지도 않았습니다.

2 ④ 영이와 윤이는 남이와의 이별을 받아들이지 않으며 이별을 슬퍼하고 있습니다.

4 '눈이 동그래지다'는 놀라거나 이상할 때 쓸 수 있는 표현입니다.

> **독해력을 키우는** 어휘와 어법

5 (1) '목메다'는 '기쁨이나 슬픔 같은 감정이 북받쳐 올라 목이 막히다.'라는 뜻이고, (2) '얼빠지다'는 '정신이 없어지다.'라는 뜻입니다. (3) '재촉하다'는 '어떤 일을 빨리 하도록 조르다.'라는 뜻입니다.

6 (1) '헛기침'은 '사람이 있다는 것을 알리거나 목청을 가다듬기 위하여 일부러 하는 기침.'이고, (2) '옷맵시'는 '차려입은 옷이 어울리는 모양새.'를 뜻합니다. (3) '색싯감'은 '신부가 될 만한 인물.'을 뜻합니다.

7 (1)은 '물이 밖으로 스며 나올 정도로 축축하게 젖은 모양'을, (2)는 '넉넉하게'를 뜻합니다.

8 '넓다[널따]', '얇다[얄따]' 등과 같이 받침 'ㄼ'은 [ㄹ]로 발음되지만 '넓적하다'는 'ㄹ'이 없어지고 'ㅂ'으로 발음됩니다. 따라서 (1) '넓적한'은 [넙쩌칸], (2) '얇지만'은 [얄찌만], (3) '넓지는'은 [널찌는]으로 읽어야 합니다.

9 (1) '지그시'와 '지긋이'는 발음이 같지만 뜻이 다릅니다. 문장의 내용을 살펴보고 알맞은 낱말을 넣습니다. (2) '채'와 '체'를 구분할 때 '채'는 '상태'와 '체'는 '척'과 바꾸어서 의미가 통하는 낱말을 고릅니다.

10 어떤 행동에 대한 약속이나 의지를 나타낼 때 쓰이는 '-ㄹ게'는 [께]로 소리 나더라도 '게'로 적는 것이 알맞습니다. '할까', '할꼬'와 같이 묻는 말은 소리 나는 대로 씁니다.

---

1 (1) ○ (2) ○ (3) ×

2 ㉠

3 (1) 수명 (2) 섬유 (3) 중성

4 모양

독해력을 키우는 어휘와 어법

5 (1) ① (2) ③ (3) ②

6 (1) 보존 (2) 형체 (3) 물리적

7 (1) 해 (2) 장점

8 (1) 만들었다 (2) 할 것이다 (3) 되고 있다

9 (1) 띠고 (2) 역할 (3) 썩은

10 (1) 닫힌다 (2) 보이지 (3) 쓰이고

1 (1) × (2) ○ (3) ×

2 ④

3 (1) 판단 (2) 정의 (3) 광화문

4 (1) ○

독해력을 키우는 어휘와 어법

5 (1) ① (2) ② (3) ③

6 (1) 상징 (2) 대비 (3) 법원 (4) 집행

7 ②, ③

8 (1) [여칼] (2) [올치]

  (3) [차카고] (4) [지팽하다]

9 (1) 한번 (2) 한 번 (3) 한번 (4) 한 번

10 (1) 뒤덮인 (2) 나는 (3) 해님

---

1 (3) 일반적인 종이(산성지)는 식물 섬유를 뽑아내기 위해 빻고 찧는 등의 물리적인 방법만을 사용하지만, 한지는 닥나무를 잿물에 넣어 삶은 다음 두드려서 식물 섬유를 뽑아낸다고 하였습니다.

2 이 글에서 한지에 없는 양지의 장점은 설명하지 않았습니다. 『무구 정광 대다라니경』은 천이백여 년 전에 만들어졌다고 했으므로 만들어진 시기를 짐작할 수 있습니다.

3 한지는 질기고 수명이 오래간다는 특징이 있는데 그것은 닥나무가 양지의 원료보다 섬유의 길이가 길기 때문입니다. 또한 한지는 중성을 띠어서 오랜 시간 색이 변하지 않고 유지됩니다.

4 '각양각색'은 '여러 가지의 모양과 빛깔.'이라는 뜻입니다.

독해력을 키우는 어휘와 어법

6 (1) '보존'은 '잘 보호하고 간수하여 남김.'이라는 뜻이 있는 낱말입니다. (2) '형체'는 '물건의 생김새나 그 바탕이 되는 몸체.'를 뜻하고 (3) '물리적'은 '몸이나 무기 등의 힘을 사용하는 것.'을 뜻합니다.

7 (1) '이롭다'와 뜻이 반대되는 낱말은 '해롭다'입니다. (2) '장점'과 '단점'은 뜻이 서로 반대되는 낱말입니다.

8 시간을 나타내는 말과 서술어가 호응하는 문장이 되도록 서술어를 바꾸어 씁니다. (1) '옛날'은 과거를 나타내는 말이므로 '만들었다'로 고쳐 씁니다. (2) '앞으로'는 미래를 나타내는 말이므로 '할 것이다'와 같이 고쳐 씁니다. (3) 현재를 나타내는 말인 '지금'과 호응하도록 '되고 있다'로 고쳐 씁니다.

9 (1) '미소를 띠다.'가 알맞은 표현입니다. '띄다'는 '눈에 보이다, 남보다 훨씬 두드러지다'와 같은 뜻으로 쓰입니다. (2) '역활'은 '역할'을 잘못 쓴 낱말입니다. (3) '음식물이나 자연물이 세균에 의해 분해되어 상하거나 나쁘게 변하다.'라는 뜻의 '썩다'는 받침으로 'ㄱ'을 씁니다.

10 '쓰여지다', '닫혀지다', '보여지다'는 '쓰이다', '닫히다', '보이다'의 잘못된 표현입니다.

1 (1) 해태는 실제로는 존재하지 않는 상상의 동물입니다. (3) 해태가 광화문 앞에 세워진 것은 불기운을 막고 경복궁을 지키라는 뜻을 담고 있습니다.

2 이 글에는 광화문 앞에 해태가 세워졌다는 내용만 소개되어 있고 해태상이 서울에 많은 까닭은 나타나지 않았습니다.

3 옳고 그름을 판단하는 동물인 해태는 정의를 지키고 법을 상징했습니다. 또, 해태가 불을 막아 주는 신비한 동물이기 때문에 광화문 앞에 해태상을 세웠습니다.

4 법원은 법을 토대로 공정한 재판을 하는 기관입니다. 법을 만드는 기관은 '국회', 범죄를 예방하고 범죄자를 체포하는 기관은 '경찰'입니다.

독해력을 키우는 어휘와 어법

7 '가리다'는 '잘잘못이나 좋은 것과 나쁜 것 등을 따져서 구별하거나 고르다.'라는 뜻입니다.

8 (1) '역할'은 받침 'ㄱ' 뒤에 'ㅎ'이 오므로 [여칼]로 발음합니다. (2) '옳지'는 받침 'ㅀ' 뒤에 'ㅈ'이 오므로 [올치]로 소리 납니다. (3) '착하고'의 받침 'ㄱ'은 'ㅎ' 앞에서 [ㅋ]으로 소리 나기 때문에 [차카고]가 됩니다. (4) '집행하다'는 받침 'ㅂ'이 'ㅎ'과 만나 [지팽하다]로 소리 납니다.

9 '번'이 차례나 일의 횟수를 나타낼 때에는 '한 번', '두 번', '세 번'과 같이 띄어 씁니다. '한번'을 '두 번', '세 번'으로 바꾸어 뜻이 통하면 '한 번'으로 띄어 쓰고 그렇지 않으면 '한번'으로 붙여 씁니다. (1)의 '한번'은 '어떤 일을 시험 삼아 시도함을 나타내는 말.'이고, (3)의 '한번'은 '일단 한 차례.'를 뜻하는 말이므로 '한번'과 같이 붙여 씁니다.

10 '빈 데가 없이 온통 덮이다.'라는 뜻의 낱말은 '뒤덮히다'가 아닌 '뒤덮이다'입니다. (2) 기본형은 '날다'이지만 '-는' 앞에서 'ㄹ'이 사라지면서 '나는'으로 형태가 바뀝니다. (3) '햇님'은 '해님'의 잘못된 표기입니다.

1 ①
2 (1) 성향 (2) 개성 (3) 특성
3 자격
4 (1) ○
5 (1) 성향 (2) 개성 (3) 자격 (4) 엄격

---

1 '개성', '성향', '성격'에 쓰인 '성'은 '성질'을 뜻하는 글자입니다.

2 (1) '성향'은 '성질에 따른 경향.'을 뜻하는 말입니다. (2) '개성'은 '다른 것과 구별되는 고유의 특성.'을 뜻하고, (3) '특성'은 '일정한 사물에만 있는 특수한 성질.'을 뜻합니다.

3 '자격'에 '없다'라는 뜻을 나타내는 '무'를 붙이면 뜻이 서로 반대되는 낱말이 됩니다.

4 '각인각양'은 '사람마다 각기 다름.'이라는 뜻으로 '십인십색'과 뜻이 비슷합니다.

5 사다리는 세로줄을 타고 아래로 내려가다가 가로줄을 만나면 가로줄로 연결된 다른 세로줄로 옮겨서 내려갑니다.

1 (1) ○ (2) × (3) ○ (4) ×
2 ②
3 (1) 각시 (2) 방학   4 노력

독해력을 키우는 어휘와 어법

5 (1) ③ (2) ① (3) ② (4) ④
6 (1) 예측 (2) 막막 (3) 비장
7 (3) ○
8 (1) ② (2) ① (3) ②
9 (1) 웬일 (2) 왠지 (3) 웬 (4) 왠지
10 (1) 좋아하지 않는다 / 안 좋아한다
    (2) 중요하지 않았다 / 안 중요했다
    (3) 없었다

---

1 (2) 은주는 '나'에게 방학책을 빌려 달라고 했습니다. (4) '나'는 밤을 새웠으나 방학책을 다 풀지 못했습니다.

2 '나'는 자신이 좋아하는 은주가 찾아와 기뻤지만 방학책을 풀지 않은 것이 후회스러웠습니다. 그리고 은주에게 방학책을 거의 다 풀었다고 거짓말을 하며 부끄러움을 느꼈습니다.

4 '나'는 은주가 찾아왔을 때 그동안 자신이 은주와 가까워지기 위해 한 노력을 떠올리며 '하늘은 스스로 돕는 자를 돕는다'라는 속담을 떠올렸습니다.

독해력을 키우는 어휘와 어법

6 (1)은 미리 헤아려 짐작한다는 뜻의 '예측하다'가 알맞습니다. (2)는 일자리를 잃어 살아갈 방법이 없어 답답하다는 뜻이므로, '어떻게 하면 좋을지 몰라 아득하다.'라는 뜻의 '막막하다'가 어울립니다. (3)에는 '슬프면서도 그 감정을 억눌러 씩씩하고 장하다.'라는 뜻의 '비장하다'가 알맞습니다.

7 보기 와 (3)의 '풀다'는 '모르거나 복잡한 문제 등을 알아내거나 해결하다.'라는 뜻으로 쓰였습니다. (1)은 '마음속에 맺힌 것을 해결하여 없애거나 마음속에 품고 있는 것을 이루다.'라는 뜻이고, (2)는 '묶이거나 감기거나 얽히거나 합쳐진 것 등을 그렇지 않은 상태로 되게 하다.'라는 뜻입니다.

8 주어가 '날이'일 때는 '새다'를, 목적어가 '밤을'일 때는 '새우다'를 써야 알맞은 표현입니다.

9 '왠지'는 '왜인지'로 바꾸어 쓸 수 있을 때만 쓰이고 '왠지'가 아닌 다른 형태로는 쓰이지 않습니다. 그러므로 (2)와 (4)에는 '왠지'가 알맞습니다. (1)은 여기에 어찌 된 일로 왔느냐는 뜻이므로 '웬일'을 씁니다. (3)은 '어찌 된'과 바꾸어 쓸 수 있는 '웬'이 알맞습니다.

10 '별로'는 '이렇다 하게 따로.' 또는 '그다지 다르게.'라는 뜻으로 서술어를 꾸며 주는 말입니다. '별로'는 '아니다', '않다', '없다'와 같은 부정적인 서술어와 호응하므로 문장을 쓸 때 주의합니다.

1 (1) 3 (2) 2 (3) 1 (4) 4
2 아름 3 ①
4 ㉡

독해력을 키우는 어휘와 어법

5 (1) 숭고 (2) 증명 (3) 열중 (4) 수록
6 (1) ① (2) ③ (3) ②
7 (1) 두껍다 (2) 검다 (3) 막다 (4) 끄다
8 (1) 잊었다 (2) 잃어 (3) 잊은 (4) 잃은
9 (1) 비정상 (2) 불공평
10 (1) [어느 날 갑자기 공이 없어졌다.]
　　(2) [오늘날 X선은 다양하게 활용된다].

1 뢴트겐은 음극선 실험을 하던 중 형광 스크린이 빛나는 것을 보고 X선을 발견했습니다. 그는 X선으로 아내의 손을 촬영해 X선을 세상에 알렸고 그 공로로 최초의 노벨 물리학상을 받았습니다. 그는 X선의 특허 제안을 거절하고 자신의 연구와 실험 결과를 공개했습니다.

2 이 글에 대한 생각을 알맞게 말한 친구는 뢴트겐의 다른 사람을 위하는 마음을 본받고 싶다고 한 아름입니다.

4 '무릎을 치다'는 ㉡과 같이 어떤 장면이나 상황에서 생각을 떠올리거나 어떤 사실을 알게 되었을 때 쓸 수 있습니다.

독해력을 키우는 어휘와 어법

6 (1) '틀어박혀'는 '밖에 나가지 않고 일정한 공간에만 머물러 있으며.'라는 뜻으로, '머물며'와 바꾸어 쓸 수 있습니다. (2) '희미하다'는 '분명하지 못하고 흐릿하다.'라는 뜻이므로, '흐릿하게, 약하게' 등으로 바꿀 수 있습니다. (3) '미지'는 '아직 알지 못함.'이라는 뜻이므로 '알지 못하는, 알 수 없는' 등으로 바꿀 수 있습니다.

7 ㉠의 기본형은 '두껍다'로 '두껍고, 두꺼우며, 두꺼워서' 등으로 쓰입니다. ㉡의 기본형은 '검다'이고 ㉢의 기본형은 '막다'입니다. ㉣의 기본형은 '끄다'로 '끄고, 끄며, 꺼서' 등으로 쓰입니다.

8 (1)의 '잊다'는 '한번 알았던 것을 기억하지 못하거나 기억해 내지 못한다.'라는 뜻이고, (2)의 '잃다'는 '가졌던 물건이 자신도 모르게 없어져 그것을 갖지 않게 되다.'라는 뜻입니다. (3) 의 '잊다'는 '어떤 일에 열중한 나머지 잠이나 식사 등을 제대로 챙기지 않다.라는 뜻입니다. (4)의 '잃다'는 '땅이나 자리가 없어져 그것을 갖지 못하게 되거나 거기에서 살지 못하게 되다.' 라는 뜻입니다.

9 '정상'의 앞에는 '비'를 붙이고, '공평'의 앞에는 '불'을 붙여 '아님'이나 '못함'의 뜻을 더할 수 있습니다.

10 (1) '어느 날'은 하나의 낱말이 아니므로 띄어 쓰고, (2) '오늘날'은 한 낱말이므로 붙여 씁니다.

---

1 (1) 2 (2) 3 (3) 4 (4) 1
2 태율
3 (1) 차사 (2) 한양
4 ②

독해력을 키우는 어휘와 어법

5 (1) ① (2) ② (3) ④ (4) ③
6 (3) ○ 7 ㉣
8 (1) 번번이 (2) 깨끗이 (3) 꼼꼼히
9 (1) 반듯이 (2) 반드시 (3) 반듯이 (4) 반드시
10 참

1 태조 이성계는 아들인 태종이 보낸 차사를 모두 죽이거나 가두어서 함흥에 가려는 신하가 없었습니다. 이에 박순이 스스로 함흥에 차사로 가겠다고 나서 망아지와 어미 말을 몰고 가서 태조를 설득했습니다. 그러나 박순은 한양으로 돌아가던 길에 태조의 신하들에게 죽임을 당했습니다.

2 박순은 어미 말을 찾는 망아지의 울음소리를 통해 부모와 헤어져 부모를 그리워하는 태종의 마음을 알리려고 했습니다.

3 이 글은 '함흥차사'의 유래를 알려 주는 이야기입니다.

4 '감감무소식'은 '소식이나 연락이 전혀 없는 상태.'로, '함흥차사'와 비슷한 상황에서 쓸 수 있는 말입니다.

독해력을 키우는 어휘와 어법

6 보기 의 '찾는'은 '현재 주변에 없는 것을 얻거나 사람을 만나려고 여기저기를 뒤지거나 살피다.'라는 뜻으로 쓰였으며, 이와 같은 뜻으로 쓰인 것은 (3)입니다. (1)은 '찾다'가 '맡기거나 빌려주었던 것을 돌려받아 가지게 되다.'라는 뜻으로 쓰였고, (2)는 '모르는 것을 알아내기 위해 책 등을 뒤지거나 컴퓨터를 검색하다.'라는 뜻으로 쓰였습니다.

7 '시간 가는 줄 모르다'는 '몹시 바삐 진행되거나 어떤 일에 몰두하여 시간이 어떻게 지났는지 알지 못하다.'라는 뜻입니다. ㉠은 '머리를 내밀다', ㉡은 '머리를 굴리다', ㉢은 '오지랖이 넓다'의 뜻입니다.

8 '번번이', '깨끗이', '꼼꼼히'가 알맞은 낱말입니다.

9 (1)은 흐트러진 책을 바르게 꽂으라는 뜻이므로, '반듯이'가 알맞습니다. (2)는 틀림없이 꼭 좋은 날이 올 것이라는 뜻이므로, '반드시'가 어울립니다. (3)은 신발을 바르게 신으라고 했으므로, '반듯이'를 써야 합니다. (4)는 달리기를 하기 전에는 꼭 발목을 풀어야 한다는 뜻이므로, '반드시'가 알맞습니다.

10 빈칸에 알맞은 말은 '참'입니다. 첫 문장의 '참'은 '사실이나 이치에 조금도 어긋남이 없이 정말로.'라는 뜻이고 두 번째는 '일을 하다가 잠깐 쉬는 동안.'이라는 뜻입니다. 세 번째는 '무엇을 하는 경우나 때.', 네 번째는 '일을 하다가 잠깐 쉬는 동안에 먹는 음식.'이라는 뜻입니다.

1 (2) ○

2 (1) 줄기　(2) 떨켜층　(3) 엽록소　(4) 수분

3 (1) ㉢ - ①　(2) ㉡ - ③　(3) ㉠ - ②

독해력을 키우는 어휘와 어법

4 (1) 소복　(2) 불리　(3) 공급　(4) 진화

5 ①

6 ㉣

7 (2) ○　(4) ○

8 (1) 햇빛　(2) 햇볕　(3) 햇볕　(4) 햇빛

9 (1) ①　(2) ③　(3) ②

---

1 나무가 잎을 떨어뜨리는 것은 겨울을 나기 위한 나무의 전략입니다. 나무는 날씨가 추워지면 생존에 불리한 잎을 없애 추운 겨울을 대비합니다.

2 나무는 가장 먼저 잎에 있는 영양분의 절반을 줄기로 옮기고 떨켜층을 만듭니다. 떨켜층이 완성되면 잎의 엽록소가 파괴되어 잎의 색이 바뀝니다. 얼마 안 가 잎이 떨어져 나가면 그 자리를 떨켜층이 막아서 나무의 수분을 보호합니다.

3 낙엽에는 갈색 색소인 타닌이, 은행잎에는 노란색 색소인 크산토필이, 단풍잎에는 붉은색 색소인 카로틴이 나타납니다.

독해력을 키우는 어휘와 어법

5 보기 는 뜻이 비슷한 낱말로 서로 바꾸어 쓸 수 있습니다. '보호하다'는 '위험하거나 곤란하지 않게 지키고 보살피다.'라는 뜻입니다. '보호하다'는 '재산, 이익, 안전 등을 잃거나 침해당하지 않도록 보호하거나 감시하여 막다.'라는 뜻의 '지키다'와 바꾸어 쓸 수 있습니다. ②, ③, ④는 뜻이 서로 반대되는 관계에 있는 낱말입니다.

6 '수'는 '헝겊에 색실로 떠서 놓는 그림이나 글자.'를 뜻하므로, '수를 놓다'는 ㉣과 같은 뜻임을 알 수 있습니다. ㉠은 '구름같이 모여들다', ㉡는 '감투를 쓰다', ㉢은 '머리가 가볍다'의 뜻입니다.

7 '바라다'와 '바래다'는 글자가 비슷하지만 다른 낱말입니다. (1)은 꿈이 이루어지기를 기대한다는 내용이므로 '바래'가 아닌 '바라'로 써야 합니다. (3)의 '바라고'는 색이 희미해졌다는 내용이므로 '바래고'로 고쳐 써야 합니다.

8 (1), (4)는 각각 해의 빛을 받는다는 뜻과 해의 빛에 눈이 부시다는 뜻이므로, '햇빛'이 알맞습니다. (2), (3)은 해의 내리쬐는 기운이 강하고 잘 든다는 뜻이므로, '햇볕'이 어울립니다.

9 (1) '군-'은 낱말의 앞에서 '쓸데없는'의 뜻을 더해 주는 말입니다. (2) '샛-'은 '샛노랗다', '샛말갛다'처럼 낱말의 앞에서 '매우 짙고 선명하게'의 뜻을 더해 줍니다. (3) '한-'은 '한겨울', '한여름', '한낮'처럼 '정확한' 또는 '한창인'의 뜻을 더해 주는 말입니다.

---

1 (1) 전기　(2) 전파　(3) 전래

2 ③

3 (1) 전　(2) 이야기

4 설명서

5 ① 설명　② 전래　③ 전파　④ 설득력

---

1 (1) '한 사람의 일생을 기록한 글.'을 '전기'라고 합니다. (2) 감자는 남아메리카에서 처음으로 스페인에 전해졌습니다. 따라서 빈칸에는 '전하여 널리 퍼뜨림.'이라는 뜻의 '전파'가 알맞습니다. (3) 대문놀이나 비석치기는 옛날부터 전해 오는 놀이입니다. 따라서 빈칸에는 '예로부터 전하여 내려옴.'을 뜻하는 '전래'가 알맞습니다.

2 '부전자전'은 아버지의 겉모습이나 성격 등이 아들에게 그대로 전해진다는 뜻입니다. 따라서 빈칸에는 '전해지다'라는 뜻의 '전(傳)'이 들어가야 합니다.

3 '설(說)'이 들어간 낱말은 '말'과 관련된 뜻을 가진 경우가 많습니다. '전설'에서는 '설'이 '이야기'라는 뜻으로 쓰였습니다.

4 은지와 한율이는 자전거를 조립하고 있는 중으로, 빈칸에는 자전거를 조립하는 순서, 사용법 등이 적혀 있는 글인 설명서가 들어가는 것이 알맞습니다. 연설문은 '연설할 내용을 적은 글.'입니다.

5 ① 훈장님은 돌이에게 '책거리'에 대해 설명해 준다고 했습니다. ② 훈장님은 책거리가 옛날부터 전래된 풍습이라고 말했습니다. ③ 돌이는 책거리가 좋은 풍습이므로 전파해야 한다고 말했습니다. ④ 훈장님은 책거리를 더 자주 하려고 책 한 권을 여러 개로 나눈 돌이의 행동이 설득력이 있다고 생각했습니다.

- 설득력(說 말씀 설 得 얻을 득 力 힘 력): 상대편이 이쪽편의 이야기를 따르도록 깨우치는 힘.
- 설명(說 말씀 설 明 밝을 명): 어떤 일이나 대상의 내용을 상대편이 잘 알 수 있도록 밝혀 말함.
- 전래(傳 전할 전 來 올 래): 예로부터 전하여 내려옴.
- 전파(傳 전할 전 播 뿌릴 파): 전하여 널리 퍼뜨림.

1 (1) ○ (2) × (3) × (4) ○

2 (1) 천문학자 (2) 망원경 (3) 명왕성

3 (1) 포기 (2) 업적

4 아영

독해력을 키우는 어휘와 어법

5 (1) × (2) ○ (3) ○

6 (1) 관측 (2) 업적 (3) 공로

7 인위적

8 (1) 띤 (2) 띄었다 (3) 띄는 (4) 띠고

9 ②

10 (1) 보았다 (2) 물었다 (3) 잡았다

---

1 (2) 톰보는 자신이 만든 망원경으로 화성을 관찰하였고, 이후에 명왕성을 발견했습니다. (3) 톰보는 경제적으로 어려워 대학을 포기했지만 별을 관찰하는 일을 계속했습니다.

4 "우물을 파도 한 우물을 파라."는 '한 가지 일을 꾸준히 해야 성공할 수 있다.'라는 뜻이므로, 결심한 일을 끝까지 하겠다는 아영이가 속담을 알맞게 활용하였습니다.

독해력을 키우는 어휘와 어법

5 '채용'은 '사람을 골라서 씀.'이라는 뜻입니다. (1)에 제시된 것은 '해고'의 뜻입니다.

6 (1) 첨성대는 별을 관찰하여 어떤 사실을 알아내거나 예측하던 시설이므로 '관측'이 들어가는 것이 알맞습니다. (2) 세종 대왕이 이루어 낸 일에 대해 말했으므로 '업적'이 알맞습니다. (3) 전염병 퇴치에 힘쓴 것은 좋은 일을 이루는 데 노력한 것이므로 '공로'를 쓰는 것이 알맞습니다.

7 '자연적'과 '인위적'은 뜻이 서로 반대되는 낱말입니다.

8 '띄다'는 '뜨이다'의 준말입니다. (1) 빛깔을 가지고 있는 것이므로 '띠다'가 알맞습니다. (2) '눈에 보이다'라는 뜻의 '띄다'를 써야 합니다. (3) '남보다 훨씬 두드러지다.'라는 뜻의 '띄다'를 써야 합니다. (4) 용무, 사명을 지닌 것이므로 '띠다'가 알맞습니다.

9 '맨-'이 '눈'에 붙으면 '맨눈'이 되어 '안경이나 망원경, 현미경 등을 이용하지 않고 직접 보는 눈.'이라는 뜻의 낱말이 됩니다. '맨바닥'은 '아무것도 깔지 않은 바닥.'이라는 뜻이고, '맨주먹'은 '아무것도 가지지 않은 빈주먹.'이라는 뜻입니다.

10 주어와 서술어의 호응이 알맞도록 고쳐 씁니다. (1) 주어인 '나'와 호응하도록 '보았다'로 고쳐 씁니다. (2) '고양이가 나를 물었다.'가 알맞은 문장입니다. 서술어를 그대로 쓰려면 '내가 고양이에게 물렸다.'가 되어야 합니다. (3) 주어 '예리가'에 맞게 서술어를 '잡았다'로 고쳐야 합니다. 물고기가 주어로 들어가려면 '물고기가 예리에게 잡혔다.'로 바꾸어야 합니다.

---

1 (3) ×

2 브로치

3 (1) 주인 (2) 태도

4 ④

독해력을 키우는 어휘와 어법

5 (1) 가책 (2) 청천벽력 (3) 낭만적

6 (1) ① (2) ②

7 (1) ② (2) ①

8 (1) 해져 (2) 어이가 (3) 꽂혀

9 (1) 보라빛 → 보랏빛 (2) 호수가 → 호숫가

10 (1) [듣꼬] (2) [업꼬] (3) [먹찌] (4) [밥또]

---

1 앤은 자신이 브로치를 잃어버렸다고 거짓 고백까지 했지만 소풍을 못 가게 되자 슬퍼서 밥도 먹지 않은 것입니다.

2 마릴라의 브로치가 없어진 일 때문에 두 사람의 갈등이 시작되었습니다.

3 '시치미'는 '자기가 하고도 아니한 체, 알고도 모르는 체하는 태도.'를 뜻합니다.

4 '닭 잡아먹고 오리발 내놓기'는 자신이 저지른 잘못이 드러나자 엉뚱한 짓을 하여 남을 속이려고 할 때 사용하는 말이므로 '시치미를 떼다'와 의미가 비슷한 속담입니다.

독해력을 키우는 어휘와 어법

5 (1) '가책'은 '자기나 남의 잘못에 대하여 꾸짖거나 나무라며 못마땅하게 여김.'이라는 뜻입니다. (2) '청천벽력'은 '맑게 갠 하늘에서 치는 날벼락이라는 뜻으로, 뜻밖에 일어난 큰 변고나 사건'을 이르는 말입니다. (3) '낭만적'은 '감동적이고 달콤한 분위기가 있는 것'이라는 뜻입니다.

6 (1) '다그치다'는 '일이나 행동 등을 요구하며 몰아붙이다.'라는 뜻으로 '몰아세우다'와 바꾸어 쓸 수 있습니다. (2) '애원하다'는 '사정하다'나 '부탁하다'와 바꾸어 쓸 수 있습니다.

7 (1)에서 '반전'은 '일의 형세가 뒤바뀜.'이라는 뜻입니다. (2)의 '반전'은 전쟁을 반대한다는 뜻입니다.

8 (1) '닳아서 떨어지다.'의 뜻을 가진 낱말은 '해지다'입니다. (2) '어이'는 '없다'와 함께 쓰여 '일이 너무 뜻밖이어서 기가 막히는 듯하다.'의 뜻으로 사용됩니다. (3) '꽂히다'의 받침은 'ㅈ'을 씁니다.

9 '보랏빛'은 '보라'와 '빛'을, '호숫가'는 '호수'와 '가'를 합해서 만든 낱말입니다. '보라'와 '호수'가 모음으로 끝났으므로 낱말 사이에 'ㅅ'을 넣어 '보랏빛'과 '호숫가'로 써야 합니다.

10 (1) '듣'의 받침 'ㄷ'이 '고'와 만나 [듣꼬]로 발음됩니다. (2) 받침 'ㅆ'은 [ㅂ]으로 소리 나며 '없' 뒤에서 '고'는 [꼬]로 발음합니다. (3) 받침 'ㄱ' 뒤에 '지'가 오므로 [먹찌]로 소리 납니다. (4) '밥'의 받침 'ㅂ'이 '도'와 만나면 [밥또]로 발음합니다.

1 ②

2 ㉢

3 (1) 시인   (2) 마음

4 동화

독해력을 키우는 **어휘와 어법**

5 (1) ③   (2) ①   (3) ②

6 ①

7 (1) ①   (2) ②

8 (1) 틀려서   (2) 다르다고   (3) 달라서   (4) 틀리지

9 (1) 낫   (2) 낫   (3) 나은   (4) 나을

10 (1) ②   (2) ②   (3) ②   (4) ②

---

1 이 글은 '퇴고'라는 말이 어떻게 생겨났는지, 어떤 뜻인지를 알려 주고 있습니다.

2 '자초지종'은 '처음부터 끝까지의 과정.'이라는 뜻으로, 이 글에서는 '가도가 한유의 행차와 부딪치게 된 사연'을 가리킵니다. 가도는 나귀를 타고 가면서 시구를 고민하느라 앞을 제대로 보지 못하여 행차와 부딪쳤습니다. 나귀가 주인의 말을 듣지 않고 제멋대로 갔다는 내용은 이 글에 나타나지 않았습니다.

3 한유도 시인이었으므로 시를 쓰는 가도의 마음을 이해했습니다. 그래서 길을 막은 가도에게 화내지 않고 조언을 해 주었습니다.

4 이 글에서는 퇴고의 필요성을 말하고 있으므로 가장 알맞게 말한 사람은 동화입니다.

독해력을 키우는 **어휘와 어법**

6 주어진 문장은 처지가 같은 사람이 상대의 마음을 잘 이해한다는 내용입니다. 그러므로 이와 관련된 뜻이 있는 한자 성어는 '마음과 마음으로 뜻이 통함.'이라는 뜻의 '이심전심'입니다.

7 (1) 회장으로 뽑기로 정했다는 뜻이므로 ①이 알맞습니다. (2) 시인이 노력하여 이룬 보람 있는 결과라는 뜻이므로 ②가 알맞습니다.

8 '다르다'는 '비교가 되는 두 대상이 서로 같지 않다.'라는 뜻이고, '틀리다'는 '셈이나 사실 등이 그르게 되거나 어긋나다.'라는 뜻입니다. '다르다'의 뜻을 나타낼 때 '틀리다'를 쓰지 않도록 주의합니다. '다르다', '틀리다'와 뜻이 반대인 낱말 '같다'와 '맞다'를 넣어 보면 알맞은 낱말을 고를 수 있습니다.

9 '낫다'에서 형태가 바뀌지 않는 부분은 '낫'이지만 뒤에 오는 말에 따라 형태가 불규칙하게 바뀝니다. '낫다'는 뒤에 오는 말에 따라 '낫고, 낫지만, 나아, 나은'과 같이 쓸 수 있습니다.

10 '관리', '인류', '신라', '진리'는 모두 앞글자의 받침 'ㄴ'이 뒤에 이어지는 'ㄹ'과 만나 [ㄹ]로 소리 납니다.

1 (1) ×   (2) ○   (3) ×

2 (1) 3   (2) 4   (3) 2   (4) 1

3 언어   4 통일

독해력을 키우는 **어휘와 어법**

5 (1) 결과   (2) 교류   (3) 인물

6 ④   7 (1) ①   (2) ②

8 ①

9 (1) 예요   (2) 예요   (3) 이에요   (4) 이에요

10 (1) 함께   (2) 관광   (3) 기울이고

---

1 (1) 남북의 교류는 정치 분야뿐만 아니라 다양한 분야에서 이루어졌습니다. (3) 북한은 우리가 유일하게 갈 수 없는 나라입니다.

2 남북은 1972년에 최초로 통일 문제를 의논하고, 1991년 세계 탁구 선수권 대회에 단일팀으로 참가하였습니다. 2000년대에 경의선과 동해선이 연결되었고, 남북 예술단이 함께 공연한 것은 2018년입니다.

3 남북은 50년이 넘는 세월 동안 떨어져 지내면서 사용하는 언어도 많이 달라졌습니다. 남북은 달라진 언어를 통일하기 위해 '겨레말 큰 사전'에 수록될 어휘를 검토하는 일을 하고 있습니다.

4 통일은 하나의 낱말에 두 개 이상의 관련된 뜻이 있는 다의어입니다.

독해력을 키우는 **어휘와 어법**

5 (1) '결실'은 '일의 결과가 잘 맺어짐.'이라는 뜻입니다. (2) '문화나 사상 등이 서로 통함.'은 '교류'의 뜻입니다. (3) '한 나라에서 가장 중요한 자리의 인물.'을 '정상'이라고 합니다.

6 보기 의 '길'은 '사람이 삶을 살아가거나 사회가 발전해 가는 데에 지향하는 방향, 지침, 목적이나 전문 분야.'라는 뜻으로 쓰였으며 이와 같은 뜻으로 '길'이 쓰인 것은 ④입니다.
①: 어떤 일에 익숙하게 된 솜씨.
②: 걷거나 탈것을 타고 어느 곳으로 가는 과정.
③: 길이의 단위.

7 (1) '머지않다'는 '시간적으로 멀지 않다.'라는 뜻입니다.
①: 시간적으로 머지않아. / ②: 서두르지 않고 뒤에 천천히.
(2) '왕래하다'는 '가고 오고 하다.'라는 뜻입니다.
①: 문 등을 열고 닫고 하다. / ②: 거리나 길을 오거니 가거니 하다.

8 '겨레말'은 '겨레+말', '단일팀'은 '단일+팀', '오가다'는 '오다+가다'로 나눌 수 있는 낱말입니다.

9 '예요'는 '이에요'의 준말입니다. 받침이 있는 말 뒤에는 '이에요'가 붙고, 받침이 없는 말 뒤에는 '예요'가 붙습니다.

10 '함께', '관광', '기울이다'가 알맞은 낱말입니다.

1 ③

2 (1) 상업   (2) 상품

3 ④

4 (1) 작품   (2) 식품

5 ① 품질   ② 상점가   ③ 상업
   ④ 식품   ⑤ 협상   ⑥ 학용품

---

1 '상점'은 '물건을 파는 곳.', '상품권'은 '표시된 금액만큼의 상품과 바꿀 수 있는 표.', '상가'는 '상점들이 죽 늘어서 있는 거리.', '상인'은 '장사를 하는 사람.'이라는 뜻입니다. 모두 이익을 얻기 위해 물건을 사고 파는 일인 장사와 관련된 내용이 들어 있는 낱말들입니다.

2 조선 후기 상업의 발달에 관한 내용이므로 빈칸에는 상업, 상품이 들어가는 것이 알맞습니다.

3 '품질'과 '제품'에는 '물건'을 뜻하는 '品(품)' 자가 공통으로 들어갑니다.

4 '작품'은 '예술 창작 활동으로 얻어지는 제작물.'이라는 뜻이고, '식품'은 '사람이 일상적으로 먹는 음식물을 통틀어 이르는 말.'입니다.

5 '商(장사 상)' 자와 '品(물건 품)' 자가 들어가는 낱말을 빈칸에 써 봅니다.

① 물건의 성질과 바탕.
② 물건을 파는 곳이 많이 늘어선 거리.
③ 상품을 사고파는 행동으로 이익을 얻는 일.
④ 사람이 일상적으로 먹는 음식물을 통틀어 이르는 말.
⑤ 어떤 목적에 맞는 결정을 하기 위하여 여럿이 서로 의논함.
⑥ 학습에 필요한 물품. 필기도구, 공책 따위를 통틀어 이른다.

① ② ③ ④ ⑤ ⑥

학용품   협상   상점가   상업   품질   식품

1 (2) ×

2 (1) ㉠ - ②   (2) ㉡ - ①

3 (1) 투자   (2) 공부   (3) 성공

4 (1) ○

독해력을 키우는 어휘와 어법

5 (1) 투자   (2) 영향력   (3) 인식

6 (1) ①   (2) ②

7 (1) ①   (2) ②

8 (1) 내리다   (2) 늘어나다   (3) 감소하다

9 (1) 이자   (2) 금리

10 (1) 자르다   (2) 팔

---

1 '주식에 투자한다고 해서 무조건 돈을 벌 수 있는 것은 아닙니다.'라고 본문에 나옵니다.

2 금리가 높아지면 이자가 늘어 예금이 증가하고, 주식 투자가 감소합니다. 반면에 금리가 낮아지면 이자가 줄어 예금이 감소하고 주식 투자가 증가하게 됩니다.

3 주식 투자로 돈을 벌려면 주식을 공부해야 하고, 성실하고 부지런하게 노력해야 주식 투자도 성공할 수 있습니다.

4 아무 노력 없이 좋은 결과를 바라는 사람은 지민이입니다.

독해력을 키우는 어휘와 어법

5 '투자'는 이익을 얻기 위해 시간이나 정성을 쏟는 것이고, '영향력'은 어떤 것의 효과나 작용이 다른 것에 미치는 힘입니다. '인식'은 무엇을 분명히 알고 이해한다는 뜻입니다.

6 '대가'는 동형어로 글자는 같지만 뜻이 서로 다른 낱말입니다.

7 '요행'은 뜻밖의 행운이라는 뜻이고, '계기'는 어떤 일이 일어나거나 결정되도록 하는 원인이나 기회라는 뜻입니다.

8 (1) 오르다: 값이나 수치, 온도, 성적 등이 이전보다 많아지거나 높아지다. / 내리다: 값이나 수치, 온도, 성적 등이 이전보다 떨어지거나 낮아지다.
(2) 줄어들다: 부피나 분량 등이 본디보다 작아지거나 짧아지거나 적어지다. / 늘어나다: 부피나 분량 등이 본디보다 커지거나 길어지거나 많아지다.
(3) 증가하다: 양이나 수치가 늘다. / 감소하다: 양이나 수치가 줄다.

9 (1)은 '리'가 낱말의 첫 글자에 있으므로 '이자'로 써야 하고, (2)의 '리'는 첫 글자가 아니므로 '금리'로 씁니다.

10 '덧나다'는 '이미 나 있는 위에 덧붙어 나다.', '덧대다'는 '대어 놓은 것 위에 겹쳐 대다.', '덧붙이다'는 '붙은 위에 겹쳐 붙이다.'라는 뜻입니다. '입질'은 '낚시질할 때 물고기가 낚싯밥을 건드리는 일.', '주먹질'은 '주먹을 휘둘러 위압하거나 때리는 짓.', '손가락질'은 '손가락으로 가리키는 짓.'을 뜻합니다. '덧자르다'와 '팔질'은 없는 낱말입니다.

1 (1) ○   (2) ×   (3) ×   (4) ○

2 (1) ×   3 솔개

4 (1) 귀신   (2) 나타나고

독해력을 키우는 어휘와 어법

5 (1) ①   (2) ④   (3) ②   (4) ③

6 (1) ○

7 옳다, 타당하다

8 (1) 가   (2) 이   (3) 께서

9 ③

10 (1) 헤치고   (2) 헤치며   (3) 해칠

---

1 (2) 홍길동이 雨(우)를 써서 날리자 폭우가 쏟아지기 시작했습니다. (3) 홍길동은 부하들에게 싸울 준비를 시키고 간신들을 잡아들이라고 하였습니다.

2 홍길동의 위엄이 하늘을 찌를 듯 했다는 것은 그 기세가 대단하다는 뜻으로 축지법을 써서 도망친 행동과는 어울리지 않는 표현입니다.

3 홍길동의 명령으로 신하들을 잡아온 장수들의 모습을 병아리를 채어 오는 솔개에 비유하였습니다.

4 '신출귀몰'은 귀신같이 나타났다가 사라진다는 뜻으로, 그 움직임을 쉽게 알 수 없을 만큼 자유자재로 나타나고 사라짐을 비유적으로 이르는 말입니다.

독해력을 키우는 어휘와 어법

6 보기 에서 '종적'은 '없어지거나 떠난 뒤에 남는 자취나 형상.'이라는 뜻으로 (1)과 같은 뜻으로 쓰였습니다. (2)의 '종적'은 돌아가신 분의 업적을 뜻합니다.

7 '마땅하다'는 '그렇게 하거나 되는 것이 이치로 보아 옳다.'라는 뜻으로 '옳다', '타당하다'와 뜻이 비슷합니다.
• 옳다: 사리에 맞고 바르다.
• 타당하다: 일의 이치로 보아 옳다.

8 앞에 오는 낱말에 받침이 있으면 '이', 없으면 '가'가 붙습니다. 주어를 높여 쓸 때에는 '께서'를 붙입니다. 솔개는 모음으로 끝났으므로 '가'를 쓰고, 홍길동은 받침이 있으므로 '이'를 씁니다. '전하'는 왕을 높여 부르는 말이므로 높임을 나타내는 말을 써야 합니다.

9 보기 의 낱말은 포함 관계입니다. '계절'과 '겨울', '무기'와 '총', '옷'과 '바지'는 각각 포함 관계이지만 '임금'과 '신하'는 각각 다른 신분을 나타내는 말입니다.

10 '해치다'와 '헤치다'는 발음이 비슷해서 헷갈리는 낱말이므로 뜻을 생각하며 알맞은 낱말을 써야 합니다. (1)은 병사가 구름을 뚫고 나타났다는 뜻이고, (2)는 눈을 뚫고 등교했다는 뜻입니다. (3)은 무리한 운동은 건강을 나쁘게 할 수 있다는 뜻입니다.

1 ⓝ → ⓒ → ⓛ → ⓐ

2 ④

3 (1) ②   (2) ①   (3) ④   (4) ③
   (5) 융통성   (6) 생각

4 (2) ○

독해력을 키우는 어휘와 어법

5 (1) 뱃전   (2) 융통성   (3) 출세

6 (1) ①   (2) ②

7 (1) 아랑곳하지   (2) 기진맥진한

8 (1) 그때   (2) 그다음   (3) 그 자리

9 (1) 구경꾼   (2) 나무꾼   (3) 낚시꾼

10 ②

---

2 젊은이의 행동을 지켜본 노인의 말은 젊은이가 뱃전에 표시한 행동이 아무 소용없는 일이었음을 깨닫게 해 주었습니다.

3 '배에 표시하는 행동'은 '융통성 없이 현실에 맞지 않는 낡은 생각'을 뜻합니다.

4 '수주대토'는 그루터기를 지키며 토끼를 기다린다는 뜻입니다. 한 농부가 밭을 갈다가 그루터기에 부딪혀 죽은 토끼를 발견하고 그것을 장에 팔아 돈을 벌었습니다. 그 후로 매일 그루터기 옆에서 토끼가 부딪히기만을 기다렸던 농부는 농사를 망쳤습니다. '수주대토'도 '각주구검'처럼 한 가지 일에 얽매여 발전하지 못하는 어리석은 사람을 이르는 말입니다.

독해력을 키우는 어휘와 어법

6 (1) '요동치다'는 하나의 낱말이 두 가지 이상의 관련된 뜻을 가지고 있는 다의어입니다. 문맥에 따라 알맞은 뜻을 골라 봅니다. (2) '사연'은 동형어로 글자는 같지만 뜻이 다른 낱말이기 때문에 문장 안에서 낱말의 의미를 생각해 보아야 합니다.

7 '관심을 가지다'는 '아랑곳하다'와 '탈진하다'는 '기진맥진하다'와 뜻이 비슷한 낱말입니다.

8 '그'는 '앞에서 이미 이야기한 대상을 가리킬 때 쓰는 말.'입니다. '그때'는 '앞에서 이미 이야기한 시간상의 어떤 점이나 부분.', '그다음'은 '그것에 뒤이어 오는 때나 자리.'라는 뜻의 낱말입니다. '그 자리'는 하나의 낱말이 아니므로 띄어 씁니다.

9 뜻을 더해 주는 말 '-꾼'의 뜻을 보고 낱말을 만들어 봅니다. (1)은 '-꾼'이 '어떤 일 때문에 모인 사람.'이라는 뜻으로 쓰였습니다. (2)의 '-꾼'은 '어떤 일을 전문적으로 하는 사람.', (3)의 '-꾼'은 '어떤 일을 즐겨 하는 사람.'이라는 뜻입니다.

10 '배+전'은 '전'이 [쩐]으로 소리 나기 때문에 낱말 사이에 'ㅅ'을 넣어 '뱃전'으로 씁니다. '배+놀이'는 'ㄴ' 앞에서, '배+멀미'는 'ㅁ' 앞에서 'ㄴ' 소리가 더해집니다. [밴놀이], [밴멀미]로 소리 나는 두 낱말은 각각 '뱃놀이', '뱃멀미'로 씁니다. 이와 달리 '배표'는 낱말 사이에 'ㅅ'을 넣지 않습니다.

1 (1) × (2) ○ (3) ×

2 ④

3 ㉡

4 (1) 수명 (2) 지속

독해력을 키우는 어휘와 어법

5 (1) 언급 (2) 혁신 (3) 지속 (4) 개량

6 (1) ① (2) ②

7 (1) 발견 (2) 발명

8 (1) 천여∨번 (2) 몇십∨분 (3) 수만∨번

9 (1) 안 (2) 않고 (3) 않았다 (4) 안

10 (1) ① (2) ② (3) ① (4) ①

1 (1) 에디슨이 만들기 전에도 전구가 있었고, 에디슨은 전구를 개량해서 사용하기 편하게 만들었습니다. (3) 마지막 문단에서 에디슨은 과학자가 아닌 발명가라고 하였습니다.

2 첫 문단에서 정전기가 마찰로 발생한다고 하였으나 정전기를 없애는 방법은 설명하지 않았습니다.

3 이 글에서 필라멘트는 백열전구 내부에 스프링처럼 꼬아 놓은 가느다란 금속선이며 빛이 나오는 부분이라고 설명하였습니다.

4 당시에는 필라멘트의 수명이 짧아 전구를 사용하기 어려웠는데, 에디슨은 이런 한계를 넘어설 수 있는 필라멘트를 만들었기 때문입니다.

독해력을 키우는 어휘와 어법

6 (1) ① 필수적: 꼭 있어야 하거나 해야 하는 것. ② 필연적: 사물의 관련이나 일의 결과가 반드시 그렇게 될 수밖에 없는 것. (2) ① 가끔: 시간적·공간적 간격이 얼마쯤씩 있게. ② 자주: 같은 일을 잇따라 잦게.

7 (1) 원래 있던 길을 찾아낸 것이므로 '발견'을 써야 합니다. (2) 에디슨은 소리를 녹음하는 기계를 새로 생각하여 만들어 냈으므로 '발명'을 써야 합니다.

8 단위를 나타내는 말인 '번', '분'은 앞말과 띄어 씁니다. (1) '그 수를 넘음'의 뜻을 더하는 말인 '-여'는 앞말에 붙여 씁니다. (2) '많지 않은 막연한 수를 이르는 말'인 '몇'은 숫자를 나타내는 말과 붙여 씁니다. (3) '몇', '여러', '약간'의 뜻을 더하는 말인 '수-'는 뒤에 오는 말과 붙여 씁니다.

9 '안'은 '아니'의 준말이고 '않다'는 '아니하다'의 준말입니다. 따라서 '아니하다'를 줄여 쓸 자리에는 '않다'를 쓰고, '아니'를 줄여 쓸 자리에는 '안'을 씁니다.

10 받침 'ㄷ, ㅌ'이 모음 'ㅣ'와 결합되는 경우에는, 'ㅈ', 'ㅊ'으로 바뀌어서 뒷말 첫소리로 옮겨 발음합니다. 낱말의 발음과 표기가 다르기 때문에 소리 나는 대로 글자를 쓰지 않도록 주의합니다.

1 개

2 (1) 개정 (2) 선의

3 (1) 개선 (2) 최악

4 개과천선

5 ① 개혁 ② 최선 ③ 개선 ④ 선의

1 두 낱말의 뜻에는 '고침'이라는 내용이 공통으로 들어 있습니다. 그러므로 '고치다'의 뜻을 가진 '개(改)' 자가 들어가야 합니다.

2 (1) '개정'은 주로 문서의 내용 등을 고쳐 바르게 한다는 뜻입니다. (2) '선의'는 '착한 마음.'이라는 뜻으로 '호의'와 뜻이 비슷한 낱말입니다.

3 '선'과 '악'은 뜻이 서로 반대되는 말입니다. (1) '개악'은 고쳐서 나빠지게 한다는 뜻이므로 빈칸에는 고쳐서 더 좋게 만든다는 뜻의 '개선'이 들어가야 합니다. (2) '가장 좋고 훌륭함.'이라는 뜻의 '최선'과 뜻이 반대되는 낱말은 '최악'입니다. 이와 같이 '선'과 '악'을 활용하여 뜻이 반대인 낱말을 만들 수 있습니다.
   • 극선: 마음씨나 행동이 더할 수 없이 착하고 고움.
     극악: 마음씨나 행동이 더할 나위 없이 악함.
   • 위선: 겉으로만 착한 체함.
     위악: 마음으로는 그렇지 않으나 일부러 악한 체함.
   • 선인: 선량한 사람.
     악인: 악한 사람.
   • 선순환: 좋은 현상이 끊임없이 되풀이됨.
     악순환: 나쁜 현상이 끊임없이 되풀이됨.

4 자기만 알던 사람이 이웃을 돕는 사람이 되었으므로 '지난날의 잘못이나 허물을 고쳐 올바르고 착하게 됨.'이라는 뜻인 '개과천선'이 들어가야 합니다.

5 영조의 개혁 정치를 떠올리며 면담 내용에 알맞은 낱말을 써 봅니다. 영조는 탕평책을 펼쳐 왕권을 강화하려고 최선을 다했고, 백성들을 위해 세금 제도를 개선했습니다.
   • 개선(改 고칠 개 善 착할 선): 잘못된 것이나 부족한 것, 나쁜 것 등을 고쳐 더 좋게 만듦.
   • 개혁(改 고칠 개 革 가죽 혁): 불합리한 제도나 기구 등을 새롭게 뜯어고침.
   • 선의(善 착할 선 意 뜻 의): 착한 마음. 좋은 뜻.
   • 최선(最 가장 최 善 착할 선): 가장 좋고 훌륭함. 온 정성과 힘.

1 (1) ○ (2) × (3) ×

2 소라

3 (1) 무관 (2) 진압 (3) 벼슬 (4) 역모

독해력을 키우는 **어휘와 어법**

4 (1) ③ (2) ② (3) ①

5 (1) 편애 (2) 진압 (3) 두각

6 영아

7 ②

8 (1) 그래서 (2) 그러나

9 (1) 금세 (2) 꺾였다 (3) 엎친

---

1 (2) 남이는 반역을 꾀했다는 모함을 받아 처형당했습니다. (3) 세조에게 다른 신하를 편애한다고 불만을 말했다가 감옥에 갇힌 사람은 남이입니다.

2 남이는 왕인 세조의 신임을 얻었으나 다른 신하들은 그를 시기해서 모함하였습니다.

3 남이는 10대 때 무관이 되어 반란군을 진압하는 데 공을 세웠습니다. 이후 어린 나이에 빠르게 높은 벼슬에 올랐으나 역모로 고발당해 처형되었습니다.

독해력을 키우는 **어휘와 어법**

5 (1) '어느 한 사람이나 한쪽만을 치우치게 사랑함.'이라는 뜻의 '편애'가 들어가는 것이 알맞습니다. (2) '강제로 억눌러 진정시킴.'이라는 뜻인 '진압'이 들어가는 것이 알맞습니다. (3) 진구는 여러 분야에서 뛰어난 재능을 보이는 것이므로 '두각'이 들어가는 것이 알맞습니다.

6 "모난 돌이 정 맞는다."라는 속담은 두각을 나타내는 사람이 남에게 미움을 받게 된다는 뜻이므로 성적이 뛰어나 시샘을 받았다는 상황과 어울리는 말입니다. 은주가 예를 든 상황에는 "빈 수레가 요란하다."라는 속담이, 재헌이가 예를 든 상황에는 "구르는 돌은 이끼가 끼지 않는다."라는 속담이 어울립니다.

7 형태가 바뀌는 말은 '움직임을 나타내는 말'과 '성질이나 상태를 나타내는 말'로 나눌 수 있습니다. '어리다'는 성질이나 상태를 나타내는 말이고 '무찌르다', '갇히다', '찾다'는 움직임을 나타내는 말입니다.

8 (1)은 이어 주는 말 앞에 원인이 되는 문장, 뒤에 결과를 나타내는 문장이 오므로 '그래서'를 씁니다. (2)는 이어 주는 말의 앞뒤 문장이 서로 반대되는 내용이므로 '그러나'를 씁니다.

9 (1) '금세'는 '지금 바로.'라는 뜻으로, '금시에'가 줄어든 말입니다. (2) '길고 탄력이 있거나 단단한 물체가 구부려져 다시 펴지지 않게 되거나 아주 끊어지다.'라는 뜻의 '꺾이다'는 받침 'ㄲ'을 씁니다. (3) '엎친 데 덮치다'라는 관용어에서 '엎치다'는 받침 'ㅍ'을 써야 합니다.

---

1 (1) ○ (2) × (3) ×

2 ㉯ → ㉮ → ㉲ → ㉰

3 (1) 감자 (2) 어수룩한

4 혜진

독해력을 키우는 **어휘와 어법**

5 (1) ④ (2) ③ (3) ② (4) ①

6 (1) 호의 (2) 천연덕스레
 (3) 마르도록 (4) 뚱그레졌다

7 (3) ○

8 (1) 주의 (2) 낳고 (3) 씨암탉

9 (1) 까닭∨없이 (2) 엎어질∨듯∨자빠질∨듯
 (3) 못∨낳으라고

10 ④

---

1 (2) 마름은 점순이의 아버지입니다. (3) '나'는 여태껏 점순이 얼굴이 이렇게까지 새빨개진 것을 보지 못했습니다.

2 '나'의 가족은 이 마을로 이사와 점순네의 호의로 집도 구하고 농사도 짓게 되었습니다. '나'가 점순이가 준 감자를 받아먹지 않고 거절하자 '나'를 좋아하는 점순이는 화가 나서 '나'의 집 닭에게 분풀이를 하였습니다.

3 점순이는 '감자'를 줌으로써 '나'를 좋아하는 자신의 마음을 전하고 있으므로 '감자'는 '나'에 대한 점순이의 관심을 표현하는 소재입니다. '나'는 점순이가 왜 자기를 괴롭히는지 알지 못하고 있으므로 어수룩한 성격입니다.

4 '침이 마르다'는 '거듭하여 말하다'라는 뜻입니다.

독해력을 키우는 **어휘와 어법**

6 '마름'은 '땅 주인을 대신해 농지를 관리하는 사람.'이고, '암팡스레'는 '몸은 작아도 야무지고 다부진 면이 있게.'라는 뜻입니다. 무엇에 대해 거듭해서 말한다는 관용어는 '침이 마르다'이고, 놀란 상황에 어울리는 말은 '눈이 뚱그레지다'입니다.

7 (1)은 일을 하기에 힘이 모자라다는 뜻으로, (2)는 아들에게 돈을 보냈다는 뜻으로 '부치다'가 쓰였습니다.

8 (1) '경고나 훈계의 뜻으로 일깨움.'을 뜻하는 말은 '주의'입니다. '주위'는 '어떤 곳의 바깥 둘레.' 또는 '어떤 사물이나 사람을 둘러싸고 있는 것.'을 뜻하는 말입니다. (2) '배 속의 아이, 새끼, 알을 몸 밖으로 내놓다.'를 뜻하는 말은 '낳다'입니다. (3) '씨암닭'이 아닌 '씨암탉'이 알맞은 표현입니다.

9 (1) '까닭'과 '없이'는 각각의 낱말이므로 띄어 씁니다. (2) '엎어질'과 '자빠질'은 '듯'을 꾸며 주는 말이므로 띄어 씁니다. (3) 부정을 나타내는 말 '못'은 '낳다'를 꾸며 줍니다. 두 낱말은 각각의 낱말이므로 띄어 써야 합니다.

10 '잡아먹다'는 '잡아(잡다) + 먹다'로 나누어야 합니다.

---

1 (1) × (2) ○ (3) ×

2 윤철

3 (1) ② (2) ① (3) ④ (4) ③
  (5) 농락 (6) 권세

독해력을 키우는 어휘와 어법

4 (1) ① (2) ③ (3) ②

5 (1) ② (2) ② (3) ① (4) ②

6 혜나

7 (1) 되어서도 / 돼서도 (2) 되었지만 / 됐지만
  (3) 되지

8 (1) 벌리고 (2) 벌였다 (3) 벌이는

9 (1) 나랏일 (2) 윗사람

1 (3) ○

2 (1) ② (2) ① (3) ③

3 지구촌

4 (1) 가치 (2) 존중

독해력을 키우는 어휘와 어법

5 (1) ① (2) ② (3) ③

6 ①

7 (4) ○

8 마늘, 고춧가루, 후추

9 (1) 제대로 (2) 왜곡하는 (3) 잦아졌다

10 (1) [너어서] (2) [아는] (3) [오른]

---

1 (1) 조고가 유서를 거짓으로 꾸며 호해가 황제가 되었으므로, 시황제는 부소가 황제가 되기를 원했을 것입니다. (3) 호해와 신하들은 조고의 눈치를 보느라 사슴을 말이라고 했습니다.

2 조고가 사슴을 말이라고 한 것은 자기편이 될 사람이 누구인지 가려내기 위해서였습니다.

3 '농락'은 '남을 교묘한 꾀로 휘어잡아서 제 마음대로 놀리거나 이용함.'이라는 뜻이고, '권세'는 권력과 세력을 아울러 이르는 말입니다.

독해력을 키우는 어휘와 어법

5 (1) '넘보다'는 '어떤 것을 욕심내어 마음에 두다.'라는 뜻이므로 '탐내다'와 바꾸어 쓸 수 있습니다. (2) '비위'는 '어떤 것을 좋아하거나 싫어하는 성미. 또는 그러한 기분.'이라는 뜻으로 사용되었습니다. 이와 비슷한 뜻을 지닌 말이 '기분'입니다. (3) '어리석다'는 '슬기롭지 못하고 둔하다.'라는 뜻으로, '어질다'와 반대되는 낱말입니다. (4) '야심'은 '무엇을 이루어 보겠다고 마음속에 품고 있는 욕망이나 소망.'이라는 뜻입니다.

6 '지록위마'는 사슴을 가리켜 말이라고 한다는 뜻으로, 윗사람을 농락하여 권세를 마음대로 할 때 사용하는 말입니다.

7 '되어, 되어라, 되었-'을 줄여서 쓸 때 '돼, 돼라, 됐-'과 같이 씁니다. (1) 형태가 바뀌지 않는 부분인 '되'에 '어서도'가 붙은 낱말입니다. '되어'를 '돼'로 줄여 쓸 수는 있지만 '어'를 생략하면 안 됩니다. (2) '됬지만'이 아닌 '되었지만', '됐지만'이 알맞은 표기입니다. (3)의 '돼지'는 '되+지'의 형태로 '-어'가 줄어든 것이 아니므로 '되지'라고 써야 합니다.

8 (1) 껍질을 열어 속의 것을 드러내는 것은 '벌리다'이므로 '밤송이를 벌리고'로 써야 합니다. (2) 잔치를 시작하는 것이므로 '벌였다'로 써야 합니다. (3) 입씨름은 말다툼이므로 '벌이는'으로 써야 합니다.

9 '나라'와 '일', '위'와 '사람'을 합해서 낱말을 만들 때에는 두 낱말 사이에 'ㅅ'을 씁니다.

---

1 (1) 카레는 인도의 전통 음식이 아니라 향신료를 가리키는 말입니다. (2) 지구촌의 다양한 문화는 모두 고유한 가치를 지니고 있습니다.

2 '타지마할'은 인도의 대표적 건축물이고, '나마스테'는 인도의 인사말입니다. '샨티'는 인도에서 마음의 평화를 가리키는 말입니다.

3 교통과 통신이 발달하여 지구를 한 마을처럼 여기게 되었고 이를 '지구촌'이라고 합니다.

4 각각의 문화는 고유한 가치를 지니고 있으므로 우리는 서로의 문화를 존중해야 합니다.

독해력을 키우는 어휘와 어법

6 관련성은 서로 관련이 있는 상태나 상황을 뜻하는 말로, 연관성과 뜻이 비슷합니다.

7 '도마 위에 오르다'는 사람들의 입에 오르내리면서 비판의 대상이 된다는 뜻의 관용어입니다.
  (1): "우물에 가 숭늉 찾는다."라는 속담의 뜻입니다.
  (2): '오지랖이 넓다'라는 관용어의 뜻입니다.
  (3): '눈 뜨고 못 보다'라는 관용어의 뜻입니다.

8 '향신료'는 음식에 맵거나 향기로운 맛을 더하는 조미료입니다. 향신료에 포함되는 낱말에는 '마늘', '고춧가루', '후추' 등이 있습니다.

9 (1) '제 격식이나 규격대로.'라는 뜻의 낱말은 '제대로'라고 써야 합니다. (2) '사실과 다르게 해석하거나 사실에서 멀어지게 하다.'라는 낱말은 '왜곡하다'입니다. (3) '어떤 일이나 행위 등이 자주 있게 되다.'라는 뜻의 '잦아지다'는 'ㅈ' 받침을 써야 합니다.

10 'ㅎ, ㄶ, ㅀ' 뒤에 모음으로 시작되는 말이 오는 경우에는 'ㅎ'을 발음하지 않습니다. (2) '않은'은 'ㄶ'에서 'ㅎ'은 소리 나지 않고 'ㄴ'이 '은'으로 넘어가서 [아는]으로 발음합니다. (3) '옳은'은 'ㅀ'에서 'ㅎ'은 소리 나지 않고 'ㄹ'이 '은'으로 넘어가서 [오른]으로 발음합니다.

1 ②

2 필요

3 (1) 하필   (2) 요구   (3) 요점

4 ②

5 ① 필수 요소   ② 하필   ③ 요구자   ④ 요점
   ❶ 중요지   ❷ 필연   ❸ 필요성   ❹ 상점가

---

1 '필수(꼭 있어야 하거나 하여야 함.)', '필승(반드시 이김.)', '필연적(사물의 관련이나 일의 결과가 반드시 그렇게 될 수밖에 없는 것.)', '생필품(일상생활에 반드시 있어야 할 물품.)'에 공통으로 들어가는 '필'은 '반드시', '꼭'이라는 뜻입니다.

2 '불필요'는 '필요'와 뜻이 반대되는 낱말로 '필요하지 않음.'이라는 뜻입니다.

4 빈칸에는 '중요하다'라는 뜻의 '요(要)' 자가 공통으로 들어갑니다.

5 낱말의 뜻과 첫 자음자를 살펴보고 '필(必)'과 '요(要)'가 들어가는 낱말을 빈칸에 채워 봅니다.

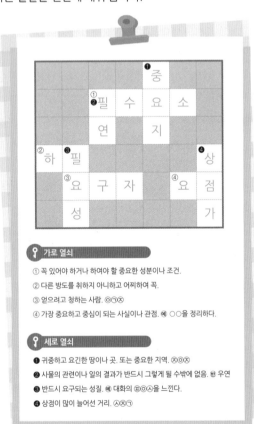

🔑 **가로 열쇠**
① 꼭 있어야 하거나 하여야 할 중요한 성분이나 조건.
② 다른 방도를 취하지 아니하고 어찌하여 꼭.
③ 얻으려고 청하는 사람. ㉠ㄱㅈ
④ 가장 중요하고 중심이 되는 사실이나 관점. ⑩ ○○을 정리하다.

🔑 **세로 열쇠**
❶ 귀중하고 요긴한 땅이나 곳. 또는 중요한 지역. ㉢ㅇㅈ
❷ 사물의 관련이나 일의 결과가 반드시 그렇게 될 수밖에 없음. ⑭ 우연
❸ 반드시 요구되는 성질. ⑩ 대화의 ㉤ⓩㅅ을 느낀다.
❹ 상점이 많이 늘어선 거리. ㉠ㅈㄱ

---

1 (1) ×   (2) ○   (3) ○

2 (1) 체력   (2) 운동   (3) 실내   (4) 감소   (5) 향상

3 (1) ②   (2) ①

독해력을 키우는 **어휘와 어법**

4 (1) ③   (2) ①   (3) ②

5 (1) 확보   (2) 통계   (3) 추세

6 성진

7 (2) ×

8 (1) [체겨근]   (2) [하래한다]   (3) [노리]

9 (1) 늘려야   (2) 늘여야

---

1 초등학생들의 체격이 9년 전보다 좋아졌지만, 초등학생들의 오래달리기 기록은 2000년보다 2009년에 더욱 느려졌습니다.

2 각 문단에서 중심 문장을 찾아 빈칸을 채워 봅니다. 글쓴이의 생각을 표현한 중심 문장은 각 문단의 첫 문장에서 찾을 수 있습니다.

3 "콩 심은 데 콩 나고 팥 심은 데 팥 난다."라는 속담은 원인에 따라 결과가 나타난다는 뜻입니다. 이 글의 중심 생각은 초등학생들이 운동할 수 있는 환경을 마련해야(원인) 건강한 청소년을 육성할 수 있다(결과)는 것입니다.

독해력을 키우는 **어휘와 어법**

4 '육성하다'는 '길러 자라게 하다.'라는 뜻으로 '기르다'와 바꾸어 쓸 수 있습니다. '저하되다'는 정도, 수준, 능률 등이 낮아진다는 뜻으로 '낮아지다'와 바꾸어 쓸 수 있습니다. '향상되다'는 '실력, 수준, 기술 등이 나아지다.'라는 뜻으로 '나아지다'와 뜻이 비슷한 낱말입니다.

6 "콩 심은 데 콩 나고 팥 심은 데 팥 난다."라는 속담은 공부를 열심히 해서 좋은 성적을 받은 성진이의 상황에 어울리는 말입니다.

7 '실내'와 '실외', '증가하다'와 '감소하다'는 뜻이 서로 반대되는 낱말끼리 짝 지어진 것입니다. '마련하다'와 '갖추다'는 서로 뜻이 비슷한 낱말입니다.

8 받침이 있는 글자 뒤에 모음으로 시작하는 글자가 오면 앞글자의 받침이 뒤에 오는 글자의 첫 소리로 옮겨져서 소리가 납니다. (1) '격'의 받침 'ㄱ'이 '은'으로 옮겨져서 [체겨근]으로 소리 납니다. (2) '할'의 받침 'ㄹ'이 '애'로 옮겨져서 [하래한다]로 소리 납니다. (3) '놀'의 받침 'ㄹ'이 '이'로 옮겨져서 [노리]로 발음합니다.

9 '늘이다'는 '본디보다 더 길어지게 하다.'라는 뜻이고, '늘리다'는 '물체의 넓이, 부피 등을 본디보다 커지게 하다.'라는 뜻입니다. 체육 시설 면적은 '늘리다'와 바지 길이는 '늘이다'와 어울립니다.

1 (4) ×

2 (1) 돈　(2) 무덤　(3) 선행

3 (3) ×

독해력을 키우는 어휘와 어법

4 (1) ②　(2) ③　(3) ①

5 (1) ②　(2) ①　　　　6 (4) ×

7 (1) 위로　(2) 동행

8 (1) 알다시피　(2) 곤란한　(3) 서슴지

9 (1) 주무시는　(2) 하셨다

10 (1) 가든지, 가든지　(2) 그리던
　　　(3) 오든 말든　(4) 착했던

---

1 세 번째 친구는 남자의 말을 듣더니, 그를 따뜻하게 위로해 주었습니다.

2 사람들은 '돈'을 최고로 여기지만, 죽을 때는 돈을 가지고 갈 수 없습니다. '가족'은 무덤 앞까지는 따라가 주지만 가족은 죽음을 함께할 수 없습니다. 사람이 죽어서도 가져갈 수 있는 것, 세상을 떠난 뒤에도 그 사람과 함께 남는 것은 바로 '선행'입니다.

3 세 번째 친구는 남자의 부탁에 고개를 돌리지 않고 들어주었습니다.

독해력을 키우는 어휘와 어법

5 '영문'은 일이 돌아가는 형편이나 까닭을 뜻하는 낱말로, '까닭'과 뜻이 비슷한 낱말입니다. '호의'는 친절한 마음씨를 뜻하는 낱말로, '선의'와 뜻이 비슷한 낱말입니다.

6 '변호하다'는 '남의 이익을 위해 변명하고 감싸서 도와주다.'라는 뜻입니다. '비난하다'는 '남의 잘못이나 결점을 책잡아서 나쁘게 말하다.'라는 뜻으로, '변호하다'와 관련 없는 낱말입니다.

7 '위로하다'는 '따뜻한 말이나 행동으로 괴로움을 덜어 주거나 슬픔을 달래 주다.'라는 뜻이고, '동행하다'는 '같이 길을 가다.'라는 뜻입니다.

8 (1) '알다시피'에서 '다시피'는 듣는 사람이 이미 알고 있는 것과 같음을 나타냅니다. (2) '곤란하다'를 '곤난하다'나 '골란하다'로 쓰는 것은 잘못된 표기입니다. (3) '서슴지'는 '서슴다'에서 형태가 바뀌지 않는 부분 '서슴'에 '-지'가 붙은 것입니다.

9 높임을 나타내려면 '-시-'를 넣거나 높임을 나타내는 낱말을 사용합니다. '자다'의 높임말은 '주무시다', '하다'의 높임말은 '하시다'입니다.

10 '-든' 은 선택을 나타낼 때 쓰고, '-던'은 과거의 일을 나타낼 때 씁니다. (2), (4)는 과거에 있었던 일을 표현한 문장입니다. (1)은 어디에 갈 것인지 장소를 선택해야 하는 내용이고, (3)은 올지 말지를 선택해야 하는 내용이므로 '-든'을 씁니다.

---

1 (1) 말미잘　(2) 독

2 (1) ○　(2) ○　(3) ×

3 (1) 괵나라 - 우나라　(2) 조선 - 명나라

4 (1) ①　(2) ②　(3) ③　(4) ④

독해력을 키우는 어휘와 어법

5 (1) 맥락　(2) 공생　(3) 꾐

6 (1) ②　(2) ①　(3) ②

7 ③

8 (2) ○

9 (1) [담녁]　(2) [금니]

10 (1) 갈 테니　(2) 했기 때문

11 ①

---

2 (3) 충신 궁지기가 진나라에 길을 빌려주어서는 안 된다고 설득했지만 우나라 임금은 진나라의 꾐에 넘어가 길을 내주었습니다.

3 진나라는 괵나라를 정벌하려고 할 때 우나라에 길을 빌려 달라고 하였고, 일본은 명나라를 정벌하려고 할 때 조선에 길을 빌려 달라고 하였습니다.

4 한자 성어 '순망치한'은 '입술이 없으면 이가 시리다.'라는 뜻입니다.

독해력을 키우는 어휘와 어법

6 (1) '거치다'는 '오가는 도중에 어디를 지나거나 들르다.'라는 뜻이므로 '지나다'와 바꾸어 쓸 수 있습니다. (2) '일어나다'는 '어떤 일이 생기다.'라는 뜻이므로 '발생하다'와 뜻이 비슷합니다. (3) '회유하다'는 '어루만지고 잘 달래어 시키는 말을 듣도록 하다.'라는 뜻이므로 '어르고 달래다'와 바꾸어 쓸 수 있습니다.

7 보기 의 두 낱말은 뜻이 비슷한 낱말입니다. ①, ②, ④도 보기 와 같이 서로 뜻이 비슷한 낱말이고 '먹다'와 '먹히다'는 뜻이 반대인 낱말입니다.

8 낱말의 앞뒤 내용을 살펴보면 낱말의 뜻을 짐작할 수 있습니다. 앞에 '수레'라는 낱말이 나오므로 '살'이 (2)의 뜻으로 쓰였다는 것을 알 수 있습니다.

9 받침 'ㅁ' 뒤에 연결되는 'ㄹ'은 [ㄴ]으로 소리 납니다.

10 (1) '테니'는 '터이니'를 줄인 표현으로 앞말과 띄어 써야 합니다. (2) '때문'은 앞에 오는 낱말과 띄어 씁니다.

11 '의자'는 '의'와 '자'로 나눌 수 없는 단일어입니다. 보기 의 '수레바퀴'는 뜻이 있는 두 낱말을 합해서 만든 복합어입니다. '책가방', '바늘방석', '사과나무'도 복합어입니다. '책가방'은 '책'과 '가방'을, '바늘방석'은 '바늘'과 '방석'을, '사과나무'는 '사과'와 '나무'를 합해서 만든 낱말입니다.

1 ②

2 (1) 육식 동물　(2) 대왕판다

3 (1) 소화　(2) 몸집

4 윤후

독해력을 키우는 **어휘와 어법**

5 (1) ①　(2) ③　(3) ②

6 (2) ○

7 (1) 함유　(2) 섭취　(3) 효과

8 (1) ×　　　　　　　**9** ②

10 (1) 어떻게　(2) 어떡해　(3) 어떡해　(4) 어떻게

11 (1) ① 끓인다　② 끓게 한다

　　(2) ① 붙인다　② 붙게 한다

---

1 대왕판다가 어디에서 사는지에 대한 내용은 글에 나타나 있지 않습니다.

2 판다의 종류에는 레서판다와 대왕판다가 있다고 했고, 판다는 육식 동물로 분류된다고 하였습니다.

3 대왕판다는 육식 동물의 소화 기관을 가지고 있으므로 초식 동물과 달리 섬유질을 잘 소화하여 영양소를 충분히 흡수할 수 없습니다. 그래서 대왕판다는 더 많은 먹이를 오랜 시간 동안 먹어야 큰 몸집을 유지할 수 있습니다.

4 이 글에서 대왕판다는 감칠맛을 담당하는 미각 유전자의 기능이 멈춰 버려서 육류에 대한 관심이 적어졌다고 했습니다.

독해력을 키우는 **어휘와 어법**

6 밑줄 친 '주식'은 '밥이나 빵과 같이 끼니에 주로 먹는 음식.'을 뜻하는 말로, '주식'이 이와 같은 뜻으로 쓰인 것은 (2)입니다. (1)의 '주식'은 '주식회사의 자본을 같은 값으로 나누어 놓은 문서.'를 뜻하는 말입니다.

7 (1) 비타민은 귤에 들어 있는 성분이므로, '함유'를 쓰는 것이 알맞습니다. (2) 음식은 먹거나 섭취한다고 표현합니다. (3) '어떤 목적을 지닌 행동에 의하여 드러나는 보람이나 좋은 결과.'를 뜻하는 '효과'가 들어가야 합니다.

8 '추정하다'는 '미루어 생각하여 판정하다.'라는 뜻입니다.

9 '희망', '띄어쓰기', '하늬바람'은 각각 [히망], [띠어쓰기], [하니바람]으로 소리 납니다. 첫소리에 자음이 오지 않는 '의사'는 [의사]로 발음해야 합니다.

10 '어떻게'는 '어떠하게'의 준말이고, '어떡해'는 '어떻게 해'의 준말입니다. 본말을 넣어 보면 두 낱말을 구분하기 쉽습니다.

11 보기 와 같이 남에게 어떤 동작이나 행동을 하게 하는 문장으로 바꾸어 써 봅니다. '끓이다'와 '끓게 하다'는 '액체를 몹시 뜨겁게 해 소리를 내면서 거품이 솟아오르게 하다.'라는 뜻이고, '붙이다'와 '붙게 하다'는 '맞닿아 떨어지지 않게 하다.'라는 뜻입니다.

---

1 혼인 / 결혼

2 (1) ①　(2) ③　(3) ②

3 ①

4 속수무책

5 약속 → 약혼 → 속수무책 → 결속 → 속박 → 요약
　→ 문단속

---

1 한자의 뜻에서 알 수 있듯이 '약혼'은 '혼인하기로 약속함.'이라는 뜻입니다. 그러므로 빈칸에는 '혼인'이나 '결혼'이 들어가는 것이 알맞습니다.

3 '단속', '결속'에 공통으로 들어갈 한자는 束(묶을 속)입니다.

4 '손을 묶은 것처럼 어찌할 도리가 없어 꼼짝 못 함.'이라는 뜻인 '속수무책'이 들어가야 합니다.

5 '약(約)'과 '속(束)'이 들어가는 낱말은 '약속(約束)', '약혼(約婚)', '속수무책(束手無策)', '결속(結束)', '속박(束縛)', '요약(要約)', '문단속(門團束)'입니다.

1주차
정답과 해설 2쪽

1 (1) 아무렇게나 (2) 멈췄다 **2** ④

3 ① **4** ② **5** ③

6 (1) 좌우명 (2) 문구 (3) 새겼다

7 ③ **8** ④

2 ①은 '나무라셨다', ②는 '오랫동안', ③은 '도저히'로 고쳐 써야 알맞은 문장이 됩니다.

3 '저항하다'는 '어떤 힘이나 조건에 굽히지 아니하고 거역하거나 버티다.'라는 뜻이므로 문장에 어울리지 않습니다.

4 '유유상종', '육류'의 뜻이므로 '무리', '비슷하다'라는 뜻을 가진 '類'가 들어가야 합니다. ① 앉을 좌 ③ 씨 종 ④ 새 조

5 ①은 '더 이상', ②는 '할 수', ④는 '첫 번째'로 띄어 씁니다.

6 (1)에는 자기의 태도와 행동의 길잡이가 되는 '좌우명'이 들어갑니다. (2)에는 '문구'가, (3)에는 '새기다'가 어울립니다.

7 각 문장에서 '걸리다'는 '어떤 물체가 떨어지지 않고 벽이나 못 등에 매달리다.', '병이 들다.', '눈이나 마음 등에 만족스럽지 않고 언짢다.'라는 뜻으로 쓰였습니다.

8 '경계하다'와 '조심하다'는 뜻이 비슷한 낱말입니다.

2주차
정답과 해설 4쪽

1 획 **2** ③ **3** ②

4 ② **5** ④ **6** ①

7 ③

1 각 문장에서 '획'은 '갑자기 세게 던지거나 뿌리치는 모양', '글씨를 쓰거나 그림을 그릴 때, 붓으로 한 번 그은 줄이나 점.'이라는 뜻으로 쓰였습니다.

2 '선연히'는 '실제로 보는 것같이 생생하게.'라는 뜻입니다.

3 ① 어떤 물건의 재료나 원료를 나타낼 때는 '로써'를 씁니다. ③ '바뀌었다'는 '바꼈다'로 줄여 쓸 수 없습니다. ④ '낯섦'이 알맞은 표현입니다.

4 밑줄 그은 한자는 각각 ① '野 들 야' ③ '廣 넓을 광' ④ '茫 아득할 망'입니다.

5 홍대용은 '어려운 환경에서 훌륭한 인물이 나온다.'라는 뜻의 ④와는 거리가 먼 인물입니다.

6 ② '고정불변하다'는 붙여 씁니다. ③ '점'은 수를 나타내는 말과 띄어 씁니다. ④ '동안'의 뜻을 더해 주는 말인 '-간'은 앞말과 붙여 씁니다.

7 ③에는 '고백' 대신 '조심하거나 삼가도록 주의를 줌.'이라는 뜻의 '경고'가 들어가는 것이 알맞습니다.

3주차
정답과 해설 6쪽

1 ④ **2** ② **3** ①

4 ④ **5** ③ **6** ②

7 ④

1 ①은 '삽시간', ②는 '지그시', ③은 '훨씬'의 뜻입니다.

2 ① '체 → 채' ③ '바램 → 바람' ④ '햇님 → 해님'으로 고쳐야 합니다.

3 '억실억실하다'는 '얼굴 모양이나 생김새가 선이 굵고 시원시원하다.'라는 뜻이므로 '목소리'와는 어울리지 않습니다.

4 '성격', '엄격', '자격'에 쓰인 '격(格)'은 '격식', '지위', '품격'이라는 뜻이 있습니다.

5 '대립하다'는 '의견이나 처지, 속성 등이 서로 반대되거나 모순되다.'라는 뜻으로 '반대되다'와 바꾸어 쓸 수 있습니다.

6 빈칸에는 차례대로 '재촉하셨고', '옷맵시', '개성', '동그래졌다'가 들어가는 것이 알맞습니다. '옷걸이'는 옷을 걸어 두도록 만든 물건으로, '가다듬다'라는 말과 어울리지 않습니다.

7 ①은 [올치], ②는 [넙쩌카고], ③은 [여칼]로 발음합니다.

4주차
정답과 해설 8쪽

1 ③ **2** ① **3** ④

4 하늘 **5** ① **6** ②

7 ④ **8** ②

1 색이 변했다는 뜻의 낱말은 '바라다'가 아닌 '바래다'입니다.

2 '수록하다'는 '모아서 기록하다.'라는 뜻입니다.

3 ① 해가 내리쬐는 기운인 '햇볕'을 써야 합니다. ② '매 때마다.'라는 뜻을 나타내려면 '번번이'를 써야 합니다. ③ '틀림없이 꼭.'을 뜻하는 '반드시'를 써야 합니다.

4 '하늘'은 '지평선이나 수평선 위로 보이는 무한대의 넓은 공간.', '하느님을 달리 이르는 말.'이라는 뜻으로 쓰였습니다.

5 ②에는 '무릎을 치다'가 알맞습니다. '무릎을 꿇다'는 '항복하거나 굴복하게 하다.'라는 뜻입니다. ③ '시간 가는 줄 모르다', ④ '엎질러진 물'이 알맞은 표현입니다.

6 '폭설'은 '갑자기 많이 내리는 눈.'을 뜻하는 낱말입니다.

7 '군살'은 뜻을 더해 주는 말과 뜻이 있는 낱말을 합해서 만들었습니다. ④는 뜻이 있는 낱말 '심부름'과 뜻을 더해 주는 말 '-꾼'을 합해서 만든 낱말입니다. ①은 '나무'와 '판', ②는 '뒤'와 '부분', ③은 '잎'과 '자루'로 나눌 수 있습니다. 이 낱말들은 뜻이 있는 두 낱말을 합해서 만들었습니다.

8 ①, ③, ④는 뜻이 비슷한 낱말끼리 짝 지어져 있습니다.

1 (1) 자초지종 (2) 청천벽력 (3) 혁신적		
2 ②	3 ②	4 ④
5 ①	6 지윤	7 ④
8 ①		

1 (1) 자초지종: 처음부터 끝까지의 과정. (2) 청천벽력: 맑게 갠 하늘에서 치는 날벼락이라는 뜻으로, 뜻밖에 일어난 큰 변고나 사건을 이르는 말. (3) 혁신: 묵은 풍속, 조직, 방법 등을 완전히 바꾸어 새롭게 하는 것.

2 '인위적'과 '자연적'은 서로 반대의 뜻을 가진 낱말로 짝 지어졌습니다. '알다'와 '모르다'는 뜻이 반대인 낱말입니다.

3 비교가 되는 두 대상이 서로 같지 않을 때 '다르다'를 씁니다.

4 ④ '약속하다'는 [약쏘카다]라고 발음해야 알맞습니다.

5 보기 의 '찍다'는 '정한 대상에게 표를 던지다.'라는 뜻이며 이와 같은 뜻으로 쓰인 것은 ①의 '찍다'입니다.

6 '시치미를 떼다'는 '자기가 하고도 하지 아니한 체하거나 알고 있으면서도 모르는 체하다.'라는 뜻입니다.

7 '일회용품'은 '한 번만 쓰고 버리도록 되어 있는 물건.'이라는 뜻으로 '물건 품(品)' 자가 쓰였습니다.

8 '호숫가'로 써야 알맞은 낱말입니다.

1 ②	2 ①	3 ③
4 ②	5 ④	6 좋다
7 ②	8 ①	

1 빈칸에는 '거듭' 또는 '겹쳐'의 뜻을 더해 주는 말인 '덧-'이 공통으로 들어갑니다.

2 배에 새겨 칼을 구한다는 말인 '각주구검'의 뜻입니다.

3 '대가'는 '노력이나 희생을 통하여 얻게 되는 결과.'라는 뜻입니다. ③은 '자본'의 뜻입니다.

4 '뱃전'은 '배'와 '전'을 합해서 만든 복합어입니다.

5 ① '리자'가 아닌 '이자'입니다. ②에서 '친구'는 높임을 나타내는 대상이 아니므로 '친구가'로 쓰고, ③에서는 '않' 대신 '안'을 써야 합니다.

6 세 낱말에 공통으로 쓰인 '선(善)'의 뜻은 '좋다'입니다. 빈칸에는 '좋게'가 들어가고, 기본형인 '좋다'를 답으로 씁니다.

7 '지속되다'는 '어떤 상태가 오래 계속되다.'라는 뜻입니다.

8 '그날'은 하나의 낱말이므로 붙여 쓰고, '그 수를 넘음'의 뜻을 더해 주는 말인 '-여'는 '천'과 붙여 씁니다.

1 ③	2 ④	3 ②
4 침	5 ③	6 ②
7 ④	8 ①	

1 ①은 '능청스럽게' 또는 '천연덕스레', ②는 '간신'이 들어가야 알맞습니다. ④는 '평탄하다'의 뜻과 반대되는 문장입니다.

2 보기 의 낱말은 뜻이 반대되는 낱말입니다. '인품'과 '사람됨'은 뜻이 비슷한 낱말입니다.

3 '바구니'는 단일어이고, '돌무더기'는 '돌'과 '무더기'를 합해서 만든 낱말입니다. '쥐어박다'는 '쥐다'와 '박다'를 합해서 만든 말이므로 '쥐어 + 박다'로 나누는 것이 알맞습니다.

4 '침 발라 놓다', '침을 흘리다', '침이 마르다'와 같이 쓰입니다.

5 '중요'에 쓰인 '요'는 要(중요할 요)입니다. ①은 '반드시 필', ②는 '어찌 하', ④는 '무거울 중' 자입니다.

6 ㉠은 '주의', ㉢은 '되어서도' 또는 '돼서도', ㉣은 '제대로'로 고쳐 써야 합니다.

7 ①, ②, ③은 발음할 때 'ㅎ' 받침이 생략됩니다. ④는 받침 'ㅎ'이 'ㄱ'과 만나 'ㅋ'으로 소리 납니다.

8 ②는 '엎친 데', ③은 '도마 위', ④는 '정 맞는다더니'와 같이 띄어 써야 합니다.

1 ②	2 ①	3 ①
4 ②	5 ③	6 ③
7 ④	8 ②	

1 '외면하다'와 비슷한 뜻의 관용어는 '고개를 돌리다'입니다.

2 약속, 선약, 약혼에 쓰인 한자 '약(約)'은 '맺다'라는 뜻입니다.

3 ②, ③, ④는 주어가 높임의 대상이 아닙니다.

4 ①은 '잤기 때문에', ③은 '콩 심은 데 콩 나고 팥 심은 데 팥 난다', ④는 '모른 채'로 띄어 써야 합니다.

5 '어떤 현상이 일정한 방향으로 나아가는 경향.'을 뜻하는 '추세'가 들어가야 합니다.

6 ①, ②, ④는 각각 '마음 + -껏', '바다 + 속', '대왕 + 판다'로 나눌 수 있습니다. ③ '말미잘'은 나눌 수 없는 단일어입니다.

7 ① [무니] ② [침낙] ③ [무작쩡] ④ [하뮤되다]

8 ① 운동이 부족하면 체력이 떨어지므로 어울리지 않습니다. ③ 날마다 만나는 것은 친밀한 관계라는 뜻이므로 '데면데면하다'와 어울리지 않습니다. ④ 주장이 맞아떨어지면 회의를 끝낼 수 있으므로 어색한 문장입니다.

어휘력
자신감

6단계

중학생을 위한
비문학 독해 연습

전과목 학습의 기초가 되는 **독해력**은 선택이 아닌 **필수!**

어휘력, 글에 대한 이해력, 해결력이 종합된
독해력은 중학교부터 탄탄히 다져야 합니다.

- ✔ 독해 기술 – 어휘 학습 – 수능형 지문 구성
- ✔ 독해 연습에 최적화된 인문, 사회, 과학, 기술, 예술 등 수능 영역별 지문 구성
- ✔ 시각적 지문 정리 – 주제 파악 – 문제 풀이의 3단계 실전 연습 반복
- ✔ 매일 2지문씩 2개월 집중 훈련

🌱 교재 선택 가이드

중학 비문학 독해 연습 시리즈는 〈중학 독해 훈련서〉로 예비중부터 중1, 2, 3까지 모든 학생을
대상으로 합니다. 학생들의 수준에 따라 선택적으로 공부할 수도 있고, 입문편 학습을
마친 학생은 기본편, 실력편 학습을 단계별로 할 수 있도록 구성하였습니다.

▌입문편

예비중	중1	중2	중3

초등 고학년부터 중1까지, 비문학 독해
력의 기초를 다지고 싶은 학생에게 권장
합니다.

▌기본편

예비중	중1	중2	중3

중1부터 중2까지, 비문학 독해력의 실력
을 기르고 싶은 학생에게 권장합니다.

▌실력편

예비중	중1	중2	중3

중2부터 중3까지, 심화된 제재로 비문학
독해의 실력을 완성하고 싶은 학생에게
권장합니다.

지학사

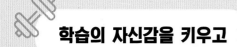

학습의 자신감을 키우고

지학사 초등 국어
자신감 시리즈

공부의 기초 체력을
높이는

어휘력 자신감

하루 15분 즐거운 공부 습관

• 속담, 관용어, 한자 성어, 교과 어휘, 한자 어휘
가 담긴 재미있는 글을 통한 어휘·어법 공부

• 국어, 사회, 과학 교과서 속 개념 용어를 통한
초등 교과 연계

• 맞춤법, 띄어쓰기, 발음 등 기초 어법 학습 완벽
수록!

독해력 자신감

긴 글은 빠르게! 어려운 글은 쉽게!

• 문학, 독서를 아우르는 흥미로운 주제를 통한
재미있는 독해 연습

• 주요 과목과 예체능 과목의 교과 지식을 통한
전 과목 학습

• 빠르고 쉽게 글을 읽을 수 있는 6개 독해 기술
을 통한 독해 비법 전수